Promenade parmi
LES TRÉSORS DE LA FRANCE
Lutte pour leur sauvegarde

Ce livre a été conçu et réalisé par
Les Éditions d'Art et d'Histoire
ARHIS
54, av. d'Iéna, 75116 Paris. tél. 47.20.66.76

Michel PARENT

Promenade parmi

LES TRÉSORS DE LA FRANCE

Lutte pour leur sauvegarde

Les Editions de l'Epargne

174, bd Saint-Germain, Paris VIe

À mon fils Dominique

M. P.

Entrée de l'église de La Martyre (Finistère). *Les entrées dans les enclos sont de véritables arcs de triomphe portant des calvaires et descentes de croix qui inspirent les prières des pêcheurs.*

INTRODUCTION

Les trésors et les trésors d'art

Le sens le plus général du mot « trésor », dérivé du grec **thesauros** et du latin **thesaurus** est celui *« d'un dépôt de choses précieuses »* dit le Robert, *« un amas de grandes richesses cachées, enfouies, qu'on découvre par hasard »* précise le Larousse illustré. Ainsi la nature, la valeur et la signification, attribuées à tout trésor dès qu'il est découvert, en justifient la garde pour en assurer la possession. Mais si sa cache peut constituer la meilleure façon de le dérober au pillage, elle l'expose à l'oubli d'où l'arrache une recherche obstinée ou un acte fortuit.

Trésors mythiques

Aussi est-ce dans la vocation des trésors de faire mystère, d'inspirer le rêve : avant d'être « inventés » les trésors mythiques sont aussi ces métaux qui dorment au sein de la terre, jusqu'au jour où leur possession confère des pouvoirs particuliers à ceux qui les posséderont, une puissance magique ou une puissance technique, celle de la métallurgie qui fera de ces métaux de meilleures armes ou de meilleurs outils propres à éventrer la terre. Ou enfin, des œuvres d'art composant ces autres trésors, artificiels s'il en est, dont l'éclat, l'inaltérabilité de leur matière précieuse, vont imposer aussitôt la mise à l'abri. La vocation de la mine était d'être explorée un jour et de muer le rêve en réalité, celle de la caverne — la caverne d'Ali Baba — sera, à l'inverse, de servir à pratiquer le réenfouissement du trésor. C'est l'emblématique façon de lui rendre ainsi son pouvoir que de fixer à nouveau le rêve par le mystère et de dérober à nouveau à la vue un trésor chargé de la valeur ajoutée du travail humain le plus élaboré : celui de l'artisan ou de l'artiste. Il faut alors encore plus de précaution pour qu'il reste inaltérable et insaisissable. Ce va-et-vient entre la présence supposée et l'absence apparente, cette alternance entre le mouvement d'éblouissement exceptionnel et ce retour dans le sommeil la cache obscure, cette partition entre les gens qui auront eu le privilège d'accéder au trésor et de ceux qui sont indignes de le contempler, tels sont les mécanismes de cette « thésaurisation » fonctionnelle primitive qui devait conduire à ne pas se contenter de cavernes naturelles, mais à imaginer des cavernes artificielles pour en faciliter le jeu. Ce sont ces architectures de cryptes qu'on appelle aussi des « trésors » selon une loi sémantique qui veut que le contenant adopte le nom du contenu.

Trésors royaux et réserves de trésorerie

Le Trésor royal — princier — repose ainsi au cœur de la résidence ou du fort, dans la salle basse la mieux voûtée aux murs les plus épais, dans le donjon ou sa proximité, auprès des parchemins attestant les pouvoirs régaliens et d'où le roi signe et dépêche ses décrets.

Cependant, la puissance que confère le trésor dans les conflits d'hégémonie n'a d'efficacité que pour autant qu'on puisse disposer d'une partie de sa richesse en cas de crise. La désacralisation du trésor royal est en marche. C'est aussi une réserve : un fonds de « trésorerie ».

L'avènement de la banque est déjà subodoré, ce qui n'empêchera aucune caisse pleine de perpétuer sa magie. Ce bien inaltérable peut être composé de lingots ou de pièces, peut être aussi subdivisé en « unités de compte » et être ainsi comparé à d'autres trésors et éventuellement gagé pour préserver d'autres biens essentiels : le bien de la parole donnée, de la foi jurée, ou le bien de la vie et de la liberté. Parfois le jeu se retourne : on gage un Dauphin en attendant de payer une rançon. Voilà donc le trésor princier engagé dans la pratique politicienne et échangière. La possession du trésor se lie étroitement à la faculté de battre monnaie, d'en évaluer le titre. Reste que la pièce d'orfèvrerie ouvragée témoignant de l'investissement du savoir-faire et bientôt l'œuvre d'art prestigieuse intégrée dans une collection, renouvellent le sens du trésor traditionnel indivisible et parfois incessible qui a fait prendre le relais de la magie de la beauté à celle du mythe. Mais les symboles d'un trésor associé à la détention du pouvoir n'a pas perdu ses droits. Dans le trésor royal se gardent les attributs du pouvoir, sceptre, le **regulae**, couronne, mappemonde symbolisant la possession de l'univers.

* Les mots suivis d'un * sont expliqués dans le glossaire.

Détail de l'autel portatif de la Sainte-Foy de Conques.

Trésors sacrés

Une des formes les plus primitives des trésors sacrés est liée à la pratique funéraire. Qui ne connaît le trésor de Toutankhamon enseveli dans la Vallée des Rois avec les fabuleuses richesses propres à l'agrément de l'éternelle survie de son esprit ? À Vix, en Bourgogne, une princesse gauloise fut enterrée, la tête ceinte de son diadème d'or auprès de son char et d'un monumental cratère* grec du ve siècle avant notre ère.

D'autres trésors seront faits d'images ou de reliquaires ou d'images-reliquaires : ces pièces sont alors créditées d'un pouvoir religieux et la tentation sera toujours très forte de joindre fonction religieuse et fonction royale, d'où le destin, encore assez équivoque d'ailleurs, des « corps saints » des rois de France. Toujours est-il que les Saints-Lieux consacrés par les prêtres auront propension à posséder eux aussi des trésors ; ainsi les trésors d'abbayes illustres ou de cathédrales, mais aussi ceux de modestes églises rurales : chacune est sensée en posséder, ne serait-ce que son orfèvrerie cultuelle. La meilleure manière qu'a une abbaye de devenir illustre et riche, grâce à la vogue du pèlerinage qui va en résulter, est de posséder à la fois trésor et relique, la relique étant, à l'origine, le seul objet de vénération du trésor.

Mais, comme nous le verrons à Conques, à ce niveau aussi, le contenant et le contenu vont échanger leur sens et leur vertu. Par un retour ou un maintien révélateur du culte des idoles au cœur même de la vie chrétienne médiévale, certaines statues reliquaires vont être vénérées en elles-mêmes. C'est le fait des religions situant l'élection de leur pratique rituelle dans des sanctuaires que d'avoir ainsi lié leur sort à la constitution d'un amas de biens précieux.

Dans les trésors des temples grecs de l'Antiquité s'accumulent les ex-voto. Les objets y sont déposés dans ces trésors par ceux qui viennent faire leurs dévotions à la divinité du lieu. On connaît, car l'inventaire en a été gravé dans le marbre, la composition de celui du temple de Delos consacré à Apollon. Ce sont souvent des œuvres d'art inestimables faites de métaux précieux ou non, mais réalisées parfois par de célèbres artistes hellènes : l'art religieux ne s'en trouvant pas moins personnalisé dans le talent et la réputation de l'auteur. Les sanctuaires panhelléniques d'Olympie et de Delphes voient ainsi se multiplier les Trésors de différentes communautés hellènes faits de collections artistiques. On peut voir là l'origine des musées au sens moderne du terme.

Ils se constitueront à l'époque hellénistique et plus encore à l'époque romaine.

L'empereur Hadrien fait davantage encore à Tibur, la Villa Hadriana de l'actuelle Tivoli, il réunit la plus grande collection de sculptures et de **pinakès***, mais aussi les répliques des monuments de l'Antiquité qu'il jugeait les plus dignes d'être admirées.

Après qu'à Alexandrie on eut dressé la liste des **Sept Merveilles du Monde** comme une espèce de patrimoine mondial avant la lettre, tel que l'inventorie aujourd'hui l'UNESCO, Hadrien en avait ainsi donné à contempler ensemble et concrètement la multiplicité et la diversité. À ce niveau, la notion de trésor s'amplifie au point que le titre que nous avons donné à notre propos pour désigner un patrimoine fait à la fois d'objets d'art et de monuments, est plus qu'une métaphore : monuments et œuvres d'art sont ainsi, au sens propre, des trésors et à ce titre, le patrimoine français constitue par excellence **les trésors de la France**.

Vercingétorix : *Ier siècle av. J.-C. Rarissime statère d'or. De la pièce de monnaie des Parisii, figurant un cheval, à celle des Arvernes aux traits du jeune chef Vercingétorix, la numismatique celtique doit être nécéssairement évoquée ici comme une préface de l'univers des trésors de notre pays. Stylisation, force d'expression, distinguent fondamentalement les monnaies gauloises.*

Trésors d'art et patrimoine

Mais la postérité des notions antique, chrétienne, princière, voire civile, de trésor appelle un certain nombre de remarques. Elles portent par exemple sur les distinctions que l'on peut faire entre les trésors de nomades et les trésors de sédentaires, en observant, en fonction de l'archétype de l'Arche d'Alliance, que le trésor itinérant a pour vocation de connaître lui-même la fixité quand il a atteint le lieu auquel il était destiné. Dans la pratique moderne des « trésors artistiques », constitutifs du patrimoine, nous distinguerons les immeubles et les meubles. Mais dans les usages de la conservation, on a distingué, en France, les **monuments historiques** (immeubles mais aussi œuvres d'art meubles) et, par ailleurs, ce qu'on a appelé au même moment, **Museum** ou **Musée**, en empruntant ce vocable à Alexandrie, qui désignait alors tout autre chose : le lieu d'élection des activités des Muses...

En fait, les trésors dont nous décrivons la vie dans ce livre sont ceux qui sont restés inséparables du lieu pour lequel ils ont été conçus. Or, cette fixité est la vocation même de l'**architecture** tant religieuse ou civile que militaire et de toute œuvre d'art associée à elle par sa signification, sa fonction, sa complémentarité, son embellissement, son enrichissement.

C'est ainsi que nous avons vu que le mot **trésor** lui-même, en désignant l'immeuble où se gardent des objets précieux, consacre la vocation à la fixité sacrée de ces mêmes objets. Il arrive néanmoins, surtout pour les objets de métaux précieux, que les guerres, le lucre, la barbarie, l'obsolescence de certaines croyances aient fait passer ces objets au passif de l'histoire. Les objets composant le trésor des Athéniens de Delphes ont disparu. Il reste le monument qu'on appelle le Trésor des Athéniens également.

La vocation des musées, affirmée par la Révolution est d'ordre historique, artistique et surtout pédagogique. Regroupant des œuvres qui n'ont constitué que des commandes autonomes ou ont été réunies dans une collection privée, on trouve dans les musées beaucoup d'épaves d'œuvres architecturales : les musées sont les hospices et parfois les morgues des monuments meurtris et dépecés. Il appartient au talent du muséographe d'en faire des lieux de vie.

La vocation des monuments n'est pas d'entrer par morceaux dans des hospices. Mais il arrive que l'âge et l'infortune les contraignent parfois à y survivre, la vocation de toute œuvre d'art est de rester liée à celles qui sont nées avec elle ou qui l'ont complétée au cours du temps, liée aussi à l'environnement, car l'une et l'autre entretiennent des rapports formels, fonctionnels, intellectuels ou spirituels évidents. Quel est le sens d'un temple ou d'une église sans la vocation de son aire sacrée, celui d'un fort sans le territoire qu'il défend, celui d'un hôtel de ville sans sa ville, celui d'une maison rurale sans son terroir ? Le musée est indispensable, sans quoi nous porterions le deuil d'un patrimoine considérable. Il ordonne les précieux restes de dépeçages qui sont le fait de l'histoire selon l'ordre et l'organisation d'un artifice nécessairement et délibérément assumé et qui est conforme à sa vocation pédagogique. Reste qu'en ces temps modernes où l'état de la terre et de la société témoigne d'une conscience humaine éclatée, dans lesquelles l'humanisme le cède à la spécialité, au parcellisé, à l'émietté, la meilleure pédagogie est celle qui se pratique à travers la cohérence spontanée des choses : cette cohérence, c'est celle précisément qu'assure l'identité d'un espace, le génie des lieux et chacun a le sien puisque le vrai trésor de chaque terroir est celui que le laboureur de La Fontaie désigne à ses enfants sur son lit de mort. Dans son champ « *un trésor est caché dedans* ». Il n'est rien d'autre que le fruit de leur travail, de leur talent et de leur courage.

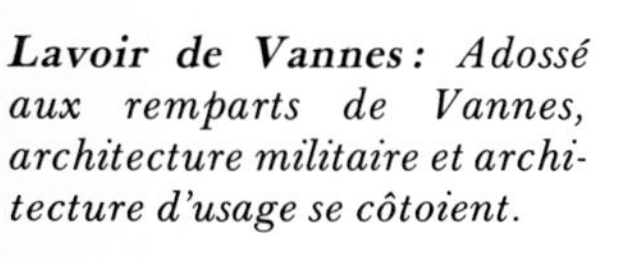

***Lavoir de Vannes**: Adossé aux remparts de Vannes, architecture militaire et architecture d'usage se côtoient.*

Château de Vitré. *Depuis des lustres la mairie de Vitré s'est installée dans son château. La confiance républicaine des administrés y a pérennisé un exercice familial du pouvoir.*

Un choix des cas

Le parcours que nous avons adopté pour présenter ici un certain nombre très limité de trésors d'art parmi des milliers n'est ni chronologique, ni géographique, ni méthodique. Il s'efforce, certes, d'illustrer la plupart des régions françaises dont on sait la richesse mais ce qui en est évoqué ici ne vise pas à les décrire, à les synthétiser ni même à symboliser.

Les seuls fils conducteurs auxquels nous avons voulu nous fixer dans ces pages trop limitées pour constituer une histoire logique ou, à plus forte raison, une thèse cohérente, sont les suivants :

En premier lieu, nous avons choisi de nous en tenir à illustrer ce que la dénomination quelque peu magique de « trésor » a impliqué d'abord de précieux, de rare ou de caché, dans le patrimoine artistique, mais ensuite, la métaphore de « trésor d'art » aidant, quelques exemples de ce qu'il y a de plus marquant dans l'environnement artificiel de l'homme et a toujours témoigné de sa grandeur : une belle et bonne architecture. Nous en tenant en général à l'investigation des lieux originels des trésors d'art, nous avons, sauf exception, exclu de notre propos ceux qui sont concentrés dans les institutions muséales, ces trésors qui, avant d'être recueillis par elles, avaient vocation d'aller de main en main, de mur en mur et nous savons bien que ce choix implique de laisser totalement de côté la peinture de chevalet, même si nulle autre discipline artistique, du moins occidentale, n'a été servie par tant de génies, ce qui tend d'ailleurs, à la lumière de cette personnalisation, à la favoriser.

En second lieu, nous n'avons pas, en général, raconté systématiquement l'histoire de chaque œuvre évoquée depuis ses origines, mais seulement ce qui était utile à l'intelligibilité précise de son sort actuel et nous avons surtout commenté ce qui, dans le courant de notre siècle et dans ces dernières années, avait été fait pour la sauvegarder : les dangers encourus, les moyens utilisés pour les conserver et les restaurer ont été des critères déterminants de certains choix.

Enfin cet itinéraire de fantaisie emprunté ici à travers le temps et la France est largement inspiré par la subjectivité. D'Harpagon, figure emblématique, non des inventeurs mais des adorateurs de trésors, on ne peut nier la motivation de la passion, et c'est ce qui fait de lui un homme injuste. Puisse la passion des trésors d'art du patrimoine expliquer, sinon justifier l'injustice qui en résulte. Mais j'en revendique la légitimité.

Peinture de la voûte de l'église Saint-Savin. Depuis le XIXe siècle, le plus bel ensemble de peintures religieuses du monde était en péril. Les techniques les plus sophistiquées l'ont récemment sauvé.

L'amour de l'art

D'abord parce que la vocation de l'art est d'être aimé avant d'être étudié. L'étude a pour sens d'affiner, d'approfondir notre capacité naturelle et spontanée de contemplation et d'émotion. Ainsi envisagée, ni l'effort d'intelligibilité de chaque œuvre, ni sa mise en perspective dans l'histoire ne saurait oblitérer notre sensibilité mais va la cultiver. L'art, parfois, peut se limiter à l'objectif de délasser, ce qui n'est pas honteux, mais jamais aucune lassitude qui serait due à l'habitude et la familiarité, n'obscurcit le regard de ses amoureux. La trentième fois qu'on écoute un concerto de Mozart, on l'aime davantage. Avec l'art comme dit Brassens, « *c'est toujours la première fois* ».

Si le développement général des sciences humaines a rendu aux hommes d'aujourd'hui des services considérables et inédits, il arrive que certains de ses zélateurs jettent sur l'œuvre d'art un regard réducteur au point de se méfier de certains critères d'échelle de valeur tel que celui... de la beauté (!). Le mot semble même écorcher certaines lèvres, comme s'il était sulfureux. Il l'est. Pour tout dire, l'art comporte des doses telles de subjectivité qu'il entre dans un autre univers que celui que règle au nom d'une science trop courte l'absolu de sa relativité. À mon avis, c'est faire bien peu de cas de l'esprit scientifique que de l'impliquer dans la démarche contemplative afin de la refuser. Les temps changent, les idéologies se rident, l'événement s'estompe, sa médiatiatisation retourne à la nuit, mais avec le temps la postérité tend progressivement, en élargissant l'audience de l'art et la divulgation de ses trésors, en réhabilitant ce que les blocages du moment ont sous-estimé, à faire bénéficier toutes les œuvres inspirées, qu'elles soient ambitieuses ou modestes, issues de notre culture ou d'une autre, d'un accueil de plus en plus large — et plus profond. Il n'y a pas ainsi meilleur objectivité de ce sentiment que cet accueil. Mais cette consécration commence toujours par quelques coups de foudre solitaires.

J'ai eu un jour ou l'autre un coup de foudre pour chacun des trésors d'art qui jalonnent cette promenade dans un paysage non dépourvu d'orages. On y croise non pas des « objets d'art » mais des « êtres d'art » puisque la pensée et la capacité sensorielle et de savoir-faire de ses créateurs les habitent toujours. Et leurs personnalités propres m'autorisent à tenter de converser avec chacun d'eux différemment en excluant tout plan prémédité et répétitif, même si cette attitude ne facilite pas des conclusions comparatives. Pourquoi ai-je fait place à des confrontations de datations ? Pourquoi, là, ai-je engagé instantanément le débat sur l'activité des thérapeutes qui sont au chevet d'un grand malade ? Pourquoi ai-je ici fait le tour des églises majeures d'une province et là n'ai-je considéré qu'un polyptyque ou une seule œuvre néoclassique ? Eh bien, parce qu'en vous proposant ici de vous concentrer, et là de vous dissiper, tout en privilégiant quelques expériences précises, j'ai tenté aussi de suggérer la multiplicité de ces approches auxquelles se prête la diversité des trésors d'art de la France.

Le cratère de Vix. Cet énorme bronze d'origine grecque a été trouvé dans la tombe d'une princesse gauloise, sur le mont Lassois (Châtillonnais-Bourgogne).

TRÉSORS ENFOUIS

TRÉSORS ENFOUIS
LASCAUX ET LES DÉCOUVERTES PRÉHISTORIQUES

À partir du milieu du XIXe siècle, d'abord le hasard, ensuite la fouille de plus en plus méthodique ont révélé l'existence d'objets et de toutes sortes de traces et de vestiges qui ont éclairé peu à peu la connaissance de nos origines, de l'évolution de l'espèce humaine, de l'errance des premiers hommes, de leurs pratiques et de leurs habitats, de leurs propres découvertes et, dans une certaine mesure, de leurs pensées et de leurs croyances.

Les travaux archéologiques qui, en bien moins de deux siècles, ont peu à peu levé le voile sur la préhistoire, ont révélé, dans leur ensemble, l'existence sous-jacente d'un intérêt capital. Le mythe des trésors enfouis dans la terre s'est fait réalité au niveau de ses entrailles, révélant une connaissance de nous-mêmes plus précieuse que l'or.

Trésors enfouis

Les objets, et toutes traces ainsi recueillies, constitueront littéralement des trésors, mais plus précisément encore ceux qui révèlent l'ancienneté de pratiques funéraires, les objets et particulièrement les outils qui ont été marqués intentionnellement de représentations et de signes et enfin ces grottes ornées, riches de parois sculptées et de parois peintes qui ont atteint, à l'époque magdalénienne du paléolithique supérieur, une qualité intrinsèque qui, du point de vue de nos propres critères esthétiques, égale ce que l'histoire de tous les temps a conçu de plus admirable.

Dans ce sens, la grotte ornée est un « trésor » dans toutes les acceptions de la sémantique de ce mot.

C'est un espace caché, retranché, soit délibérément, soit, la plupart du temps, par un événement géologique, qui peut revêtir, d'ailleurs, une dimension mythique. Mais c'est un trésor et un trésor d'art aux sens à la fois de la caverne d'Ali Baba et d'un lieu de dévotion magique. Nos prédécesseurs d'il y a quinze à vingt millénaires ont accumulé les manifestations de leurs croyances, dans un ordre d'ailleurs dont André Leroi-Gourhan a commencé à montrer qu'il n'était pas aussi fortuit qu'on avait pu le penser. Ces manifestations sont, en très grandes parties, figuratives. Elles joignent donc à leur signification symbolique la volonté d'immobiliser, de perpétuer ce qu'il y a à la fois d'instantané, de passager et de répétitif et d'important dans l'environnement des hommes du temps concerné.

Quoi de plus instantané que la figuration saisie du règne animal auquel l'homme est confronté. Le génie expressif de ces œuvres tient d'ailleurs, précisément, dans l'extraordinaire capacité de saisir si synthétiquement par les moyens du trait et de la tache, aussi bien le détail précis que l'essentiel de l'ensemble, aussi bien la structure que la mobilité du modèle.

Chacun sait que cet art s'est exprimé de façon particulièrement éblouissante dans les monts Cantabriques espagnols et les Pyrénées, mais plus encore en Périgord, dont le point focal est constitué par les grottes ornées de la vallée de la Vézère, ce qui a justifié d'ailleurs de constituer, parallèlement aux musées des Antiquités préhistoriques de Saint-Germain-en-Laye, le musée de la Préhistoire des Eyzies.

Longtemps, la grotte d'Altamira, en Espagne, a été la plus célèbre des grottes ornées du monde, à cause de la perfection de la stylisation, en même temps que du modelé de ses buffles.

Dans un certain sens, l'occultation millénaire de ce patrimoine l'a préservé d'une prédation qui l'eut peut-être fait perdre à jamais.

Certes, les circonstances géologiques ont pu suffire à faire perdre une proportion peu négligeable de ces trésors, mais on a pu, progressivement et non sans difficulté, apprécier leur importance considérable et le sens de ce qu'ils représentent, sinon totalement la motivation qui les a inspirés (observation qui vaut pour toute l'archéologie et non pas seulement l'archéologie préhistorique) quand on voit à quel point les méthodes d'investigations se sont affinées avec le temps, et s'affinent de jour en jour, on se prend à regretter parfois le zèle des précurseurs qui ne possédaient pas les moyens d'investigation, ni la méthodologie, ni le cadre constitué de

Grotte de Lascaux, (diverticule axial). Chevaux et bouquetins affrontés. Bien qu'on ignore les motivations des peintres des cavernes préhistoriques, on a commencé à percer certaines énigmes, notamment le choix élaboré des animaux représentés. En tout cas, comment refuserions-nous l'usage du mot art que les civilisations historiques ont inventé pour dépeindre la beauté, à une représentation aussi juste, aussi stylisée ; l'impression fugitive du mouvement est bien maîtrisée.

connaissances antérieures au sein de laquelle les résultats d'une nouvelle découverte viennent s'intégrer. C'est que, par nature, l'investigation elle-même est prédatrice. Quand on découvre dans une coupe stratigraphique de terrains les traces d'un foyer, celles-ci sont repérées et donnent lieu à l'information significative la plus précise, mais elles disparaissent. L'archéologie est précisément née de la recherche de l'objet enfoui et de valeur, d'une démarche qui a privilégié l'objet en lui-même, mais a bouleversé le contexte.

Le grand mérite des fondateurs de la préhistoire et singulièrement de Boucher de Perthes a été de lier la singularité de l'objet découvert à un contexte géologique qui a permis de le rendre significatif et de commencer à le situer dans l'échelle du temps passé.

Nous sommes maintenant si accoutumés à compter l'histoire en millions d'années que nous avons peine à imaginer quelle ambiance d'incrédulité pouvait entourer, au-delà des premières découvertes faites vers 1830 par Jouannet en Dordogne et Picard près d'Abbeville, et osant attribuer des outillages de pierre taillée à une époque antérieure aux Celtes, le génie de Boucher de Perthes qui imposa, en 1846, à la fois la méthode de fouille scientifique et l'interprétation chronologique de leur résultat.

La préhistoire, en tant que champ de la connaissance, était née. Sa discontinuité, par rapport à l'archéologie classique, allait alors s'imposer, ne serait-ce qu'en raison d'échelles de durées incomparables. Mais aujourd'hui, en scrutant de plus en plus finement l'ère néolithique et l'ère mésolithique, le plus intéressant consiste à commencer à reconstituer la continuité de l'aventure humaine. De même que le néolithique, les âges des métaux de l'Antiquité emboîtent peu à peu leurs chronologies, très différentes d'ailleurs d'une région à une autre du globe, de même chaque jalon qui lie ce que nous avons tendance à considérer comme miraculeux à Lascaux et l'ère préhistorique finale des mégalithes a de quoi exciter les esprits. Elle intéresse tous nos peuplements et notre histoire conventionnellement définie à partir du moment où nos ancêtres jouissent de l'usage de l'écriture s'en trouveront de plus en plus éclairés. Mais dans cette séquence de l'ère du paléolithique supérieur, il a fallu que le XXe siècle mette au jour ces manifestations aussi incroyables de ce que nous appelons la *« naissance de l'art »*. Force a été d'observer qu'au-delà d'un préventivisme que les hommes modernes attribuent à leur gré à la maladresse des débutants ou au génie souverain du sens suprême de symbole, il existait une capacité d'observation et une adresse à reproduire qui n'avaient rien à envier aux civilisations historiques qui les maniaient. Aussi nous est livrée, dans la peinture magdalénienne, une maîtrise qui l'apparente non seulement à tout ce que les civilisations « historiques » ont conçu depuis cinq millénaires de plus abouti, mais aussi quelque chose d'indéfinissable qui accorde Lascaux à notre art contemporain. Le Périgord, particulièrement sa vallée de la Vézère, était reconnu dans le monde comme le territoire le plus « truffé » de ces grottes ornées dont il est fertile, lorsque Lascaux a été découvert fortuitement, en 1940, par des enfants.

Lascaux

Le 12 septembre 1940, à Montignac, au cœur de la petite zone déjà réputée parmi les plus riches en grottes ornées, où voisinent Rouffignac, Beroufal, La Gravette, la grotte de Lascaux fut fortuitement découverte par des enfants, comme d'ailleurs Altamira en 1879.

Si l'on en croit André Malraux, il en eut lui-même la révélation en cherchant une cache d'armes pour son maquis périgourdin. Le plus grand préhistorien du temps, l'abbé Breuil, l'avait déjà authentifiée, sans hésitation possible, et elle fut classée Monument Historique le 27 décembre 1940.

Ces cavités de Lascaux, creusées par les eaux souterraines, se répartissent en deux groupes de salles : l'une est exclusivement peinte, l'autre possède à la fois des peintures, des gravures, des œuvres à la fois peintes et gravées. Au fond d'un gouffre, une des peintures représente un rhinocéros auprès d'un homme allongé à tête d'oiseau, les bras en croix devant un bison blessé dont les entrailles s'échappent de son ventre. Il a été percé par une sagaie. La référence à une scène de chasse est, bient entendu, évidente. Cet investissement des chasseurs dans un rituel magique préhistorique s'impose depuis longtemps à l'esprit. Mais c'est aujourd'hui, dans la confrontation précise des données relatives à la nature et les quantités relatives d'animaux peints ou gravés, leurs dispositions précises dans l'ensemble de la géographie de chaque grotte, que l'on tente de percer méthodiquement de tels mystères.

Grotte de Lascaux, (puits) Scène de chasse. *Près d'un rhinocéros, devant un bison blessé, un homme à tête d'oiseau est représenté allongé, les bras en croix. Ainsi l'homme est-il présent dans de telles scènes qu'on appelle magiques. Le rapprochement avec d'admirables traditions ethnographiques qui ont subsistées dans le monde s'impose.*

Lascaux en péril

L'entrée naturelle de Lascaux avait été délibérément dérobée. On y accéda grâce à un effondrement récent. Le problème de la protection et de la visite fut assurée après un accord entre la Caisse nationale des Monuments Historiques et le propriétaire du fonds par l'aménagement d'un sas et une maçonnerie évoquant un peu les entrées de la Vallée des Rois et permettant de canaliser les visiteurs qui, au cours des premières années de l'après-guerre, se précipitèrent en foule à Lascaux.

L'abbé Glory, le premier, signala, en 1960, des taches suspectes sur la « Rotonde ». Outre la Commission des Monuments Historiques, une « Commission d'Études scientifiques de Sauvegarde » fut créée pour la circonstance, et composée pour certains de ses membres, de préhistoriens, de chimistes et autres spécialistes. Elle conclut à la fermeture de la grotte qui fut opérée en 1963, car le mal s'aggravait rapidement. Et l'on s'attacha à étudier les conditions d'équilibre climatologique propres à assurer la conservation. Il faut considérer que la conservation providentielle de tels ouvrages a été assurée par deux raisons physiques principales : la première est qu'elle s'est faite en milieu fermé, privé d'air, la seconde est que la plupart du temps une fine coulée de substance transparente émanant du milieu a recouvert les couleurs. Quant aux modelés des reliefs de certaines peintures, ils sont dus au talent des créateurs qui ont parfois utilisé les aspérités ou les arêtes de la roche pour accuser le réalisme de leurs œuvres.

Cent trente foyers de micro-organismes ont été bientôt repérés : algues, mousses, champignons étaient en train, en 1963, de dévorer à jamais cette œuvre majeure pour l'histoire de l'humanité, et les principaux responsables en étaient les visiteurs du seul fait de leur respiration qui entraînait une teneur excessive en gaz carbonique, et des variations importantes hygrométriques et thermiques de l'atmosphère interne.

Si des dispositions de surveillance ont permis d'arrêter le désastre et même de retrouver l'éclat originel en luttant contre le « voile de calcite » opaque qui menaçait de recouvrir certaines peintures, tandis que d'autres recouvrements les avait protégés, il fallut confirmer le verdict : celui de l'impossibilité de la réouverture publique de la grotte de Lascaux.

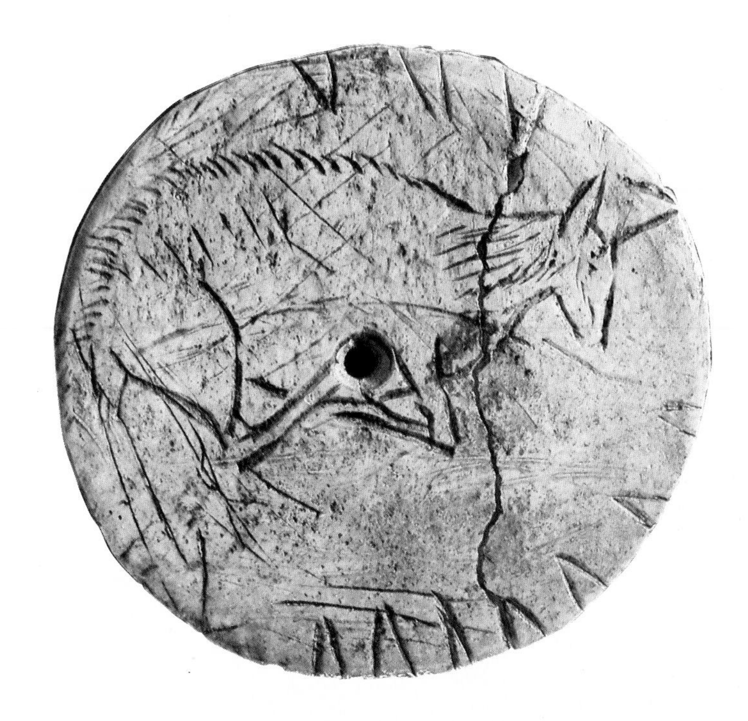

***Rondelle :** D'environ 4 cm de diamètre, les rondelles trouvées dans les différentes grottes sont découpées dans une partie mince de l'omoplate et percées d'un trou étroit. Décorées sur les deux faces, au minimum de traits ou de points, certaines comme celle-ci trouvée à Laugerie-Basse portent des figurations d'animaux.*

Une copie : Lascaux II

La frustration du public a été dominée à la suite d'une initiative de personnalités locales réunies autour d'Henry de Segogne, qui ont abouti à la réalisation sur la commune de Martignac d'une copie fidèle d'une partie de Lascaux, qu'on appelle Lascaux II. Le travail de copie fut effectué avec toutes les précautions scientifiques utiles et avec beaucoup d'adresse. D'abord, l'I.G.N. fit un relevé photogrammétrique* très précis de la grotte et à partir de ce relevé, la nouvelle cavité fut taillée et modelée de telle sorte que le support solide fut au millimètre près identique à celui de la grotte originale. Ensuite, après une campagne photographique exhaustive, des peintres accoutumés à la pratique de la peinture murale exécutèrent la copie, élément par élément. Le résultat est donc très honorable. Il a demandé d'importantes mises de fond et l'opération est touristiquement rentabilisée.

Le choix d'une telle décision a pu surprendre. L'usage de la copie, pour des raisons de concurrence et de pédagogie et même de délectation artistique n'est pas nouveau, et il est d'une pratique courante. Mais un musée de copie se réalise alors, en général, dans une grande ville et constitue un outil comparatif comme le Musée des Monuments français du Palais de Chaillot.

Ici, c'est sur place qu'a été opérée la copie (partielle s'entend) à quelques kilomètres de l'original, dans un contexte paysager différent, mais tout de même voisin.

Ces derniers temps, le Musée de l'Acropole a accueilli les caryatides de l'Erechteion et des copies ont été placées sur le monument lui-même. La même pratique a prévalu déjà pour deux statues du portail royal de la cathédrale de Chartres et pour certaines statues de la cathédrale de Reims. Mais le cas de Lascaux est néanmoins unique par l'ampleur de la partie copiée et par la nature de l'œuvre : une immense cavité et non une construction. Mais Lascaux aussi est unique.

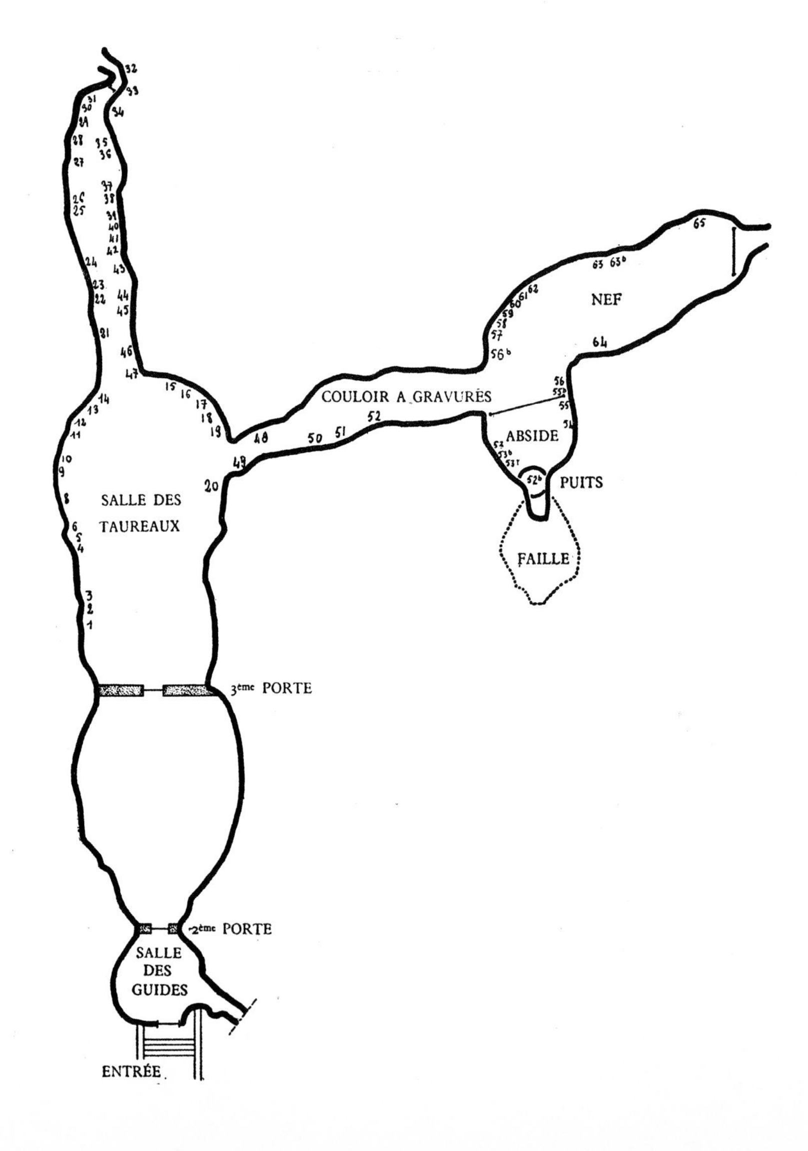

Plan des grottes de Lascaux,
d'après F. Windels.

VIX ET LES TRÉSORS CELTIQUES

Près de l'église de Vix, au pied du mont Lassois, se trouve le ***tumulus où furent découverts la princesse gauloise, un trésor et un char.***

La découverte

La forme la plus primitive des trésors sacrés est liée à la pratique funéraire. L'ouverture de la tombe d'une princesse gauloise, à Vix en Côte-d'Or met au jour un étonant cratère* grec du Vᵉ siècle avant notre ère.

Pour étrangère que soit au celtisme l'origine de cette pièce maîtresse de ce fabuleux trésor, il ne peut être omis ici, tellement sa place est importante dans notre histoire, tellement sa qualité technique, la beauté de son décor, sa signification et quasiment la monumentalité de cet objet sont impressionnantes.

La découverte du trésor de Vix survint sur le mont Lassois près de Châtillon-sur-Seine en 1953. Elle est due à Pierre Jouffroy, à l'époque conservateur du musée de Châtillon-sur-Seine, musée qu'avec l'architecte en chef des Monuments Historiques, Georges Jouven, nous étions en train d'aménager. Ce musée, c'est la maison Philandrier, un ravissant petit hôtel de la Renaissance, un des rares vestiges de cette ville de qualité, à égale distance de Dijon et de Langres et qui fut écrasée par la guerre.

Lorsque Pierre Jouffroy eut fait cette découverte capitale, après la restauration du cratère se posa le choix du lieu de sa conservation. Il n'était pas possible de concevoir sur le mont Lassois lui-même un musée de fouilles. Accroître, avec la découverte de Vix, les trésors accumulés du musée des Antiquités Nationales de Saint-Germain ou ceux du Louvre, venait évidemment à l'esprit. La sagesse l'emporta : le trésor de Vix resta à Châtillon. Châtillon a perdu une partie de la qualité de son site historique ; elle a gardé sa remarquable église romane et a reçu le don de la princesse de Vix.

C'est ainsi que doit de plus en plus, se gérer la géographie de la répartition des trésors mobiliers. C'est un acte authentique de décentralisation, conçu dans un esprit de planification équitable, qui prend en compte une certaine prospective du développement culturel.

Le matériel archéologique de Vix, sur le mont Lassois, prouve que ce fut un centre d'activité important dès le VIᵉ et le Vᵉ siècle avant notre ère. Le commerce avec la Grèce de cette plaque tournante, est précisément attesté par la présence de ce cratère qui, faute d'avoir été fondu sur place, a bien dû être acheminé depuis l'Asie Mineure ou la Grande Grèce (Italie du Sud), à ce que l'on conjecture.

Le village de Vix a conservé sa jolie ***petite église romane.***

***Détail du décor** qui orne le col du cratère. La finesse de la sculpture et le sujet imposent le rapprochement avec des œuvres contemporaines de l'Anatolie et de la Grande Grèce.*

Les bronzes celtes

Mais la réputation de Vix, et aussi l'importance des vestiges monumentaux gallo-romains, risque encore d'oblitérer ce qui dans cet ensemble des découvertes de trésors faites sur le territoire actuel de la France, est proprement celtique.

La revendication naturelle de nos origines celtiques est un phénomène qui a pris une force particulière au début du XIXe siècle, au moment même où s'imprégnaient profondément dans nos esprits les deux notions conjuguées de **nation** et de **patrimoine**.

Périodiquement, les Français, attachés aux fondements latins de leur culture et de leur langue, revendiquent leur « celticité ». En dehors du destin celtique de la Bretagne, qui est tout à fait spécifique et dont nous reparlerons, nous pouvons, à propos des trésors enfouis et « inventés » par l'archéologie, faire nôtre la formule de Régine Pernoud parlant du *miracle celtique*. L'absence de l'écriture et d'une architecture durable ne constituent pas des critères propres à dénier la qualité de civilisation à une culture, non seulement orale mais combien manufacturière des Celtes... étant entendu que l'usage de ces mots de « culture » et de « civilisation » peuvent être éventuellement inversés.

C'est qu'on doit faire le plus grand cas de tout ce qui concerne l'usage des métaux, par exemple pour la confection des fibules* qui témoignent d'un art figuratif humain ou animalier qui n'a, finalement, rien à envier à la figuration de la gorgone du vase de Vix. Entre ces ornements et ceux qui se sont accumulés ensuite sur le même territoire à partir de l'entrée en Gaule des peuples germaniques et qui relèvent d'une stylistique différente, il y a, en commun, ce don très particulier dont témoigne la valeur plastique de la métallurgie des populations dites barbares et dont les bijoux d'or du célèbre « art des steppes » donnent un autre exemple fameux.

« La danseuse », découverte dès 1861, à Neuvy-en-Sullias et qui est conservée au musée d'Orléans, est un autre exemple entre mille, de la capacité stylisatrice mais aussi du sens du mouvement et de l'extrême élégance de la production des bronziers celtes. On la date du milieu du IIIe siècle de notre ère, soit trois siècles après la conquête de la Gaule par Jules César. C'est-à-dire que les deux arts, romain et celte, cohabitaient et qu'ils se sont exprimés, tantôt chacun avec son genre propre, tantôt combinant leurs caractères.

C'est cette capacité à s'exprimer dans le fer et dans le bronze, mais aussi dans la pierre — et qui fut propre aux Ligures d'Entremont et d'Ensérune très tôt en relation avec les Grecs de Massalia (Marseille) — d'avoir pu, au-delà de la romanisation de la Gaule, inspirer un jour la stylistique de l'art médiéval. Entre-temps les trésors de l'art paléo-chrétien trouvés dans les vestiges de ses cités et de ses nécropoles, restent fortement marqués par Rome. Les sarcophages de pierre de cette période en témoignent.

Mais de mille façons les trésors funéraires de toute nature de ces époques dites obscures, constitueront une préface et des sources d'inspiration de l'art médiéval chrétien.

***Pont du Gard**. Bravant les siècles, il est au péril de l'homme aujourd'hui, cet aqueduc dont le rôle était d'alimenter en eau la ville romaine de Nîmes. À la place de l'indigne chaos qui l'entoure, espérons qu'il retrouvera bientôt l'environnement qu'il mérite.*

LA PERPÉTUITÉ DES RUINES

LA PERPÉTUITÉ DES RUINES

Le « monument » et l'antiquité

Un « monument » (de *monere*, se souvenir), c'est, étymologiquement, toute chose qui assume la mémoire d'un événement ou d'un homme. Les nations ont un penchant irrésistible pour commémorer architecturalement les événements heureux ou supposés tels de leur histoire, ainsi leurs victoires, leurs conquêtes, leurs découvertes et les hommes à qui ils les doivent. À cette définition précise de « monument » ne correspond pas que l'architecture ; sont aussi des « monuments » commémoratifs, un objet, un livre, un document d'archive. De même, l'architecture ne se limite pas à cet objectif de commémoration : à l'origine lui sont étrangers tous les édifices qui ont eu d'autres fonctions symboliques ou utilitaires, et seuls constituent spécifiquement, dans ce sens étroit, des « monuments », des stèles, effigies, trophées, arcs triomphaux (comme ceux de Constantin ou de Napoléon) ou mausolées (d'Auguste, d'Hadrien ou de Tamerlan). Ce sont ceux-là qu'Aloïs Riegl, en 1903, a appelé plus précisément des « monuments intentionnels » pour les différencier de tout le reste de l'architecture ancienne, fût-elle de grandes proportions et d'une telle centralité organisatrice d'un espace qu'on l'a ultérieurement qualifiée, aussi, par un glissement significatif de sens, de *« monumentale »*.

Par quel processus ces architectures-là sont-elles devenues, elles aussi, un jour des supports de souvenirs, même si cela ne fut pas dans les intentions de leurs bâtisseurs ? A-t-il suffit qu'elles vieillissent ? Ce n'est pas aussi simple.

La forme la plus usuelle de cette mutation est l'œuvre du temps, non pas un temps conservateur mais ravageur de l'architecture. Toutes les civilisations sont mortelles, dit-on, mais c'est d'ailleurs un peu vite dit : du moins c'est la leçon qu'on tire de l'effondrement des civilisations antiques, mais même dans ce cas de figure, il faudrait y regarder de plus près. Quant aux civilisations dites « modernes » par opposition aux « antiques », à travers de vigoureuses mutations de la technique et de la pensée, mais au long d'évolutions continues qui en ont perpétué une part et en l'adaptant à des usages évolutifs, elles se sont bel et bien maintenues.

Cependant, si nous nous en tenons à l'exemple des résidus des civilisations antiques sur notre sol et à la pratique que nous avons aujourd'hui de leur patrimoine architectural qui est devenu le nôtre, nous observerons que les cataclysmes naturels, les guerres, les ensevelissements, les besoins de constructions nouvelles, voire la simple érosion dans la durée ont transformé des architectures de vocations diverses en **ruines** qui n'ont plus alors à leur tour comme sens, que d'entretenir leur propre souvenir, et de nous permettre, autour de leur témoignage concret, d'identifier nos propres racines historiques. Ajoutons aussi ce fait essentiel : outre un repère de la connaissance, une ruine monumentale est un objet dont le spectacle émeut notre sensibilité, à la fois par la qualité intrinsèque de l'architecture qu'elle a été et la dramatisation dont elle donne le spectacle.

C'est ce qui a justifié, notamment en France à partir du XVIe siècle, avec le décret du gouverneur du Languedoc, Anne de Montmorency, en faveur de la Maison Carrée de Nîmes, de porter une attention officielle et un appui juridique à la conservation de ruines gallo-romaines. Il est symptômatique qu'au XVIe siècle la référence au mouvement des humanistes à l'égard de l'Antiquité est devenue universelle, et qu'en particulier, le beau idéal s'est identifié à ce que l'on savait être l'architecture antique tant par les vestiges que par l'œuvre écrite de Vitruve, « *Les dix livres d'architecture* ». À vrai dire, ce sentiment d'un âge d'or perdu n'a jamais été totalement absent au Moyen Âge. L'empire carolingien s'est inscrit dans la continuité de l'empire romain. Mais, se servir des épaves de l'immense équipement gallo-romain, et achever de dépecer les grands édifices antiques, pour construire, à une échelle modeste, les premières églises chrétiennes, utiliser les arènes d'Arles ou de Nîmes comme remparts de villes désormais réduites à leurs surfaces, c'est un comportement tout différent que de conserver à la Renaissance les vestiges romains pour eux-mêmes, les dégager, les restaurer au besoin, fouiller pour en découvrir de nouveaux.

La notion d'architecture antique retrouvée n'étant plus liée à une nécessité fonction-

***Arc municipal et mausaulée de l'époque augustéenne**, les « Antiques » de Saint-Rémy-de-Provence appartiennent à la **ville gallo-romaine de Glanum**. Il est urgent de rétablir la continuité du champ de fouilles de ces monuments.*

nelle, le problème de sa gestion s'est bientôt posé, les progrès de la science historique aidant, en termes d'authenticité. Et l'alternative entre la conservation à l'état de vestige extrait de la fouille pour être gardé dans un « trésor » archéologique, en lieu sûr, et celle de la ruine confortée **in situ** pour ne pas chuter, s'est de plus en plus imposée.

Ainsi sont nés, non seulement le prestige intellectuel de la ruine mais la sensibilité à sa beauté propre.

Dès le XVIe siècle le duc d'Urbin commande à un peintre italien G. Genga de construire une fausse ruine et au XVIIe le Bernin imaginera dans le jardin du parc Barberini un pont en train de s'écrouler. Le goût de la fausse ruine architecturale se développe ensuite en Angleterre et en France, comme une manifestation préromantique, tandis que la découverte et l'étude des ruines antiques ne cesse de s'entendre.

La peinture du XVIIIe siècle, par exemple celle d'Hubert Robert puisant son inspiration dans les ruines romaines de Rome et d'Italie, illustre bien ce sentiment d'admiration indissociable d'une certaine. Autour de ces ruines de peintre, il est symptomatique que la vie quotidienne poursuit son cours : une vie qui ignore la grandeur de ce qui l'environne et pourtant y trouve un refuge accueillant, une vie qui ne se soucie guère du fait que c'est elle qui n'est que passage éphémère tandis que la pierre de la ruine est immortelle.

Lorsqu'en France on évoque, aussi rapidement que nous sommes tenus de le faire ici, les trésors d'art hérités de la Gaule romaine, nous tendons immanquablement à nous tourner vers la Provence et sa périphérie. Ce nom de Provence ne provient-il pas lui-même de la Provincia narbonnaise romanisée cent ans avant le reste de la Gaule ? Les villes de Nîmes, d'Arles, d'Orange, n'ont-elles pas conservé non seulement des champs de fouilles aux maçonneries rases mais d'illustres édifices antiques, quasiment entiers, dignes d'être comparés aux plus spectaculaires de Rome même ? Et il faut encore parler des trophées de Saint-Rémy et plus encore du Pont du Gard.

Avant d'évoquer comment ces œuvres méridionales ont survécu à l'effondrement de l'Empire et à leur abandon, soulignons la présence de la romanité sur presque tout le territoire de la France actuelle et de la Gaule antique. Et ne pouvant l'évoquer partout, nous avons choisi la marque de cette romanité en Lorraine, dans le voisinage de Domrémy, aux confins de la Champagne. C'est là que nous apparaît le site des vestiges d'une grande cité émergeant du terroir de la modeste commune actuelle de Grand. Nous pensons d'autant plus utile de le distinguer que ce site a l'avantage d'être épargné par les restaurations excessives du XIXe siècle : double chance pour un visiteur de la fin du XXe en quête de découvertes.

LA GAULE ROMAINE, MONUMENTALE, URBAINE ET RURALE

Mais il ne faut pas oublier que la romanisation a concerné la Gaule entière dont faisaient partie la Belgique et l'actuelle Rhénanie. D'où l'importance, aujourd'hui, du point de vue des vestiges, de l'architecture romaine de Trèves comme de Reims, de Metz ou des vestiges trouvés dans le village mosellan de Grand que nous décrirons plus loin, mais aussi dans l'ouest : de Saintes, les principales ruines romaines de Bordeaux ayant malheureusement disparu ; enfin et surtout de Lyon et Vienne, qui furent des capitales de la Gaule romaine essentielles. Face à un peuple dont l'agriculture était bien plus productive que celle de l'Italie, face à un peuple déjà très dense, divisé, ce qui explique sa défaite, mais ombrageux, Auguste eut l'habileté de ne pas imposer la romanisation avec violence. Ces Celtes qu'ils appelaient Gaulois, furent le plus souvent associés à la gestion du pays qui préserva largement son autonomie et qui s'engagea très rapidement dans la création des villes, ces *civitates* qui correspondaient aux entités des peuplades celtes originelles dont, à la fin de l'empire romain, les villes ainsi constituées, reprirent le nom.

La structure agraire fut elle-même transformée et, dans le but d'accroître, de développer une agriculture qui nourrissait Rome, furent créées ces grandes exploitations rurales qu'on a appelé les *villae*. Autour d'elles, la centuriation organisa un parcellaire régulier dont notre campagne actuelle garde les traces, concurremment au parcellaire celtique originel environnant les *vici*, c'est-à-dire proprement gaulois.

N'oublions pas le phénomène grâce auquel on a pu se faire une idée de la densité de l'équipement de la Gaule en *villae* romaines : la présence dans le sol de la chaux de leurs murs de fondation qui influence en surface la couleur de la végétation et que révèle remarquablement la photographie aérienne. C'est ainsi qu'en Picardie il apparaît des centaines de ces témoins, plus proches les uns des autres que les villages d'aujourd'hui.

Par ailleurs, la défense périphérique de l'immense empire conduisit à jalonner les

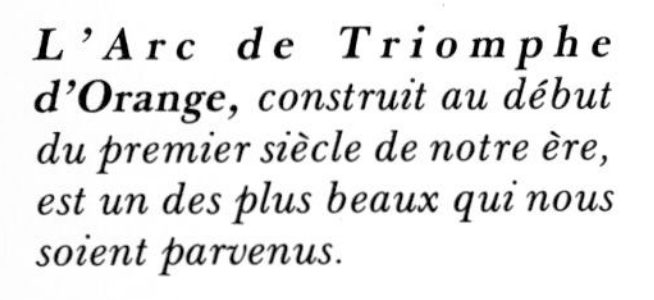

L'Arc de Triomphe d'Orange, *construit au début du premier siècle de notre ère, est un des plus beaux qui nous soient parvenus.*

frontières, les *limes*, de postes militaires comme Strasbourg, appropriés à la défense, mais aussi à servir de base aux incursions, notamment en terre germanique. Enfin, citons les vestiges encore parfaitement lisibles d'un réseau de routes stratégiques, mais aussi indispensables au commerce et à la gestion de tous ces territoires, les équipements qui permirent aux eaux des montagnes d'alimenter les cités et qui nous valent l'incomparable Pont du Gard.

Si familières que soient à tous ces données de l'histoire, elles devaient être rappelées pour situer les trésors d'art monumentaux dans l'ensemble considérable d'information, mais aussi d'art mobilier, qu'a amassés, sur notre sol, l'archéologie antique.

Nous n'allons pas entreprendre de décrire ici les villes gallo-romaines fondées sur le principe d'un double réseau de voies rectilignes en angle droit et dont la distribution s'est trouvée, au cours des âges, appropriée au phénomène de colonisation : c'est ainsi que sur chacune de ces villes, le *decumanus* et le *cardo* fixent les orientations définitives de leur développement dont on retrouve, aujourd'hui, la marque dans nos villes d'origine romaine ; le *forum* ayant, par ailleurs, constitué le centre vital, politique, religieux et commercial de chaque cité.

Arles. *Arènes et théâtre, construits pour les jeux, sont encore utilisés aujourd'hui pour cela. Au Moyen Âge la ville d'Arles était réduite aux maisons construites dans ses arènes dont les gradins participaient au système de fortifications.*

Gestion des théâtres et des amphithéâtres

Mais nous devons surtout nous demander, aujourd'hui, comment, au-delà de l'idéologie du culte des ruines, dont nous avons parlé, ce capital architectural est aujourd'hui géré. Il s'est trouvé que la plupart des monuments les plus spectaculaires furent eux-mêmes des monuments consacrés aux spectacles. À partir de 1860, on eut l'idée de les remettre en service à cette fin. Ainsi, en 1869, on présenta dans le théâtre d'Orange restauré (exceptionnellement pourvu de son mur à l'instar de celui d'Aspendos en Asie Mineure) l'opéra de Méhul, *Joseph*, puis la *Norma* de Bellini en 1874, enfin une grande première d'art dramatique antique, *Œdipe-Roi* de Sophocle, par la Comédie-Française en 1888. Ils avaient été invités par les Félibres*. Se nouaient ainsi autour de la ruine romaine la revitalisation d'une culture méditerranéenne commune. Les arènes de Nîmes, de Béziers, d'Arles, ont permis alors de plus grands déploiements scéniques, dont les décors en trompe-l'œil sont venus, éphémèrement, se greffer sur les ruines authentiques ou largement reconstituées.

Cette réutilisation a été la chance de cer-

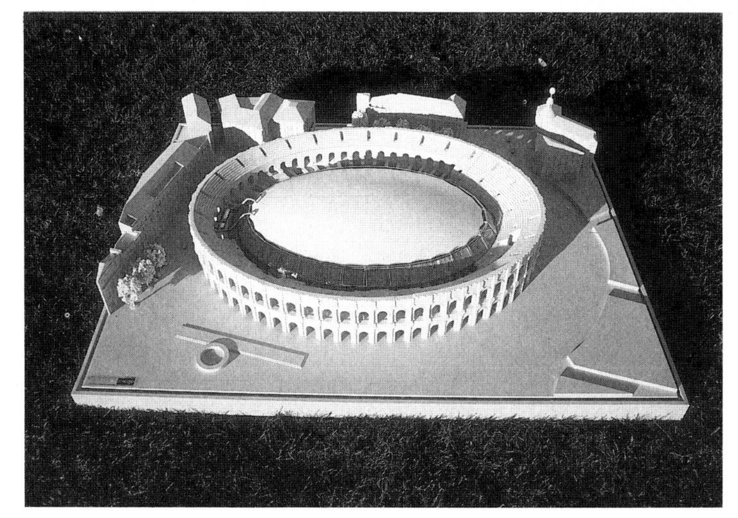

Arènes de Nîmes. *Une solution vient d'être mise en place pour protéger acteurs et spectateurs pendant la période hivernale. Chaque automne des poteaux métalliques sont mis en place pour soutenir un «vélum» assurant une bonne étanchéité. La dépose de cette structure chaque année, à Pâques, va permettre de rendre aux arènes leur aspect actuel.*

tains monuments antiques du midi de la France. Elles sont appropriées, aujourd'hui comme hier, à toutes sortes d'usages ludiques, mais qui posent aussi beaucoup de problèmes. La conservation en pâtit parfois, l'entretien n'étant pas toujours au niveau de la fréquentation. A l'inverse, cet usage a pu être le prétexte de restaurations excessives. Enfin, des gradins délabrés sont, par contre, parfois recouverts d'installations, en principe amovibles, souvent en fait permanentes, qui en dénaturent l'esprit. Reste le grand problème de la couverture des lieux pour mettre artistes et spectateurs à l'abri de la pluie. La tentation a été constante de recouvrir la scène d'Orange dès lors que c'est, de loin, le plus complet et le plus suggestif de ces lieux scéniques.

Il nous semble que la solution adoptée récemment sur les arènes de Nîmes est plus heureuse qu'une couverture fixe et est fondée sur l'aménagement d'un velum d'usage exclusivement hivernal dont les points d'appui légers n'ont pas mis en cause l'intégrité des maçonneries antiques.

Le théâtre d'Orange, *construit vers 120. Son mur de scène est dans un état remarquable. Orange est le siège d'un des plus fameux festivals internationaux d'art lyrique.*

Urbanisme et monuments

Par contre, à propos de Nîmes, je ne saurais que regretter la décision qui a été prise, il y a quelques années, de faire disparaître, plutôt que de les réintégrer dans un nouveau projet architectural, les vestiges du théâtre néo-classique qui faisait face à la « Maison Carrée ».

À partir de ce face à face avec celle-ci, ce théâtre de 1820 avait inspiré cet esprit néo-classique facilitant l'intégration des ruines antiques dans la ville moderne.

Maison carrée de Nîmes. *En plein cœur de la ville, ce petit temple romain a été le premier en France à bénéficier d'une protection instaurée sous François Ier.*

Archéologie urbaine

Depuis quelques années se sont nouées des relations positives entre archéologie et projets urbains.

Dès lors que la politique de fouille de sauvegarde au gré du développement des travaux publics, prit le pas sur les fouilles de découvertes, les cœurs des villes françaises ont été directement concernés par l'intégration de la mise en valeur de leur sous-sol archéologique au sein de leur projet d'aménagement.

À ce sujet, le sauvetage des vestiges du port grec de Marseille au cœur d'un quartier en totale rénovation, a été une grande première. Ce type d'intégration comporte aussi ses limites et ses problèmes : dans les « jardins archéologiques », les plantes sont parfois des dévoreuses de pierre impénitentes. Les spécialistes de la conservation de la pierre n'ignorent rien des processus microbiologiques qui mettent en cause la survie de ces archives de pierre que l'enfouissement ou la simple montée du niveau du sol, avaient soustraites à notre connaissance, mais préservées de la destruction. Se trouve en cause le cruel dilemme où la volonté de connaître, le désir de faire connaître, s'affrontent à la nécessité prioritaire de sauvegarder. Grand dilemme d'un amour qui tue son propre sujet.

L'amphithéâtre de Grand est l'un des vestiges d'un important centre religieux et païen de l'est de la France dont malheureusement aucun écrivain ne fait mention et aucune inscription ne permet d'en savoir le nom romain, mais qui pourrait avoir été inspiré par le dieu gaulois Grannus. Cela expliquerait le nom de Gran porté au XIII*e siècle et de Grand aujourd'hui, du village tout proche.*

Le site gallo-romain de Grand

Le choix du site de **Grand** se justifie surtout par son intérêt architectural intrinsèque et sa relative méconnaissance par le public. Il a aussi l'intérêt de poser le problème redoutable de la conservation, dans les régions septentrionales de la France, de ruines romaines qui présentent encore des vestiges d'une totale authenticité, mais sur lesquelles pèse la menace des infiltrations d'eau. Comment les conjurer sans pour autant dénaturer des ruines aussi significatives ?

L'histoire antique de Grand reste encore assez mystérieuse. L'ampleur de l'enceinte romaine atteste l'importance originelle de la cité qui contraste avec la modestie du bourg actuel. Les deux monuments les plus significatifs que sont le théâtre-amphithéâtre à l'extérieur de l'enceinte et la basilique ont, en tout cas, échappé aux contraintes dues à l'urbanisation moderne. On verra en quoi des correspondances imprévues existent entre ces deux vestiges.

Statuette d'enfant découverte dans les fouilles.

Depuis le XVIIIe siècle, Grand a été l'objet d'une attention des archéologues dont la pertinence des observations n'a eu d'égal que leur respect des lieux. Le comte de Caylus avait déjà dressé le plan de Grand en 1761, mais on considère aujourd'hui que la fouille de Prosper Jallois, dans la première moitié du XIXe siècle, est une des toutes premières fouilles scientifiques menées en France. Parmi ses successeurs, F. Voulot et R. Billoret sont à l'origine de découvertes remarquables.

Le nom de Grand vient sans nul doute du Dieu Grannus, dieu gaulois assimilé à Apollon : tous deux furent vénérés dans un temple dont il subsiste des vestiges dans la petite agglomération moderne de Grand.

C'est un temple que l'Antiquité considéra comme le principal site religieux de cette région entre Trèves et Lyon. Caracalla le visita et Constantin y situa la vision d'une victoire.

La forme du théâtre-amphithéâtre qui tient du théâtre quant au développement des gradins semi-circulaires, et de l'amphithéâtre proprement dit quant au plan général, est assez répandue en Gaule du Nord. La partie la mieux conservée comporte des arcades en gros appareil qui supportaient les parties hautes des gradins et une porte de loge sous arc de décharge telle que la décrivait Vitruve

Arcades *subsistantes du corridor ouest de l'amphithéâtre de Grand, l'un des plus vastes du monde romain aujourd'hui conservé.*

et qui constitue une structure romaine qu'on retrouve dans les premières manifestations de l'architecture romane.

Quant à la basilique, il en subsiste le grand plan rectangulaire et un très beau décor de mosaïque figurant des animaux qui n'ont rien d'autochtone et des scènes de comédies très animées. Ces scènes peuvent être celles des jeux et des spectacles qui se déroulaient dans l'amphithéâtre. La comédie y alternait avec la tragédie et sans doute les jeux de gladiateurs et de chasse, ce qui justifie ainsi la présence de fauves africains sur les mosaïques. Quels rapports ces différents spectacles avaient-ils avec les cultes pratiqués dans ce grand centre religieux ? On peut simplement augurer qu'ils existaient en raison même du prestige du lieu du culte.

Michel Collardelle et Michel Goutal ont posé récemment le problème de la conservation de ces ruines significatives, qui exigent des interventions propres à maîtriser la situation. En effet, celle-ci fait bien ressortir le caractère paradoxal de la conservation de maçonneries qui se trouvaient autrefois en milieu couvert, puis qui furent protégées par leur ensevelissement et sont exposées ensuite à la destruction. Si l'amphithéâtre ne souffre pas de l'effet de remontées d'eau — le sous-sol ne comportant pas de nappe phréatique —, par contre, les eaux de pluie dévalent les pentes et engorgent les maçonneries.

Comment éviter cette cause de détérioration, comment évacuer les eaux et maintenir l'étanchéité des pierres sans les recouvrir d'éléments qui en défigurent l'aspect et en faussent la lecture ? La conservation des ruines dans leur aspect romantique a fait parfois ses preuves, dans la mesure où, après la fouille, on recouvre une partie de la découverte ; d'autres fois, les effets de ce type de présentation sont pervers. Ici il faut trouver un difficile équilibre entre protection « naturelle » et protection « artificielle » sous condition de ne rien perdre de ces précieux vestiges.

Découvertes en 1883, ces **mosaïques** *conservées sur place, sont d'une interprétation difficile. En ce qui concerne les animaux s'agit-il de combats de cirque, ou de symboles des quatre saisons? Sur le tableau central, le personnage masqué sort-il d'une scène de la comédie latine? D'autres mosaïques de la basilique forment des décors géométriques dont on retouve des détails aussi bien à Reims qu'à Trèves et dont le motif principal est identique, dans son dessin, à celui d'une mosaïque des thermes de Caracalla à Rome.*

Ces plaques zodiacales en ivoire ont dû appartenir à un astrologue et étonnent par leur facture gréco-égyptienne.

Les Tablettes Zodiacales

Parmi les pièces exhumées par les fouilles de 1967-68 à Grand, on doit accorder une attention particulière à deux tablettes d'ivoire qui constituaient les volets d'un écritoire tel qu'en portaient les Romains. Le décor gravé se compose de quatre zones concentriques qu'occupent au centre le soleil et la lune, puis les signes du zodiaque, puis en chiffres grecs la figuration des planètes selon le système égyptien, enfin les trente-six décans sous la forme de divinités égyptiennes et dont les noms sont inscrits en grec ; dans les angles enfin, les quatre vents.

Que dans cette terre lointaine on trouve cet objet à la fois usuel et précieux, qui appartint à un astrologue et qui révèle une symbiose de la culture grecque et égyptienne, en dit long sur l'importance de Grand et sur la culture romaine au IIe siècle avant notre ère.

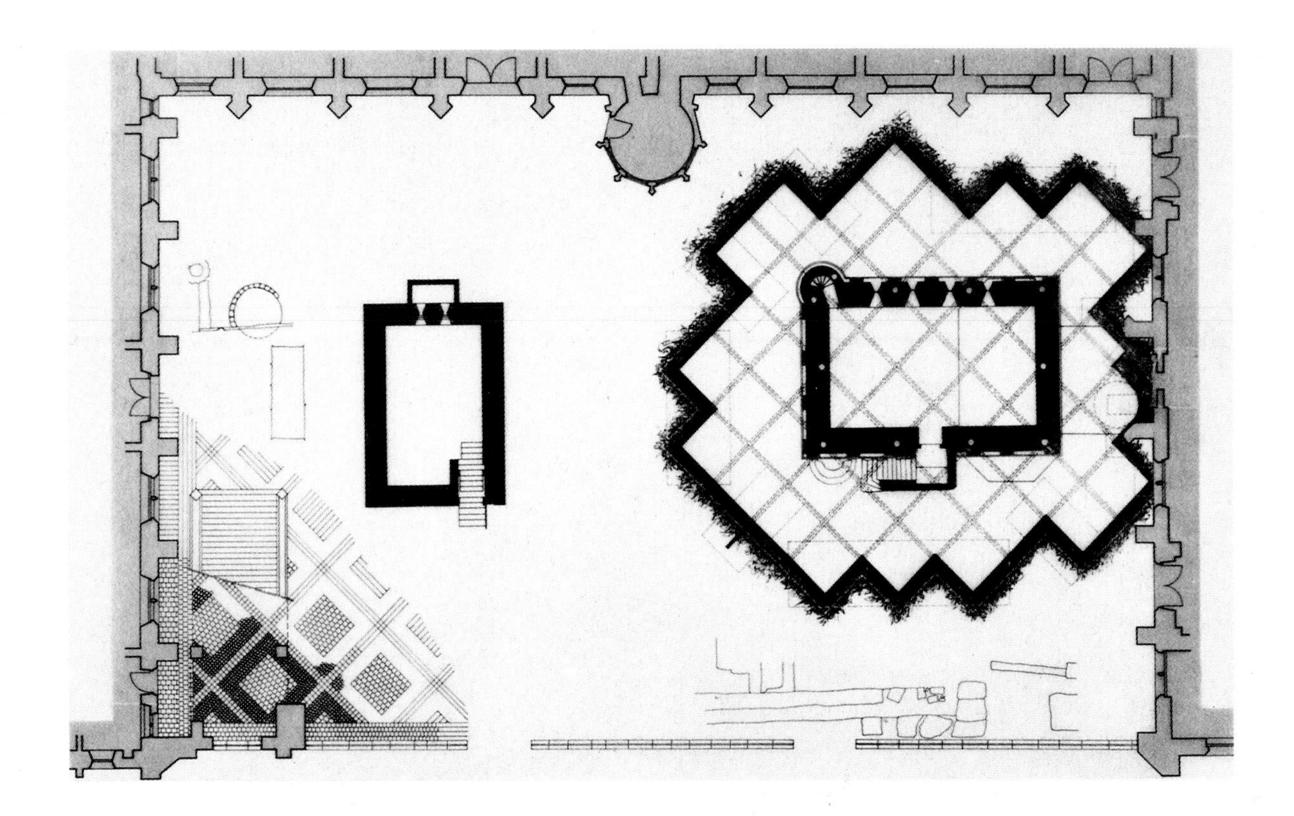

Plan des vestiges de la synagogue de Rouen.

LES VESTIGES DE LA SYNAGOGUE DE ROUEN ET LE PROBLÈME DE LA CONSERVATION DES MONUMENTS DE FOUILLE

En 1976, les travaux d'aménagement de la Cour du Palais de justice de Rouen, éminent édifice de la fin de l'ère gothique (1499-1508 et 1508-1526) aboutirent à la découverte fortuite d'une construction souterraine de près de 15 mètres de long sur moins de 10 de large. Ses murs très épais (1,50 mètre) et très soignés, agencés sur six travées, s'avérèrent être ceux de la grande synagogue ou école rabbinique du XIe siècle de l'ancien quartier juif de Rouen. La présence de graffiti hébreux ne laissait aucun doute à ce sujet, ni les proportions de l'édifice conformes au symbolisme hébraïque. D'ailleurs, le professeur Golb de Chicago, spécialiste de l'histoire juive, l'identifia au bâtiment dont il restait encore, au XIXe, des maçonneries au-dessus du sol et tel que le plan de Rondeaux de Setry le situe en 1782, comme déjà en 1738 et même préalablement celui de Jacques le Sieur, en 1525. Sont particulièrement remarquables la disposition de l'appareil typiquement roman, l'agencement des pilastres du mur nord cantonnés de colonnettes et les bases de ceux du mur ouest.

Cette découverte posait un redoutable problème de fond et d'opportunité au moment où s'achevait la longue entreprise de la restauration du Palais de Justice et où la salle des Procureurs de l'ancien Palais du Parlement allait être rendue à sa fonction judiciaire.

Il ne pouvait être question d'arracher semblable maçonnerie à son gîte. La présentation, en fouille ouverte, au moment où l'on entreprenait le pavage du Palais de Justice n'était guère concevable non plus. Quant à remblayer la fouille après relevés de documentation, c'eût été un défi à l'histoire. La solution qui s'imposait malgré l'arasement de l'édifice à 3 mètres par rapport à son niveau de sol extérieur et 4,50 mètres par rapport à son niveau de sol intérieur a été le traitement de présentation en crypte.

Ce traitement, entrepris par Georges Duval, architecte en chef des Monuments Historiques, est une date importante, l'ampleur des dégagements permettant une vision architecturale de l'édifice décapité devait être compatible avec le respect des maçonneries. Or, l'appui sur celles-ci, est d'une discrétion exemplaire.

Par ailleurs, le parti de plafond en béton et

La « Majesté » de Sainte-Foy.

***Présentation en disposition de crypte des vestiges de la synagogue de Rouen.** Le choix d'un plafond de béton brut de décoffrage a été fait aussi par G. Duval pour conserver les vestiges du Louvre médiéval. Loin de donner l'impression de peser sur les substructures du donjon de Philippe-Auguste, il laisse apprécier leur monumentalité.*

de la nature des supports a réussi cette gageure de permettre à notre pensée de sentir la monumentalité de l'ouvrage, qui n'est nullement « écrasé » par ce surplomb. Il est sûr que si l'on avait reproduit à bonne distance des murs anciens, leur rectangularité par celle de la fosse, on n'aurait pas gagné ce double pari. Au contraire, la disposition de la fosse à redents ménage des vues croisées différentes, comme celles qu'un promeneur aurait eu si le sol même avait été libre. La reproduction fonctionnelle sur le plafond du parti décoratif du dallage de la cour souligne ces recherches perspectives et facilite l'éclairage. Le béton brut de décoffrage* des murs d'appui (qu'affectionnait Le Corbusier) répond, ici, parfaitement à sa fonction de maintien des terres. On doit observer enfin que, malgré les difficultés propres à un sol relativement instable, les vestiges archéologiques sont dans l'état où ils ont été trouvés.

Il faut bien avouer que c'est rarement le cas dans les fouilles ouvertes, et même parfois dans certaines autres. Certes, certaines substructions présentent une telle complexité de parti qu'il est souvent difficile, à ces cryptes artificielles, d'éviter au visiteur l'impression de claustrophobie qu'on y éprouve parfois.

Quant aux fouilles ouvertes dans les régions septentrionales, on sait bien qu'elles impliquent de résoudre souvent la quadrature du cercle. Les superstructures, malgré bien des efforts de louable imagination, y ont parfois quelque chose d'incongru. Quant à la fouille sans protection, elle exige tant de reprises des maçonneries, de « protection de contact » que l'authenticité du vestige en fait, bien souvent, les frais.

La réalisation de Rouen a donc fait école au Louvre, avec le même maître d'œuvre. Dommage qu'au Louvre, la même technique ait impliqué un léger exhaussement partiel du sol de la Cour Carrée. Mais le spectacle des bases du château de Philippe-Auguste est superbe.

TRÉSORS D'ORFÈVRERIE

L'ORFÈVRERIE : LA « MAJESTÉ » DE SAINTE-FOY DE CONQUES

Reliquaire *en argent doré couvert de cabochons, dit* **« A » de Charlemagne** *parce que l'on avait prétendu qu'il lui aurait appartenu, mais qui date en fait du* XII*e siècle.*

La Relique de Sainte-Foy et sa « translation furtive »

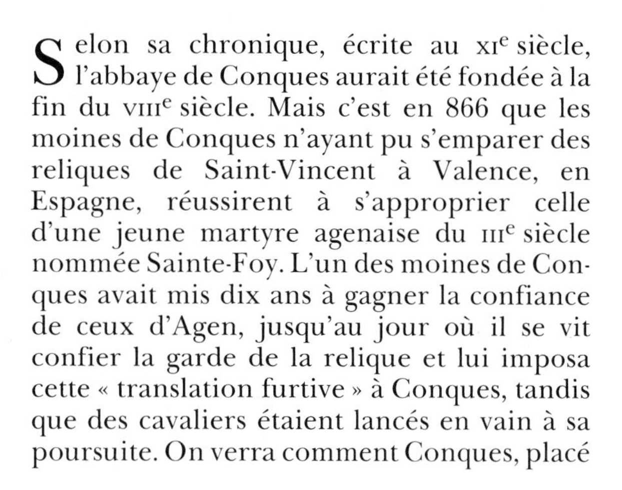

Selon sa chronique, écrite au XIe siècle, l'abbaye de Conques aurait été fondée à la fin du VIIIe siècle. Mais c'est en 866 que les moines de Conques n'ayant pu s'emparer des reliques de Saint-Vincent à Valence, en Espagne, réussirent à s'approprier celle d'une jeune martyre agenaise du IIIe siècle nommée Sainte-Foy. L'un des moines de Conques avait mis dix ans à gagner la confiance de ceux d'Agen, jusqu'au jour où il se vit confier la garde de la relique et lui imposa cette « translation furtive » à Conques, tandis que des cavaliers étaient lancés en vain à sa poursuite. On verra comment Conques, placé sur un des principaux « chemins de Compostelle », sut en tirer profit.

Le Trésor de Conques est resté aujourd'hui sur le plan historique et artistique le plus important de France et il doit avant tout cette réputation à cette statue-reliquaire dite la *« Majesté de Sainte-Foy »*. C'est à elle que nous allons consacrer l'essentiel de cette rubrique tout en situant cette œuvre unique dans l'ensemble du *Trésor de Conques* auprès de l'abbatiale romane qui est elle-même d'un intérêt exceptionnel et domine un très beau site.

La redécouverte de Mérimée

Bien d'autres objets précieux sont venus peu à peu enrichir le Trésor de Conques. **Cette statuette du XVe siècle est un reliquaire representant aussi sainte Foy.**

Dans ses *Notes d'un voyage en Auvergne*, qu'il accomplit en 1836, Prosper Mérimée, inspecteur général des Monuments historiques depuis 1834, fait état de sa « découverte » de « tant de richesses » (...) « au milieu des plus âpres montagnes de Rouergue (...) au bord d'une vallée sauvage (...) ». Cette surprise pourrait étonner car, grâce à Mabillon qui donna tant d'élan à l'érudition bénédictine sur laquelle a pu se fonder une part de l'école historique française du XIXe siècle, le fil de l'histoire de ce lieu éminent du culte catholique médiéval se trouvait déjà renoué depuis le début du XVIIIe siècle. Mais Mérimée traduit en fait légitimement ce sentiment très fort qu'aujourd'hui comme hier éprouve le visiteur de Conques. À l'âpreté du site correspond justement la fascination « barbare » de la Sainte-Foy au fond du repère du trésor de l'abbatiale, fascination tenant aussi à son caractère précieux. Nous retrouvons là le sens symbolique le plus profond d'un trésor par rapport à son environnement : ce qu'il y a de plus riche, enfoui au cœur du désert.

De Guilbert « l'illuminé » à Bernard l'Écolâtre

C'est en 985 que, grâce à Sainte-Foy, Conques connaît un nouveau prestige en raison de la guérison miraculeuse d'un énucléé à qui elle rend la vue, un certain Guilbert, dit, et pour cause, « l'illuminé ». Mais presque aussi surprenant, un autre événement : la conservation, providentielle pour les historiens, du récit détaillé que fit de ses trois voyages à Conques entre 1013 et 1020, un certain Bernard, jeune écolâtre d'Angers dont les impressions successives devant la Sainte-Foy revêtent aujourd'hui la plus prémonitoire des significations. Dans ce récit, nous apprenons d'abord que cette tradition consistant à « confectionner une statue de saint-patron en or et argent » pour y recevoir la relique est propre au midi de la France, et, de prime abord, scandalise le clerc angevin. Comme nous-mêmes aujourd'hui, Bernard a le sentiment d'être en présence d'une « idole » et de voir se manifester ainsi, au bénéfice des saints, une ancienne pratique païenne. « Il semble inconvenant et absurde, écrit-il, de confectionner des statues, excepté pour représenter Notre Seigneur sur la Croix ». Mais, par la suite, Bernard se repend de sa « conduite insensée ». Et, au contraire, il loue la coutume qu'il avait d'abord repoussée, et trouve la preuve de sa légitimité dans le fait que celui qui a jeté le blâme sur la statue en a été puni, comme s'il avait blasphémé contre la Sainte elle-même.

*Le site de l'***abbatiale de Sainte-Foy** *et du village de Conques, vu du nord-est.*

Évolution de la religiosité

Toute la force de l'art médiéval, à partir du succès de ces reliquaires anthropomorphes et faits de métaux précieux, est dans ce glissement et cette identification progressive de la révérence à l'égard de l'esprit vers le corps, puis vers l'objet qui se trouve sanctifié lorsqu'il en est le support. Le culte de la relique elle-même en constitue le premier pas, mais les images qui hantent les rêves et les visions des fidèles prennent, par « la force des choses », l'apparence des figures représentant elles-mêmes les saints personnages, pour autant qu'elles participent par leur aspect, leur richesse même et leur pouvoir de fascination à tout ce qui contribue à rendre crédible leur pouvoir surnaturel et, d'abord, celui de la relique. Or, aucun autre reliquaire de saint n'a concouru à ce mystère d'identification autant que la Sainte-Foy. Sa posture de « Majesté assise », qui sera habituellement propre à la Mère de Dieu, ce geste d'accueil de ses bras, que leur raideur rend ambiguë, ce regard difficile à soutenir, tout y concourt. Et aussi, ce qui n'a pas échappé à Bernard d'Angers, ce caractère précieux d'une orfèvrerie qui mêle l'effroi à l'attirance, et comme tel apparaît aujourd'hui si éloigné de ce qui a pu inspirer progressivement la traduction esthétique du message évangélique. En fait, cela doit être replacé dans le temps où le précieux et le lumineux s'identifient à la spiritualité, et la crainte momentanée de Bernard tient peut-être moins dans l'outrance de l'expression, que dans le fait qu'une sainte bénéficie d'un prestige qui devrait être réservé à Dieu seul.

*La célèbre « **Majesté** ».*

Le mystère dévoilé

Les découvertes sensationnelles que fit Jean Taralon lorsqu'il eut à assurer la restauration des objets composant le Trésor de Conques et lui assurer une présentation digne, confirment l'appréhension éprouvée par Bernard d'Angers. Elles ont mis par ailleurs au clair l'identification de l'œuvre qui avait suscité jusque-là des supputations contradictoires. Il est toujours très approprié que la restauration des ouvrages, qu'il s'agisse d'architecture ou d'objets, soit l'occasion d'une étude de fond, et qu'en même temps la restauration soit guidée par elle.

La comparaison entre la description de Bernard d'Angers et l'observation actuelle de la Sainte-Foy montre que, depuis près d'un millénaire, elle est restée dans l'ensemble, et à quelques retouches près, identique à elle-même. Notons toutefois que les supports du trône qui font une saillie en avant étaient surmontés par des colombes d'or, tandis qu'aujourd'hui des boules de cristal de roche remplacent ces colombes. Cependant les descriptions modernes sont inséparables des interprétations de la réalisation de l'ouvrage. Ainsi la forme du siège a conduit à la dater de l'époque carolingienne, du temps de sa « translation ». Mais l'examen de la couronne, par assimilation aux couronnes impériales ottoniennes, l'a rajeunie, et fait avancer l'idée d'une œuvre originelle du xe siècle ou d'une transformation à cette époque. Quant au modèle de la figure, il a posé longtemps question, jusqu'au jour où Brehier, grâce au rapprochement qu'il a fait de la Sainte-Foy avec le dessin d'un manuscrit, s'est crû en mesure d'attribuer la commande à l'évêque de Clermont, Étienne qui fut aussi abbé de Conques (942-984). Fallait-il en conclure que cet abbé aurait fait refaire entièrement le reliquaire à part la tête ? Fallait-il, comme le fit Jean Hubert, contester cette hypothèse de Brehier, et imaginer cet ouvrage très antérieur, ou très postérieur, et selon le cas remanié avant Étienne ou par ses soins ?

Les travaux de consolidation et de restauration réalisés en 1954-1955 ont apporté à cette énigme une conclusion grâce à des investigations dignes de la plus minutieuse enquête policière. Au témoignage de textes qui exigent eux-mêmes une analyse critique, s'est trouvé joint le témoignage des entrailles de l'œuvre elle-même, un peu comme aujourd'hui on résoud certains mystères criminels par l'empreinte génétique. Faute de place, nous ne pouvons ici que nous borner à citer les conclusions auxquelles le démontage

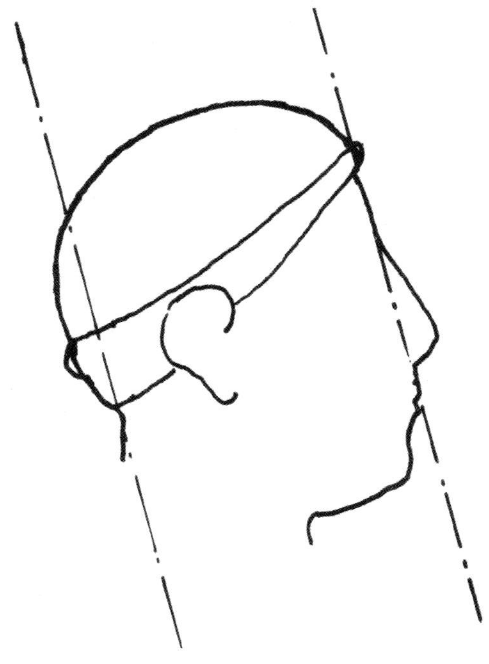

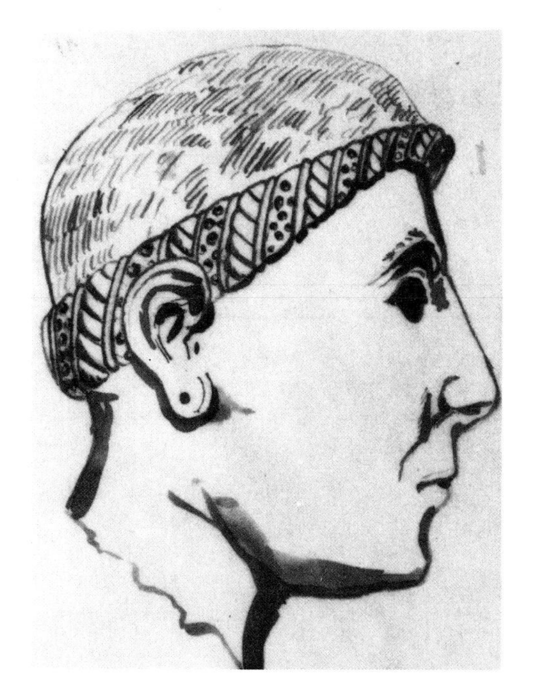

Par ces dessins J. Taralon met en évidence l'identité de la **tête originelle** *de la statue. 1.) axe de la plaque d'or arrondie qui entoure le masque ; 2.) la tête telle qu'elle devait être avant le Xᵉ siècle. (dessins L. Toulouse).*

complet de l'œuvre a permis de parvenir, démontage effectué avec l'autorisation des autorités religieuses concernées, en raison du caractère cultuel de la Sainte-Foy. Il s'avère bien, d'abord, qu'il s'agit de l'œuvre primitive revêtue de ses feuilles d'or, enrichie de bandes de filigranes*, d'intailles* et de camées*. Quant à la question de savoir si la tête a été faite pour la statue dès l'origine ou dans une seconde version, Jean Taralon a pu renverser les données de la discussion des deux grands médiévistes en apportant la preuve matérielle que « *c'est,* comme il l'écrit, *la statue qui a été faite pour la tête, et non l'inverse* ». Alors les observations stylistiques sont explicitées par cette inversion quasiment copernicienne de la réflexion. La tête originelle de bois n'ayant pas été faite pour la statue, mais la statue pour la tête, et afin que celle-là s'adapte à celle-ci, le modelé de la tête nous reporte à une époque antérieure à toutes celles qui ont été suggérées jusqu'ici, tandis que le caractère précieux du reliquaire et sa forme très schématique correspondent, au contraire, à sa fonction cultuelle et à la pratique des arts à la fin du premier millénaire. Ainsi s'expliquent aussi la disproportion de la tête et du corps, la posture de la tête elle-même et la façon dont a été découpé le métal qui a couvert le visage, et l'ensemble de l'ouvrage. Sous ce jour nouveau, la couronne qui paracheva l'œuvre médiévale étant momentanément ôtée, est apparue une tête datable au IVᵉ ou au Vᵉ siècle, identifiable, grâce au modèle de son rouleau de cheveux en torsade : selon toute vraisemblance, c'est la tête d'un empereur romain lauré.

Ame en bois du corps *de la « Majesté » pendant la restauration de son habit d'orfévrerie.*

La pratique des remplois

Cette découverte illustre la pratique que nous allons voir se manifester grâce à l'analyse de nombreux trésors de l'art et de l'architecture médiévale, tels qu'ils nous ont été transmis et tels que les restaurations doivent en respecter le caractère. C'est avec les **remplois** de l'antiquité qu'ont pu être édifiées nombre d'œuvres architecturales du Haut Moyen Âge. Quant à l'édification des cathédrales, elle ne cessera d'associer dans une même œuvre des éléments appartenant à des époques différentes comme dans le cas du Vitrail de la Belle-Verrière de Chartres, ou encore le fait de restaurations successives comme celles des vitraux du XIIᵉ siècle de la façade de cette même cathédrale.

Mais la fascination de la Sainte-Foy est toujours aussi vive aujourd'hui que lorsqu'elle fut ainsi composée. Ne convient-il pas de souligner que c'est précisément cette étonnante mise en œuvre qui changea une tête d'empereur antique en tête de vierge chrétienne, qui en fait la magie et que, dans son premier mouvement, l'écolâtre Bernard avait bien, en somme, intuitivement senti quelque indéfinissable héritage païen dans cet ouvrage que le midi offrait à sa dévotion d'homme du nord. Notre époque doit pouvoir néanmoins contribuer à apaiser des scrupules qu'il avait d'ailleurs lui-même surmontés : le paganisme était dans le style, mais la vocation de reliquaire de la Sainte-Foy gardait sa légitimité aux yeux d'une foi et d'une Église dont les dogmes n'excluent ni les Saints ni les images.

Le Trésor de Conques

***Croix reliquaire du XVᵉ siècle** en argent et vermeil, offerte par Charles Le Téméraire à la Chartreuse de Champmol. Le trésor profane du Duc de Bourgogne était considérable et l'accompagnait dans ses chevauchées. Après ses cuisantes défaites, nombreux sont les objets de ce trésor qui sont devenus la propriété de villes suisses. La charge de la Toison d'Or et les richesses qui s'y attachaient échurent à Vienne. Ce qu'il perdit à Nancy revint à ses vainqueurs, quant au trésor de Champmol, il fut pillé à la Révolution.*

La Sainte-Foy de Conques est aujourd'hui présentée dans une annexe de l'abbatiale qui a été réaménagée et a permis de la placer dans une sorte d'absidiole circulaire dans l'axe de l'ensemble de la salle qui réunit les autres pièces. Ainsi sont exprimés à la fois l'appartenance de la Sainte-Foy au trésor mais aussi sa singularité culturelle, historique et artistique. Pour autant, de nombreuses pièces qui furent accumulées au cours des siècles à Conques sont également d'un grand intérêt. Elles ont été restaurées et certaines mieux identifiées à l'occasion de la restauration et du réaménagement d'ensemble. Il est ainsi apparu que des restaurations de fortune avaient parfois mêlé, d'une pièce à l'autre, les revêtements métalliques de certaines pièces. La recherche qui consiste à rendre à chacune son bien fait usage de méthodes assez comparables à celles des dépistages anthropométriques. Il n'est que légitime de rendre encore aujourd'hui hommage à l'équipe qui, autour de Jean Taralon, a accompli cette opération d'ensemble, et en particulier à la mémoire du restaurateur Lucien Toulouse dont la dextérité, la science de l'orfèvrerie, ont tellement servi l'orfèvrerie et la bronzerie françaises.

Parmi les objets les plus remarquables que l'on peut admirer à Conques, figurent autour de la statue, le « Livre des miracles du xiᵉ siècle », et certains objets sur lesquels figurent la Sainte-Foy ou qui lui sont dédiés comme « sa ceinture » et « son voile », un coffre à émaux du xiiᵉ, deux autels portatifs et de grands reliquaires du xiᵉ au xiiiᵉ siècle, enfin la **Lanterne de Begon** et le fameux « **A de Charlemagne** ». Celui-ci est un reliquaire du xiᵉ siècle, en forme de A non barré, mais son nom relève de la légende : on a en effet cru longtemps d'après le **Liber Mirabilis** qu'il aurait été donné à l'abbaye par Charlemagne lui-même en même temps que d'autres lettres de l'alphabet à chacune des grandes abbayes de son temps.

Nous le constatons à Conques : les trésors chrétiens ne se limitent pas à des ensembles de reliquaires ou de statues-reliquaires. Les inventaires des trésors d'églises au Moyen Âge comportaient deux séries : les objets composant l'**ornamentum** décoraient l'église, et ceux du **ministerium** permettaient l'exercice du culte et ornaient éventuellement les desservants. Ainsi des calices aux encensoirs ou aux burettes, de multiples objets, humbles ou somptueux de richesse font partie des trésors sacrés ; mais aussi des talismans comme nous le verrons à propos du trésor de Reims conservé au palais du Tau. C'est qu'à Reims comme à Saint-Denis, à Aix-la-Chapelle comme à Rome, le trésor princier et le trésor sacré sont confondus dans une même entité où le spirituel et le temporel vont de pair : deux entités de la trilogie chère à Dumezil sont unies dans la puissance symbolique du trésor : le sceptre sinon le sabre est aussi sacré que le goupillon.

L'abbatiale

C'est au prestige du pèlerinage de la Sainte-Foy qu'est due la magnificence de l'abbatiale elle-même élevée au cours du second et du troisième tiers du xiᵉ siècle. Caractéristique par son élévation de l'école romane auvergnate, elle est encore plus marquée, notamment dans son plan et son admirable chevet, par son appartenance aux grandes églises de pèlerinage telle Saint-Sernin de Toulouse et Saint-Jacques de Compostelle même. Mais ce qui ajoute à son originalité c'est l'admirable tympan consacré au « Jugement Dernier » et dont le compartimentage rigoureux contraste avec les célèbres compositions de Moissac, Vézelay, Autun ou Compostelle. Quant au cloître de l'abbatiale il a presque entièrement disparu. Avant que Jean Taralon n'ait été chargé de Conques, j'avais eu moi-même, de façon très éphémère, la charge de cette abbaye avec l'architecte en chef Maurice Berry. À celui-ci l'on doit l'amélioration de la présentation extérieure de l'abbaye et des vestiges de l'ancien cloître. J'ai, à l'époque, regretté la pose de certains vitraux figuratifs du chœur qui viennent d'être récemment déposés. En confiant aujourd'hui le vitrage de l'ensemble au peintre Soulages, je suis persuadé qu'on a pris un risque légitime. L'expression non figurative de cet artiste est d'une puissance qui doit se confronter avec celle de l'abbatiale. Car il y a une démesure à Conques à laquelle on n'échappe pas dès que le regard de la Sainte-Foy se pose sur nous.

*Chartres : Vitrail du xiiᵉ siècle de la façade occidentale. Détail de la fenêtre de **l'enfance du Christ : Le massacre des Innocents.***

TRÉSORS DE LUMIÈRE

VITRAUX ANCIENS — VITRAUX MODERNES

VITRAUX ANCIENS

L'art du vitrail

Dans l'énumération des « Trésors de la France », le vitrail doit figurer dans les tout premiers rangs. En effet, le vitrail est un des arts les plus spécifiques à ce pays qui possède plus de la moitié des vitraux anciens du monde entier. Par ailleurs le vitrail est émotionnellement une des manifestations artistiques qui touchent l'homme au plus profond de sa sensibilité. C'est par excellence un des sommets de l'art sacré tant par la richesse de son expression que par son symbolisme et sa fonction architecturale.

Techniquement le vitrail traditionnel tel qu'il apparaît en Europe au xe siècle est fait de pièces de verre colorées dans la masse, serties de **plomb*** et ajustées par des ferrures, les **barlotières***, qui assurent la rigidité des panneaux, leur solidarité avec l'encadrement et éventuellement les réseaux de pierre qui divisent les fenêtres des édifices.

Le vitrail, en tant qu'art européen, a atteint une grande maîtrise dès l'époque romane, un plein épanouissement au XIIIe siècle et s'est imposé pendant plusieurs siècles, tout en évoluant, comme une manifestation majeure de l'art gothique. Dans les cathédrales médiévales les fonctions du verre et de la pierre sont indissociablement constitutives de l'architecture, autant symboliquement que structurellement.

Le symbolisme religieux du vitrail est lié à la fonction physique du verre, matière transparente que pénètre la lumière solaire et céleste. À la différence de la peinture murale qui ne renvoie qu'une lumière indirecte et atténuée, le vitrail a sa luminosité propre, comme par un mystère analogue à celui de la maternité de la Vierge. Dans les cathédrales, son iconographie représente tout à la fois l'histoire de la Création et la connaissance du Cosmos, l'Ancien et le Nouveau Testament et la vie des Saints. C'est pourquoi, si l'art du vitrail a une force d'expression qui privilégie le contraste des couleurs, notamment du bleu et du rouge, ainsi que les découpes franches, c'est aussi un art d'illustration. Et pour que sa lecture soit aisée s'est imposé l'usage d'un graphisme pictural, celui de sa **grisaille***, qui se fixe sur le verre comme un émail par la pratique d'une seconde cuisson du verre.

Au cours des siècles la technique du vitrail et ses couleurs ont évolué. Le souci de la représentation s'est développé avec l'enrichissement de sa palette de couleur mais aux dépens de sa franchise d'expression. Enfin, l'importance du vitrail, dans l'organisation de l'espace cultuel, a considérablement décru à l'époque classique et baroque pour retrouver des ambitions au XIXe siècle coïncidant d'abord avec la vogue de l'art néogothique, et surtout au XXe siècle, dans la mesure où la grande remise en cause opérée par l'art moderne a trouvé avec l'art du vitrail des hautes époques, certaines similitudes d'expression. Reste à manier intellectuellement ce rapprochement avec prudence. L'art médiéval s'est toujours voulu profondément chargé de significations explicites et unificateur des contrastes dont il a joué. Le plus souvent, l'art du XXe siècle impose, à l'inverse, d'incessantes ruptures et s'exprime à travers les plus grandes singularités individuelles propres à chaque grand artiste. En chacune d'elles, la forme l'emporte sur le sens, ou bien le sens nouveau ne cesse de contredire le sens antérieur. L'insertion du vitrail moderne dans les édifices anciens, **n'en est pas moins une nécessité historique**, afin de clôturer l'espace architectural que la disparition des vitraux anciens, due à la fragilité même du verre, a rendu inévitable.

Malgré cette fragilité inhérente à sa nature, le patrimoine ancien du vitrail est d'une exceptionnelle richesse. Les guerres, les accidents, les tempêtes, les effets des vibrations ont constitué les périls les plus apparents qui ont assailli ce patrimoine. Cependant, grâce aux dispositions préventives de dépose prises avant le déclenchement de la Seconde Guerre mondiale, le patrimoine des vitraux français, pour l'essentiel, a été préservé des effets des bombardements.

Vues extérieure et intérieure des fenêtres de ***la façade occidentale de la cathédrale de Chartres.*** *Sous la superbe rose qui resplendit aux rayons du couchant, les vitraux des trois fenêtres racontent, de gauche à droite : la Passion, l'enfance du Christ et l'arbre de Jessé.*

Mais d'autres phénomènes moins violents mais plus sournois menacent les vitraux. Ils sont relatifs à la dégradation interne de ses éléments constituants, surtout du verre, qui est favorisée par les attaques d'agents corrosifs provenant de l'atmosphère ou du sol, et aggravés de nos jours du fait des pollutions par les sulfates et les acides. La réponse à cette situation est constituée par des thérapies curatives et préventives qui sont actuellement en plein développement. La situation générale n'en reste pas moins préoccupante.

À vrai dire les vitraux les plus anciens n'ont cessé d'être restaurés cycliquement. Mais à la longue, les conditions dans lesquelles ces restaurations se sont opérées jusqu'ici auraient abouti à la disparition progressive des vitraux anciens, si on n'avait pas changé de méthode. On peut donc résumer la situation actuelle ainsi : nous sommes en présence d'attaques aggravées et nous devons y répondre mieux qu'on n'y répondait autrefois. En choisissant quelques exemples appropriés, nous allons étudier d'abord les problèmes actuels posés par le vitrail, à la fois sous l'angle de l'identification et de la restauration des vitraux anciens et de la prévention contre les maux qui les menacent. Ce sera notamment l'objet des analyses de la situation de l'ensemble des vitraux le plus illustre du monde : celui de la cathédrale Notre-Dame de Chartres. Nous associerons son cas à celui des vitraux d'un édifice voisin, l'église Saint-Pierre de Chartres. Puis pour illustrer le phénomène des apports modernes dans le domaine du vitrail, nous considèrerons ensuite deux types de situations, celles de vitraux modernes dans des édifices modernes et dans des édifices anciens. Mais notons que les circonstances de la dernière guerre ont posé exceptionnellement un cas inverse : celui qui a consisté à utiliser des vitraux anciens sauvés par la dépose, et dont l'édifice qu'ils décoraient a disparu : c'est le cas des vitraux de l'ancienne église Saint-Vincent de Rouen replacés dans l'église moderne Jeanne-d'Arc de la même ville.

Détail de la fuite en Egypte de l'enfance du Christ. La lisibilité de ces très belles têtes du XIIe siècle souffre de la présence de plombs de casse et surtout des altérations de la surface qui en donnent une lecture en « négatif ». En effet, les parties à l'origine les plus claires, telles que l'arête du nez où le bombé des joues, moins couvertes de couches de couleurs, ont été plus attaquées et paraissent à présent plus foncées que leurs voisines.

La cathédrale Notre-Dame de Chartres

La cathédrale de Chartres est un monument symbolique de l'art gothique et de la foi chrétienne. Il serait légitime de le présenter ici dans son ensemble comme le trésor de l'art français par excellence : sa structure architecturale, son ensemble de sculptures monumentales et son ensemble de vitraux se placent séparément au premier rang, mais ils doivent être essentiellement considérés dans leurs relations et dans l'unité qu'ils constituent. Chartres n'est ni la cathédrale gothique la plus précoce ni la plus haute, ni la plus longue, mais c'est la plus représentative de toutes, aussi bien par sa richesse que par sa singularité même. Cependant, selon l'objectif que nous nous sommes fixés, nous aborderons ici les problèmes posés par l'identification de ses vitraux et leur restauration imposées par une situation alarmante qui a mis en cause leur survie.

Dans l'ensemble incomparable de ces 176 verrières nous distinguerons d'abord le plus célèbre d'entre elles à laquelle on a donné justement le nom de Notre-Dame de la Belle-Verrière, dont la nature est particulièrement significative. Puis nous analyserons les raisons des interventions opérées voilà quelques années sur les vitraux les plus anciens de la cathédrale : les trois lancettes romanes de la façade occidentale. Enfin, nous évoquerons le développement de la restauration systématique des autres vitraux qui se poursuit actuellement à la cathédrale ainsi que dans l'église voisine de Saint-Pierre de Chartres.

Façade occidentale de la cathédrale de Chartres.

Notre-Dame de la Belle-Verrière et l'histoire de la cathédrale

La première travée de la partie droite du double déambulatoire comptée à partir du transept est éclairée, comme ses voisines, par deux lancettes sommées d'un oculus. La lancette gauche est consacrée pour sa partie inférieure à différentes scènes de la Vie du Christ. Au-dessus de ces registres s'élève la grande figure bleue sur fond rouge de la Vierge, dite Notre-Dame de la Belle-Verrière portée et encadrée par des Anges. Il a été observé depuis longtemps la différence stylistique et technique entre la Vierge et ce qui l'entoure. La Vierge est du XIIe siècle et l'entourage du XIIIe siècle. La Vierge est donc ce qu'on appelle un remploi. Elle a appartenu comme les vitraux de la façade occidentale, à la cathédrale antérieure à celle que nous admirons aujourd'hui.

L'histoire architecturale de Chartres est complexe. Sans remonter plus haut, rappelons qu'un incendie l'ayant détruite en 1020, l'évêque Fulbert la reconstruisit en lui donnant une grande ampleur. Un nouvel incendie en 1134, conduisit à élever un important édifice roman dont provient la Belle-Verrière et qui, lui-même fut victime d'un nouvel incendie en 1194, date à partir de laquelle on éleva la cathédrale gothique actuelle. Au long de ces séries de chantiers incessants, entrecoupés de sinistres, très fréquents au Moyen Âge, on ne cesse évidemment d'utiliser les nouveaux procédés techniques qui apparaissent, et d'innover stylistiquement, tout en donnant plus d'ampleur à l'édifice, en fonction des besoins. Mais on a toujours le souci d'utiliser les restes de l'édifice détruit. S'agissant d'une pièce telle que la Belle-Verrière il est sûr qu'elle n'est pas conservée pour des raisons seulement d'économie : la beauté intrinsèque et le caractère sacré de l'œuvre ne pouvaient échapper à personne. Son hiératisme monumental devait encore en imposer, tempéré qu'il était par son humanité. Tout cela a justifié qu'on en fît le motif central d'un vitrail de la nouvelle cathédrale, sans toutefois lui donner la place prééminente que cette Vierge devait avoir occupée.

Cathédrale de Chartres : **Fenêtre de « La Belle Verrière ».**

Vitrail de l'enfance : ***Les Rois Mages*** *en cours de restauration. Déjà nettoyé mais avant le mastiquage ce qui explique les « blancs » autour des verres rouges.*

Les vitraux romans de la façade occidentale et leurs restaurations successives

Le même phénomène dont témoigne la Belle-Verrière s'est produit simultanément avec l'ensemble de la façade occidentale.

Après l'incendie de 1184, ont subsisté en effet les bases des deux tours implantées en avant du Portail Royal et des trois vitraux qui les surmontent, tout cela appartenant à la cathédrale antérieure. Après l'incendie, pour allonger la nouvelle nef, les éléments constitutifs de cette façade qui n'ont pas été détruits sont placés en alignement avec les tours et surmontés par l'étage de la rose, tandis que la nef est reconstruite. Ainsi voyons-nous les vitraux romans de cette façade intégrés dans le nouvel édifice gothique. Ces trois vitraux romans figurent l'**Enfance du Christ** au centre, **la Passion** à droite et l'**Arbre de Jessé** à gauche, les deux premiers étant divisés en scènes inscrites dans des ronds et des carrés, le troisième superposant les figures de la généalogie du Christ tout le long du déploiement décoratif de l'Arbre.

Vitrail de la Passion : ***la tentation du Christ,*** *totalement illisible avant sa restauration.*

Tous ces motifs étaient devenus quasiment illisibles du fait de l'encrassage, mais ce n'est pas un motif esthétique qui a motivé la dépose et la restauration. Louis Grodecki*, qui n'a cessé d'observer les vitraux de Chartres et de les étudier, voyant l'état des verres s'aggraver à chaque visite, a témoigné alors de cet état de dégradation progressif qui risquait d'être irréversible. En outre, les panneaux se courbaient sous leur propre pression car la structure elle-même était attaquée. Il était connu par les textes que de multiples restaurations avaient été opérées dans le passé et on ne doute pas que certaines aient contribué à aggraver le mal.

La dépose qui permit cette fois de les identifier et de les analyser scientifiquement en révéla seule l'ampleur. Cette étude permit aussi de découvrir la nature des interventions antérieures. Les vitraux avaient en effet été restaurés dès le début du XIIIe siècle lorsqu'on déplaça la façade, puis au XIVe, au XVIe, au XVIIe, au XVIIIe et à la fin du XIXe siècle il se confirma par l'analyse que la composition chimique des verres diffère avec les époques ainsi que les graphismes. Au Moyen Âge, on n'avait pas le souci de restaurer en imitant le graphisme originel, mais seulement de rendre le dessin intelligible. Cette circonstance permit ainsi de dater avec exactitude chaque pièce. Mais ce n'est pas pour autant qu'on peut prendre cette règle en exemple aujourd'hui. Car avec l'ampleur croissante des dommages, on aboutirait finalement à la disparition totale de l'œuvre d'art originale. Il est donc capital de pratiquer aujourd'hui des méthodes de restauration préservant tant que c'est possible le matériau ancien et ainsi le **traiter** plutôt que de le **remplacer**. C'est ce qui a été **fait à Chartres**.

Par ailleurs, tant en France qu'à l'étranger, diverses analyses scientifiques effectuées sur des pièces de verre de différentes provenances ont permis de décrire les processus de la dégradation des vitraux et d'en déduire des procédés tant curatifs que préventifs de sauvegarde.

Vue au ***microscope*** *d'une coupe de verre rouge avec cratère et produits d'altération. Le verre rouge étant relativement opaque, c'est le seul qu'au Moyen Âge, on dispose en lames minces doublées de verre incolore (vitrail du Mans).*

Processus de dégradation des vitraux

Les altérations des vitraux ont plusieurs causes. L'accroissement de la pollution atmosphérique qui charge la pluie d'acides et de sulfates constitue aujourd'hui une circonstance très aggravante qui contribue à la corrosion extérieure. Le chauffage des églises produit des condensations qui fixent des micro-organismes dont l'action agressive destabilise également la matière du verre. Dans le même ordre d'idée, le long séjour en caisse des vitraux déposés pendant la guerre et soumis à l'humidité des dépôts a pu être très nocif.

Le verre comporte dans sa substance moléculaire des liaisons d'atomes d'oxygène et de silicium qui en assurent la stabilité, laquelle est réduite par la présence d'autres corps simples, notamment du potassium dont les verres de vitraux au Moyen Âge sont très particulièrement chargés. L'association des sulfates de l'atmosphère et du potassium des verres est très corrosive. Mais une plus forte teneur de silicium peut en réduire l'effet, ce qui est le plus souvent le cas des verres de couleur bleue. Voilà qui explique qu'à Chartres en particulier, les verres bleus ne se sont pas décomposés. Par contre les autres verres, notamment les verres rouges, sont altérés au point que leurs matériaux constitutifs se déposent à leur surface sous la forme de

Tête du XIIIe siècle du vitrail de l'enfance à Chartres. ***Le bleu****, moins sensible aux attaques grâce à sa plus forte teneur en silicium, a conservé sa luminosité, ce qui a contribué à la réputation des « bleus de Chartres », alors que les autres tons, et en particulier le rouge avaient leur éclat altéré par la décomposition du verre. Nettoyés ils chantent à présent en harmonie.*

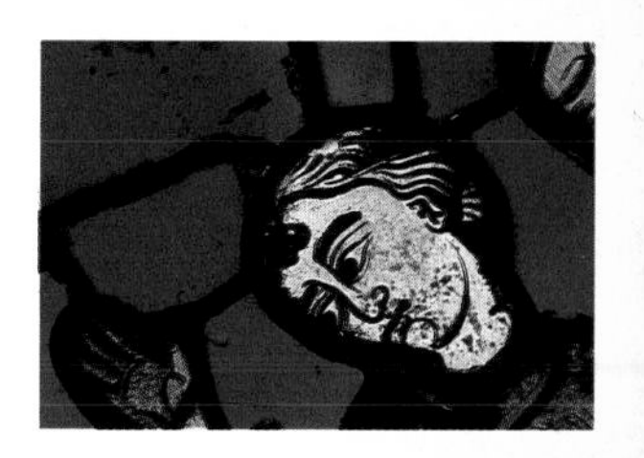

Détail d'un vitrail de la cathédrale de Bourges*, vue de l'intérieur et de l'extérieur et si piqueté et altéré, qu'il ne laisse filtrer un peu de lumière qu'à travers le bleu surtout, et les tons les plus clairs du visage.*

Chartres, **Tête du Christ** *piquetée de cratères.*

gypse et ont fini par les rendre opaques.

L'altération des verres se manifeste en général selon deux types différents : une érosion uniforme et superficielle ou une attaque en forme de cratère qui peut aller jusqu'à perforer la pièce. C'est le cas des verres autres que les bleus qui composent **l'Arbre de Jessé** du XIIe siècle de Chartres, alors que ses voisins de l'**Enfance du Christ** et de la **Passion** sont attaqués de façon uniforme et ont gardé leur luminosité. C'est que le processus d'érosion par cratère est beaucoup plus violent et rapide et dépose davantage de matériaux opaques résultant de la décomposition du verre, comme le gypse.

Nous nous bornons ici à schématiser des phénomènes à vrai dire beaucoup plus complexes. Ces explications permettent néanmoins de comprendre le choix des procédés de restauration. Mais il faut ajouter à ces données générales, des circonstances aggravantes comme l'oxydation des plombs, l'usage de mastics de mauvaise qualité uilisés le long des plombs comme ce fut le cas lors de la révision à laquelle donna lieu la repose après la guerre. Il arrive que les ferrures elles-mêmes n'assument plus aussi bien la rigidité de l'ensemble des panneaux : d'où l'effet de « ventre » dû au poids du vitrail sur lui-même.

Vue comparée des faces interne et externe d'un vitrail. Cette tête de **la Vierge de la cathédrale de Sées**, *ne se distingue qu'à ses cheveux et sa couronne dorés.*

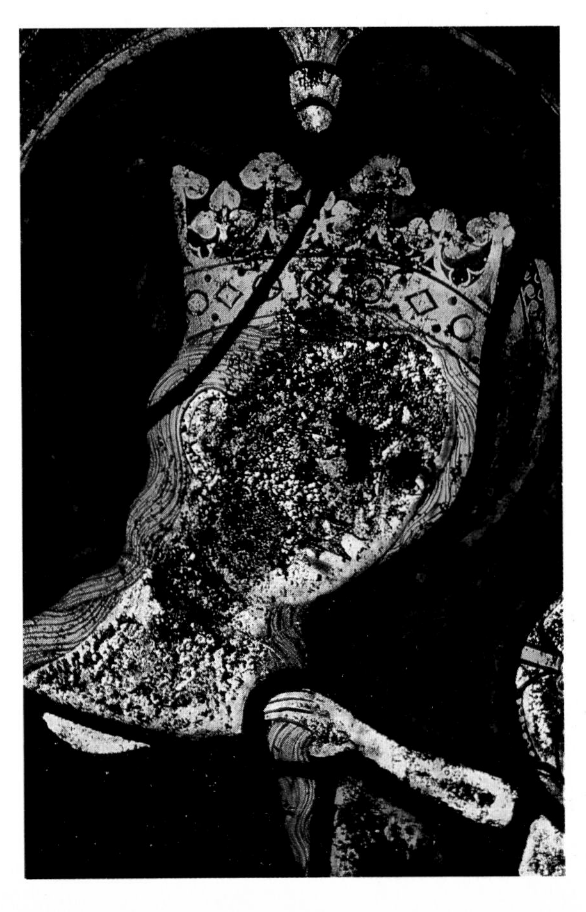

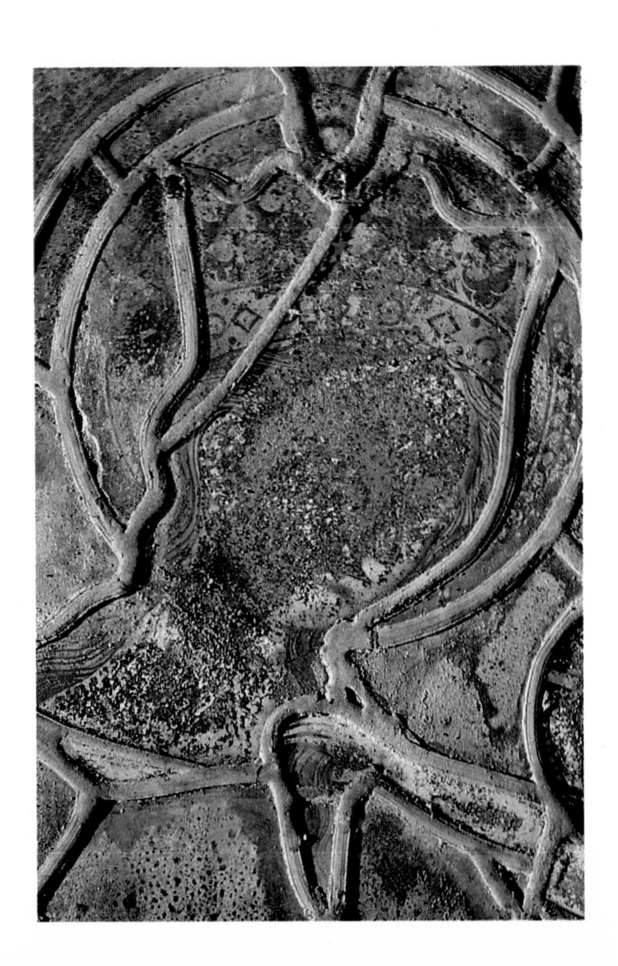

Vitrail de l'enfance du Christ (Chartres XIIe siècle), détail : *La Purification. Si la tête du vieillard Siméon date bien du XIIe siècle, celle de l'enfant a été refaite au XVe et celle de la Vierge au XIXe. Après nettoyage, les différentes époques de restaurations se remarquent aisément.*

La restauration des vitraux romans de la cathédrale de Chartres

Devant cette situation il faut commencer par extirper le mal : l'encrassage n'ayant pas seulement pour effet de rendre le verre opaque et le vitrail illisible, mais de détruire la substance vitreuse jusqu'à la perforation par les présences conjuguées des dérivés du soufre, d'acides et de micro-organismes. Le **nettoyage** de la face externe du verre doit être assez énergique pour éliminer ces agents, sans pour autant toucher à l'intégrité du vitrail. Il est impératif d'éviter toute corrosion supplémentaire.

Comme en médecine, la thérapeutique est toujours un choix difficile qui évite de soigner un mal au prix d'en créer un autre. Dans ce sens, doit être écarté le procédé abrasif auquel on a eu parfois recours au XIXe siècle, ce qui a eu ultérieurement des effets pervers. Le Laboratoire de recherches sur les monuments historiques de Champs-sur-Marne (L.R. M.H.*) a mis au point un produit de nettoyage qui a fait ses preuves en France et à Vienne, en Autriche, pays de pointe, avec la France et l'Angleterre, dans la recherche de la sauvegarde du vitrail. La deuxième phase de la thérapeutique est le nettoyage à l'eau de la face interne du verre. Il faut préserver aussi la grisaille qui, surtout si la cuisson n'a pas été réalisée dans les meilleures conditions, peut se détacher du verre.

Enfin, il convient de prévenir un retour du mal, car le verre nettoyé reste fragile, les cratères subsistent et peuvent devenir à nouveau des niches privilégiées de pollution lorsque le verre reposé sera de nouveau en contact avec l'atmosphère. Pour éviter ce contact, les vitraux romans de Chartres ont été revêtus sur leur face externe d'une très fine couche de résine (le *viacryl*). Ce film a été préalablement mis à l'épreuve pour s'assurer par simulation de vieillissement qu'il ne se teintait pas avec le temps, et aussi que le procédé était réversible et inoffensif. Par contre on a renoncé à coller une seconde épaisseur de verre extérieur. Le caractère irrégulier de la surface externe du vitrail expose cette solution à emprisonner de l'air entre les deux lames de verre.

Mais la solution du film de résine ne répond pas à tous les cas de figure. C'est pourquoi dans d'autres cas on a recours au doublement du vitrage par un second à quelque distance et ainsi, on évite la condensation interne et externe, l'air circulant entre les deux vitrages. La difficulté de cette solution est dans la fixation et l'effet extérieur de cette adjonction. Ce procédé est inévitable lorsque les cratères sont si profonds que le film de résine les tapisse difficilement. Dans ce domaine on peut penser ainsi à une conju-

Du même vitrail ce détail de **la chute des idoles** *au passage du vrai Dieu laisse voir une superbe composition du XIIe siècle dont la tête a été refaite au XIXe dans le « goût » du XIIe.*

Baptême du Christ.

gaison d'un ensemble de solutions évolutives répondant à la diversité des situations et des types d'agression. Comme dans le domaine de la médecine humaine, celle du vitrail doit être diversifiée : il n'y a pas de remède unique et universel.

Les procédés utilisés sur les vitraux romans de Chartres n'en ont pas moins suscité une polémique, lorsque après repose, les trois vitraux concernés ont présenté des rapports d'intensité colorée auxquels on n'était pas accoutumé. C'est que, sans qu'on l'eût cherché comme un *a priori* esthétique, chaque ton avait retrouvé sa vraie valeur : toute une littérature et des impressions acquises à partir du XIXe siècle se sont trouvées mises en défaut au sujet d'une nature obscure et « romantique » des cathédrales. Le message de foi du Moyen Âge dans l'ordre du vitrail est à la vérité un ode à la lumière. Le mystère est dans l'incommunicabilité rationnelle des actes de foi, non dans la parcimonie de la lumière qui est, au contraire, le support symbolique et absolu de la vérité divine. À Chartres, le malentendu s'est accru du fait de la réputation dominante exclusive du fameux « bleu de Chartres ». Nous avons expliqué pourquoi, résistant mieux aux agents de la pollution que les autres couleurs, le bleu y a paru être avec le temps une couleur quasi exclusive. Après interruption des travaux, le programme global de Chartres a repris, et ce n'était que temps. N'oublions pas que pour certains vitraux de Bourges les « miracles » de la science contemporaine arrivent trop tard.

La démonstration poursuivie sur le bas côté nord de Chartres a été d'une évidence irrécusable et a dû rasséréner l'homme qui a été à l'origine de ce programme général et sans lequel ces vitraux auraient sans doute été perdus, Jean Taralon ; successeur de Jean Verrier, lequel trente ans plus tôt, en opérant la dépose systématique des vitraux à l'approche de la Seconde Guerre mondiale en avait sauvé la surface de quatre hectares d'une destruction irrémédiable. Le successeur de J. Taralon au Laboratoire de Champs, Catherine de Maupéou et leur collaborateur, l'ingénieur J.M. Bettembourg, ont poursuivi cette tâche redoutable de restauration indispensable. Au cours du nettoyage de ces vitraux du bas côté nord, on a vu juxtaposées les fenêtres avant et après le nettoyage. Accoutumée à un obscurcissement graduel, l'opinion publique n'avait pas imaginé la mesure du désastre : un peu de bleu filtrait encore à travers ces vitraux mais toutes les autres couleurs en étaient abolies. Quelques années de retard et elles auraient disparu à jamais. Aujourd'hui à nouveau tous ces tons chantent comme dans une symphonie. Le travail doit être entrepris maintenant d'urgence dans les célèbres fenêtres hautes de la nef à grands personnages, un des sommets de l'art universel. Les sondages ont permis de constater que la situation était très grave et les cratères trop profonds pour être traités par le film de résine. Après le nettoyage devenu désormais habituel on aura donc sans doute recours au doublage des vitrages en évitant l'effet de vitre extérieure uniforme.

Dans ce ***détail de la Fuite en Égypte*** *la tête de gauche du XIIe siècle, mais lisible à présent en « négatif », jouxte une tête de facture très différente du XIIIe siècle.*

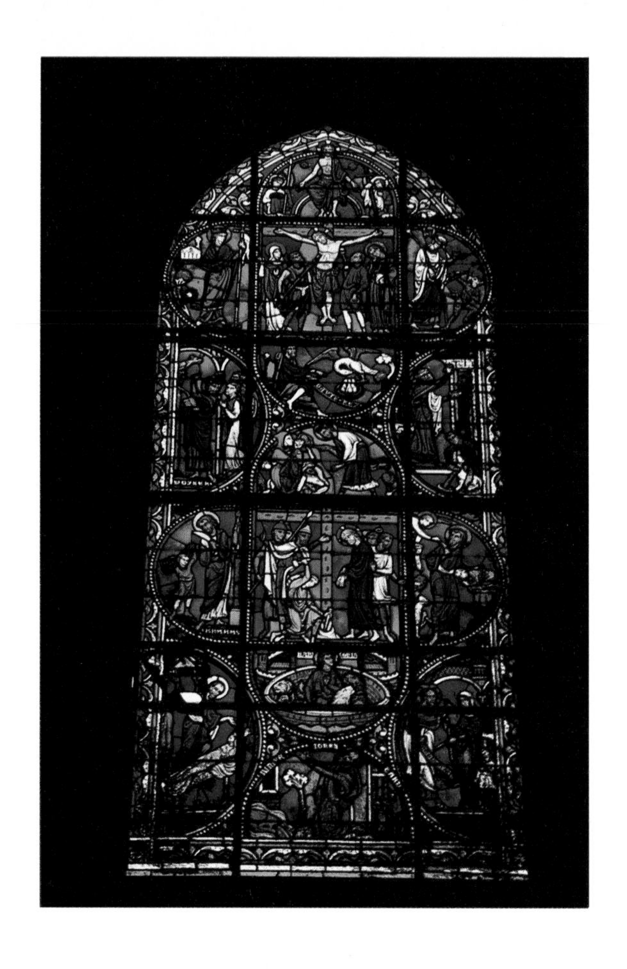

*Ce **vitrail de Saint-Pierre de Chartres** a retrouvé couleur et luminosié **après restauration**.*

*Vue de l'abside de **Saint-Pierre de Chartres**.*

Les vitraux de Saint-Pierre de Chartres

Ayant pris spécialement le destin des vitraux de Chartres en considération à propos de l'avenir de ce trésor d'art que constitue, à vrai dire l'ensemble des vitraux français, il n'est guère possible d'ignorer la situation de ceux du second édifice gothique de cette ville qu'est l'ancienne abbatiale bénédictine Saint-Pierre. Les visiteurs de la cathédrale doivent absolument se donner la peine d'aller jusqu'à elle dans la basse ville dont l'aménagement en tant que « Secteur Sauvegardé »* est aussi d'un grand intérêt. Chartres en effet est un tout. Avec la qualité de son tissu urbain, avec le prestige de son pèlerinage, avec la puissance mystique du lieu dont témoigne déjà la préhistoire, avec la réputation de ses « écoles » médiévales, Chartres a acquis dans le monde un prestige exceptionnel. Avec le Mont-Saint-Michel et Versailles, sa cathédrale fut un des trois premiers monuments que je fis inscrire sur le patrimoine mondial de l'Unesco. Mais Chartres c'est bien, par excellence la **capitale du vitrail**. Et si l'ensemble incomparable de la cathédrale réalisé jadis par des ateliers chartrains appelés ensuite à travailler sur plusieurs autres édifices européens justifie cette appellation, l'existence de Saint-Pierre participe à cette justification. Le **Centre international du vitrail*** installé dans le Grenier de Loëns l'a consacré en se vouant à l'avenir du vitrail dans l'art contemporain.

Le vitrage de Saint-Pierre* est lui-même exceptionnel par ses dates : fin XIIIe et début XIVe, époque qui est relativement peu représentée dans les grands ensembles européens. C'est la période qui suit celle de la grande majorité des vitraux de la cathédrale. On distingue plus précisément à Saint-Pierre trois sous-ensembles : le plus ancien est celui des grandes figures des Patriarches de l'Ancien Testament, alternant avec des fenêtres de simple grisaille tout le long de la partie droite du chœur ; le second apport est l'admirable figuration des Apôtres et des grands saints de l'église du Christ dans l'hémicycle du chœur ; enfin le troisième est celui de la nef qui témoigne d'un raffinement particulier, avec une présentation alternée de petites scènes historiées et de grands personnages encadrés de grisaille et figurant parfois des personnages contemporains des vitraux eux-mêmes. Mais ce dernier programme a été l'objet d'un changement d'intention au cours de l'exécution, et la datation devient parfois difficile quand certains panneaux n'occupent pas les

Vue des vitraux du chœur de Saint-Pierre de Chartres. *(Fenêtres hautes et médaillons.)*

places auxquelles ils avaient été primitivement destinés. Il va de soi qu'il n'est pas question de mettre en cause ces remaniements très anciens au cours d'une restauration.

Par contre, cet ensemble de Saint-Pierre ayant nécessité récemment une révision technique générale, il est non seulement apparu des dépôts d'algues considérables et de sulfates sur les verres qui doivent être nettoyés, mais on s'est posé par ailleurs à Saint-Pierre le problème de stabilité de certains panneaux, et on a pris en compte la présence des vitraux placés dans le triforium qu'il a donc fallu déposer. Or, ces vitraux du XVIe siècle n'ont été placés à Saint-Pierre qu'en 1802. Ils proviennent d'autres églises de Chartres qui furent détruites à la Révolution. La présence de ces vitraux disposés à la hâte et sans souci d'harmonie générale porte préjudice au chœur de Saint-Pierre. Il n'est pas opportun de renouveler une erreur aussi grossière après restauration, et il est souhaitable de pourvoir le triforium de grisailles dont on possède les vestiges des originaux. Il a donc été décidé enfin de regrouper les vitraux du XVIe siècle dans les chapelles.

Nous avons évoqué cet exemple pour montrer que la doctrine qui tend à préserver les acquis de l'histoire doit nécessairement être modulée, en particulier dans le domaine du vitrail, matériau très fragile et qui a fait l'objet, au cours du temps, de remaniements fréquents. On doit prendre acte de ceux qui ont un caractère volontaire et revoir ceux qui sont strictement accidentels ou ont des effets négatifs à l'égard de la conservation. Une intervention qui, dans la méconnaissance de la technique du vitrail, l'a mis à mal, exige d'être reprise au même titre qu'on répare les dommages de guerre. C'est ainsi que la mise sous plomb des vitraux au XIXe siècle a été souvent conçue avec négligence. Des plombs trop minces n'assuraient pas la longue durée, tandis que des plombs originaux du Moyen Âge sont toujours en place. À l'occasion d'une nouvelle restauration, il convient donc de se référer à la tradition et non pas à des usages momentanés qui, par méconnaissance, n'en restent pas moins pervers.

De toutes les techniques médiévales dont tous nos « trésors » ont témoigné, celle du vitrail est une des plus riches et des plus élaborées. On est exceptionnellement bien renseigné par un texte du moine Théophile qui décrit comment on procède au XIIe siècle pour fabriquer les verres, les découper, les sertir, les monter. On suit pas à pas l'évolution de cette technique par les textes mais aussi par les analyses des matériaux. On ne peut pas toujours reprendre à la lettre les fabrications anciennes, notamment celle du verre, mais on peut s'en rapprocher pour exécuter des parties manquantes. On a vu que, dans des cas extrêmes, comme celui du vitrail de la Nouvelle Alliance de la cathédrale de Bourges, on était contraint de faire des copies. C'est un recours ultime, de résignation, une attitude exceptionnelle et non une fin en soi.

Le vitrail a une fonction de cloture impérative. Donc, à la différence de ce qu'on peut admettre dans la maçonnerie antique ou féodale, où l'on peut envisager la fixation d'une œuvre à l'état de ruine, le vitrail doit être entièrement couvrant physiquement et optiquement, car un manque désorganise le flux lumineux et coloré qui inonde une église.

Enfin un recensement de pièces anciennes dispersées au hasard dans le vitrage d'un édifice permet parfois de les réunir dans une même baie. Si ces vestiges ne suffisent pas à occuper toute la baie, que faire ? Une recomposition très heureuse a été réalisée en faveur des vitraux du XIVe siècle de Saint-Pierre-de-Gourdon par des compléments à ces vestiges Flandrin a réalisés avec beaucoup de sensibilité.

VITRAUX CONTEMPORAINS :
Audincourt, Caen, Le Brezeux, Saint-Severin de Paris, Metz, Nevers et les autres...

Il reste qu'à notre époque nous devons saisir l'occasion d'une certaine convergence entre les recherches contemporaines dans le domaine des arts plastiques et la nécessité de clore les édifices anciens, essentiellement des édifices religieux du Moyen Âge qui ont perdu leurs vitrages originaux. Au lieu de se confiner comme au XIXe siècle, dans une copie à la fois littérale et trop souvent étrangère à l'esprit du Moyen Âge, il s'agit de faire acte de création, tout en restant fidèle à la technique du verre sous plomb qui est indissolublement liée à l'expression générale de l'architecture ancienne.

Sous cette réserve il s'agit d'obtenir la coopération de grands artistes qui, à la fois, sont fidèles à leurs propres conceptions, mais qui respectent avant tout les exigences de l'édifice ancien dans l'ordre de l'organisation de la lumière.

Les programmes de vitraux modernes dans des édifices modernes nous donnent d'excellents exemples d'œuvres cohérentes qui témoignent de la vitalité de l'art du vitrail. Au premier chef nous devons parler d'une œuvre qui a exploité les possibilités d'une technique de verre différente de celle de la technique traditionnelle de verre sous plomb, la technique des pâtes de verre dont l'emploi a été si convaincant à Audincourt, dans le Doubs.

Églises modernes

Audincourt et Fernand Léger (1951)

Les pâtes de verre épaisses y ont été serties dans une monture de béton qui fait office à la fois du rôle des plombs et de celui des réseaux de pierre dans la technique traditionnelle. C'est à Fernand Léger que l'architecte Novarina a fait appel et a offert au fond d'une nef d'une grande simplicité, la monture d'une véritable demi-couronne de lumière. J'ai eu le privilège de voir présenter les maquettes des vitraux d'Audincourt dans une exposition en 1950. Je n'ai pas douté dès lors que cette réalisation serait une grande date dans l'histoire du vitrail. Cette confiance était peu partagée, car l'univers de Fernand Léger paraissait alors bien étranger à l'art sacré. Mais sa franchise plastique pouvait faire augurer de sa puissance. Pour moi les vitraux d'Audincourt sont à la fois la plus belle œuvre de Léger et le plus bel ensemble de vitrail de son temps. Ainsi, sur le thème de la Sainte-Tunique se déploie une tache rouge sur fond vert blanc et jaune dont le symbolisme est saisissant. Les clous bleus des instruments de la Passion ont une telle présence,

Église d'Audincourt. Vitrail de la lance *et vue sur le baptistère et les vitraux derrière.*

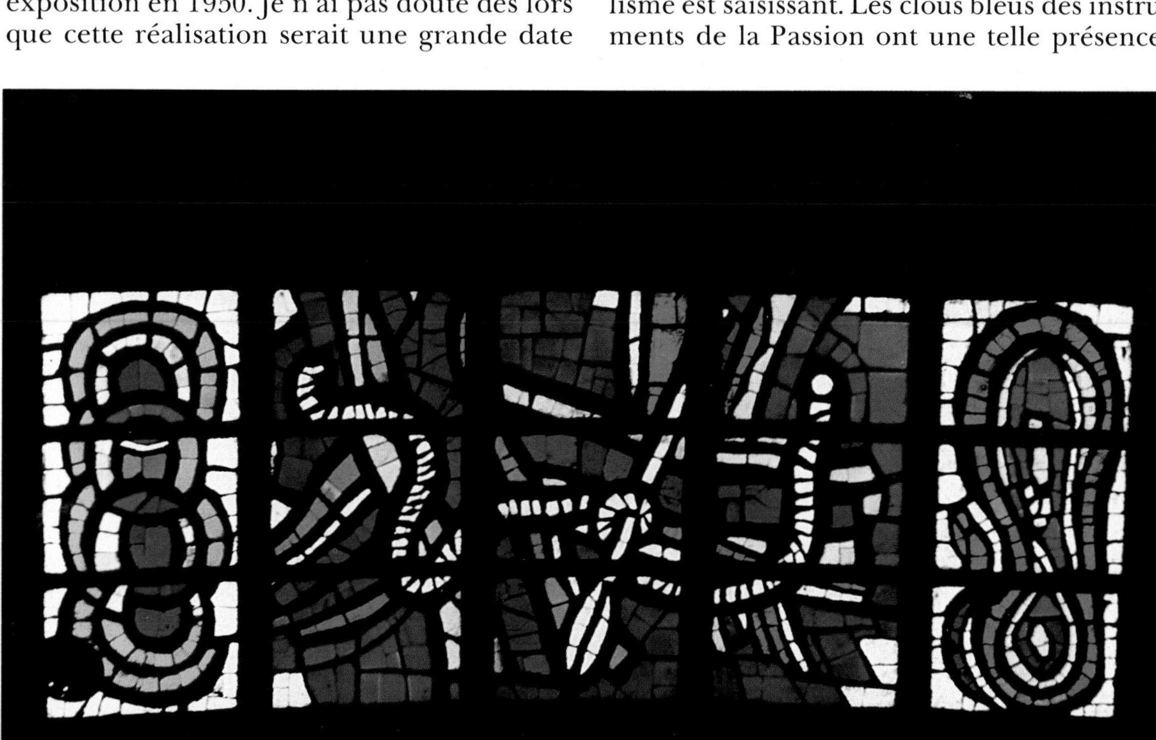

Église d'Audincourt : Vitrail des instruments de la passion *(clous bleus et tenailles) et vue de l'ensemble des vitraux dans la nef.*

que c'est presque comme s'ils entraient dans la chair. Il est difficile de trouver dans l'art moderne une œuvre d'art sacré aussi forte par l'évidence de la participation profonde du visiteur de cette église à la Passion du Christ.

Mais de la même époque, d'une tout autre sensibilité plastique et sacrée nous nous devons de citer la chapelle dominicaine du Rosaire à Vence réalisée par Henri Matisse (1948-1951).

Couvre-Chef-la-Folie de Caen et Sergio de Castro (1956-1958)

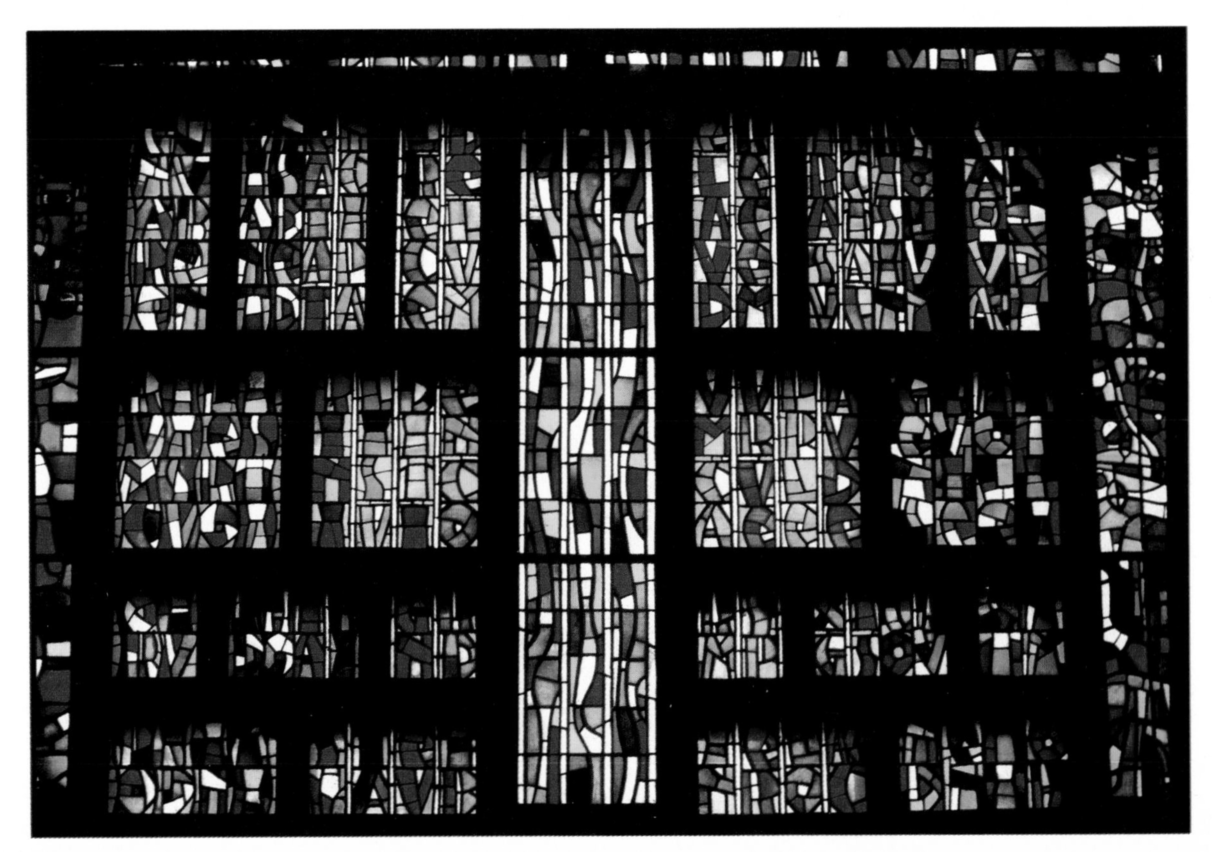

Sergio de Castro : *Verrière de la « Création du Monde » ; monastère des Bénédictines du Saint-Sacrement de Couvrechef-la-Folie (Caen, 1956-1958), 6 × 20 m. Détail.*

D'un esprit malgrès tout différent est la verrière de la Création du monde du monastère moderne des Bénédictines du Saint-Sacrement à Couvre-Chef-la-Folie près de Caen. Sur 82 m², les 169 panneaux composés par le peintre Sergio de Castro transcrivent plastiquement les Hymnes ambrosiens* pour vêpres qui chantent la Genèse. C'est dire à quel point le programme est ici proche de la fonction liturgique et de l'accompagnement de la vie spirituelle et qu'il concerne un message biblique essentiel, celui du récit de la Création et son chant. Le vitrail est pour Castro le moyen le plus approprié de traduire plastiquement ce chant. Tout y a un sens pleinement accompli à travers l'expression plastique : le message biblique littéralement écrit grâce au jeu très inventif des lettres joue en contrepoint avec l'expression des scènes de la Genèse et des éléments constitutifs de la Création. Ce tapis de lumière qui se développe devant nos yeux n'est pas un décor. C'est une ode explicite dans l'ordre eschatologique de l'accomplissement du temps. Comme dans les cathédrales médiévales, la signification mystique n'est pas séparable de la façon dont s'ordonne le jeu des couleurs dans une totale rigueur des formes.

Les vitraux modernes dans les édifices anciens

Avant l'exécution des ouvrages que nous venons de citer, ce fut un des mérites du R.P. Couturier d'avoir réuni dans l'église du plateau d'Assy de Novarina dès 1945-1948 des œuvres de Rouault, Bazaine, Berçot, Bony, Hébert-Stevens, sans parler d'une sculpture de Germaine Richier. Il avait été le premier dans la recherche d'un art sacré de notre temps à parier pour le génie. La difficulté restait alors la compatibilité de tant de diversité et c'est pourquoi l'unité d'Audincourt et de Caen a retenu ici davantage notre attention. Mais c'est aussi pourquoi, quand il s'agit de faire coopérer des artistes modernes au vitrage d'une église ancienne, le problème s'avère si complexe. Il reste que c'est le premier défi que doit surmonter aujourd'hui l'art du vitrail. Si nous n'avons pas eu le bonheur de réaliser le mariage du talent d'André Beaudin avec l'admirable église de Tournus, si le service des Monuments historiques après la guerre et face à l'immense chantier qui se présentait a mis du temps à susciter le concours de nos plus grands peintres, notam-

Varangeville : **Vitraux de Braque** *de la petite chapelle.*

Cathédrale de Metz : vitrail de Chagall. *La création d'Ève.*

ment ceux qu'il convient d'appeler les « abstraits lyriques », ceux-ci ont, dans l'ensemble, compris l'opportunité que constituait ce défi. Certaines réalisations eurent pour source le choix fait par la Commission d'art sacré de Besançon animée par le Chanoine Ledeur, grand amateur d'art moderne et qui fit appel à Manessier pour la petite église de Franche-Comté des Brezeux (XVIIIe siècle) qui marque l'année de 1948 d'un événement important. Une autre initiative « révolutionnaire » a été celle de l'architecte des Monuments historiques Robert Renard faisant appel, avec l'appui d'André Malraux, à Villon, Bissière et Chagall à la cathédrale de Metz (1957-1963) tandis que Jacques Dupont introduisait Braque et Ubac à Varangeville (Seine-Maritime) et Rouault à Fontaine-le-Soret.

Depuis les années 60 des peintres parmi les plus marquants de leur génération ont participé au vitrage des monuments historiques. Des associations fécondes se sont nouées entre ces artistes et les peintres verriers qui, tels que C. Marq (interprète de Miro et des Ubac) ou J.J. Gruber peuvent être eux-mêmes de grands créateurs. Plus près de nous, nous retiendrons encore deux dates importantes, 1976 : Bazaine au Chœur de Saint-Severin de Paris et J.P. Raynaud à Noirlac, 1977 : Miró à Saint-Frambourg de Senlis.

La conservation et la restauration de ce trésor incomparable de l'art français que constituent les vitraux de nos édifices religieux restent un défi majeur posé aux responsables du patrimoine en cette fin de siècle. Un second défi consiste à poursuivre l'œuvre de clôture des édifices anciens par des œuvres dignes d'eux.

Ce sont des défis redoutables. Il y faut de grands moyens et il y faut aussi une volonté acharnée pour les relever. Du temps a été perdu, mais il fallait que s'opèrent les conversions nécessaires. D'un côté la recherche scientifique, de l'autre une sensibilité ouverte mais exigente sont en train de surmonter bien des obstacles qu'ont rencontrés les pionniers de cette double entreprise. Nous pensons que les deux sont aujourd'hui en bonne voie : le jour où tous les vitraux de Chartres seront hors de danger, le jour où la cathédrale de Nevers qui, depuis vingt ans attend un vitrage digne d'elle, et pour laquelle j'ai tant milité et en faveur de laquelle je continue moi-même à œuvrer, sera enfin clôturée par les œuvres d'artistes de grande qualité, et représentant certaines nouvelles tendances, nous pourrons fêter deux événements essentiels : la renaissance du premier de tous les trésors d'art français et l'espoir d'en compter un de plus au XXIe siècle.

Tête de Christ (église de Favello, Corse).

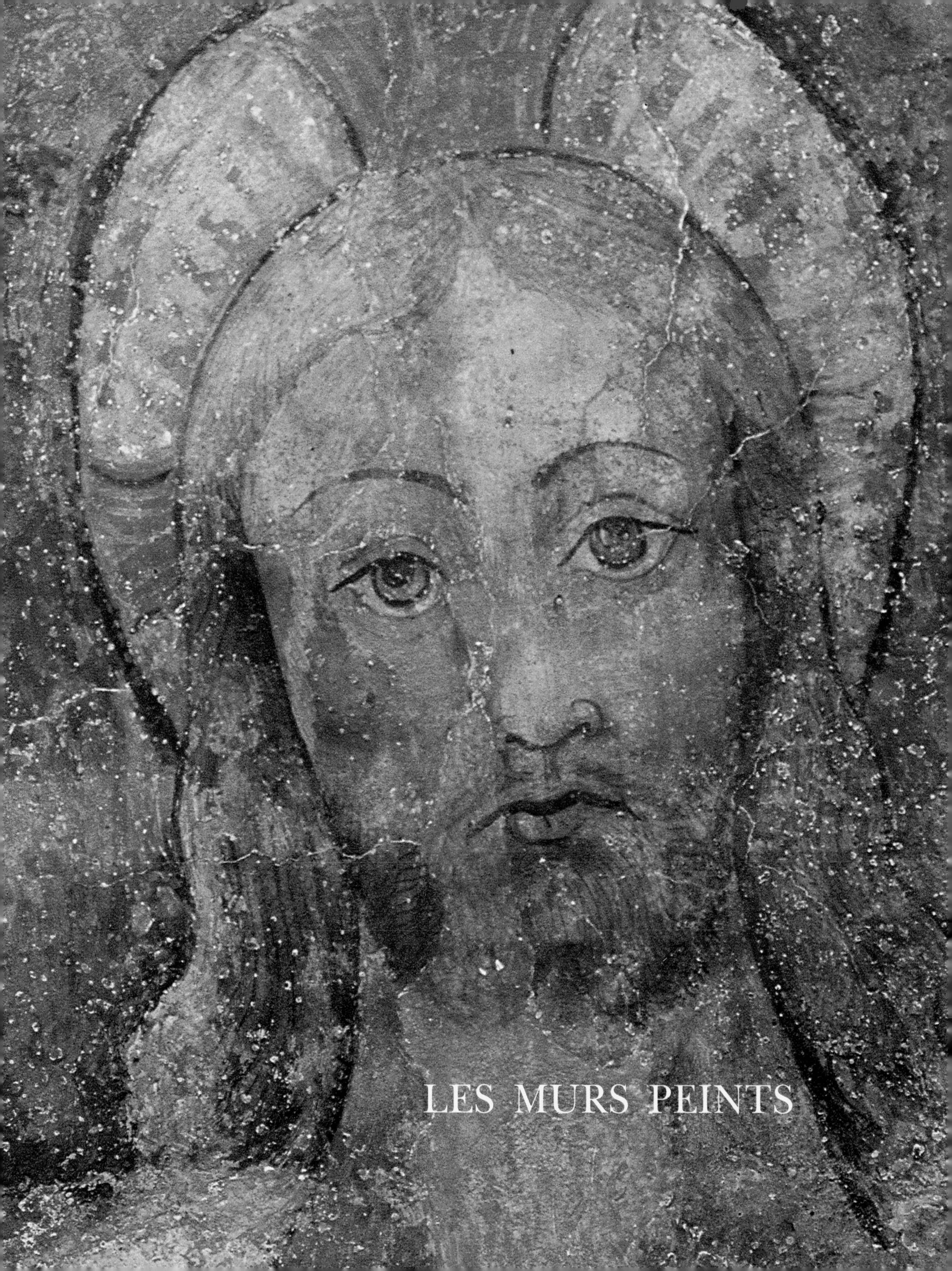
LES MURS PEINTS

Saint-Savin-sur-Gartempe
Le grand livre d'images

Mérimée à Saint-Savin

L'église de Saint-Savin-sur-Gartempe, en Poitou (Vienne), possède le plus grand ensemble de peintures murales romanes d'Europe. Le mérite de sa redécouverte en revient, il y a cent cinquante ans, à Prosper Mérimée qui, en tournée d'inspection des monuments historiques dans l'ouest de la France décrivit en 1836 la situation de cet édifice dans un rapport à son Ministre. Il écrivait :

« (L'église) est assurément l'une des plus curieuses qui existent en France, car c'est presque la seule qui puisse aujourd'hui nous donner une idée de l'effet produit par la peinture pour la décoration intérieure d'un monument. Il est à présumer qu'autrefois toutes ses murailles étaient couvertes de fresques ; mais aujourd'hui on n'en voit plus que dans la crypte, sur la voûte de la nef principale et dans le vestibule de l'église. »

Mérimée déplorait les amputations de cet ensemble qu'il craignait irréversibles et il demandait au ministre d'intervenir immédiatement pour sauver ce qui reste : *« Il est affligeant de penser qu'une grande part de ces fresques a disparu, peut-être sans remède, sous le badigeon des vandales (...). Le reste est menacé d'une destruction prochaine. La voûte de la nef crevassée en plusieurs endroits s'écroulera au premier jour si elle ne reçoit pas de promptes réparations (...) Je n'hésite pas à le dire (...) :* ***Je ne connais aucune restauration plus urgente que celle de Saint-Savin, et je vous conjure de la faire exécuter de manière convenable.*** *L'important, c'est d'abord de consolider la voûte et de recouvrir la toiture. Puis il serait à désirer qu'on essayât d'enlever le badigeon blanc. (Mais) je ne sais s'il sera possible de le faire disparaître sans altérer les peintures qu'il recouvre. Avec des précautions convenables, j'espère qu'on parviendra à opérer cette restauration. Dans quelques parties où le badigeon s'est écaillé les fresques reparaissent avec toute la vivacité de leurs couleurs. Permettez-moi d'insister sur la nécessité de ces travaux. »* Au bout de cent cinquante ans et grâce au recours des techniques les plus modernes ce vœu est enfin totalement exaucé.

On peut dire que le propre de Mérimée est de sentir intuitivement où se situe l'essentiel. Et le contraste est saisissant entre ce diagnostic qui désigne des objectifs et définit les critères de la restauration qui sont aujourd'hui les nôtres et non ceux de son temps, et une connaissance esthétique encore si élémentaire qu'il est question à propos de Saint-Savin d'évoquer *« l'art étrusque »* ou *« un art encore dans l'enfance »*. En outre Mérimée pressent qu'une part de ces admirables peintures existe encore sous les enduits. Mais pourra-t-on la faire réapparaître alors même que la voûte menace ruine ? Enfin Mérimée n'ignore pas tout le mal que des peintres présomptueux peuvent faire courir à cet ensemble. De fait il se trouve déjà quelqu'un pour ambitionner de « *tout repeindre...* »

Toute l'histoire moderne de cet ouvrage va être une lutte incessante pour que l'on commence d'abord par réparer le toit, pour réparer ensuite la voûte en ménageant le plus possible son revêtement pictural, faire avec prudence des relevés et des copies, et enfin faire disparaître les badigeons avec les plus grandes précautions et en évitant de repeindre. Pour garder une telle ligne de sagesse il a fallu mener bien des combats. Il en a fallu d'autres pour accélérer les interventions. Car jusqu'à 1968 les réparations de maçonneries sont restées superficielles, sans qu'on se soit attaqué aux causes du mal. Boucher les fissures n'a pas suffi. Elles n'ont cessé de réapparaître jusqu'au jour où, grâce aux techniques actuelles, on a pu utiliser de grands moyens appropriés aux intérêts en présence. Et il en sera question plus loin.

L'histoire de Saint-Savin

Rappelons d'abord l'histoire de cette église. Longue de 76 mètres, elle se développe sur un plan en croix latine sur trois nefs de neuf travées construites en deux campagnes (1075-1085 et 1095-1115) pourvues d'un transept saillant à absidioles* (1060-1075) et d'un chœur (1075-1095) à déambulatoire* ouvert sur cinq chapelles rayonnantes. Si les travées de la première campagne de la nef sont munies de doubleaux*, la voûte de la nef est ensuite en berceau* continu et ses grandes arcades* sont, de part et d'autre, appareillées comme des parties intégrantes des voûtes d'arêtes des bas-côtés. À quelles dates fut peinte l'église ? C'est ce qu'a permis de préciser la dernière campagne de travaux menés à partir de 1968.

Que savons-nous d'autre en dehors de ce que nous déduisons de ce témoignage des

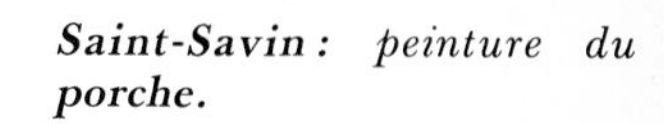

Saint-Savin :** peinture du* ***porche.

peintures aujourd'hui enfin sauvegardées ? Qu'au XIVe elles avaient été une première fois ravagées par les troupes du Prince Noir (1371), puis au XVIe par les guerres de religion. Le Sire de Neuchèze s'y retrancha avec ses troupes, et sa famille y habitait à même les voûtes. En 1640, l'abbaye passa sous l'autorité des religieux de Saint-Maur et on constate alors déjà que la voûte est entièrement fendue. C'est un érudit de Saint-Maur, Dom Martène, qui fait connaître l'édifice au XVIIIe siècle. Il note qu'on le prétend du temps de Charlemagne, et qu'il est couvert de peintures racontant la Genèse. Est-ce le texte de Dom Martène qui tombe sous les yeux de Mérimée ? Un préfet avisé, Alexis de Jussieux vient de s'opposer à ce que le badigeon achève de tout recouvrir... *« Cela vaut le détour ! »* écrit-il à propos de Saint-Savin... *« je ne connais rien de plus remarquable dans le département »*. Aujourd'hui, la réputation départementale de Saint-Savin se trouve doublée d'une réputation universelle : Saint-Savin figure au Patrimoine mondial de l'UNESCO conservé « pour le bien de l'Humanité »...

Retour de Mérimée

Sur rapport de Mérimée l'église est classée Monument historique sur la première liste de 1840. Dès lors les recommandations faites à l'architecte départemental chargé d'intervenir sont très prudentes, et on le prie de boucher les lézardes par **l'extrados***, en évitant ainsi de dégrader les peintures de l'**intrados*** par du ciment. Il n'en fait rien et Mérimée s'indigne de découvrir des emplâtres parcourir désormais toute la voûte. Par prudence il fait faire un premier relevé de l'ensemble. Mais il a constaté qu'en 1838 la toiture n'était pas encore réparée. Ensuite on est relativement mal renseigné sur les campagnes de travaux suivantes de la fin du siècle dernier et du début de celui-ci. En 1943, le musée des Monuments Français effectue un nouveau relevé général de grande qualité qui est exposé à Chaillot dans une salle qui reproduit la voûte de la nef de Saint-Savin. Mais, en résumé, jusqu'en 1967, on n'a pas pris, en fait de restauration, le mal à sa racine : l'instabilité de l'édifice, d'où la réapparition des fissures. Dans un cas semblable, ailleurs, la voûte est mise sous cintre et refaite. Mais à Saint-Savin cela aurait signifié la disparition des peintures murales. Certes la technique de la dépose des peintures murales est connue. Je l'ai fait pratiquer moi-même dès 1946 au bénéfice d'une peinture que je trouvai très détériorée dans la niche d'un mur extérieur de Saint-Sernin de Toulouse ; (un « Saint-Augustin dictant sa règle »). Sa pellicule

*Vue de l'ensemble de la **voûte peinte de la nef de Saint-Savin.***

complètement décollée du mur par la condensation et décomposée en milliers de petis copeaux prêts à tomber fut recollée patiemment par le restaurateur Moras et transposée sur une toile. Mais cette technique appliquée à l'immensité de la peinture de la voûte de Saint-Savin impliquait de surmonter beaucoup d'autres difficultés.

C'est une extraordinaire entreprise qui fut menée de 1968 à 1974 par le Service des Monuments historiques avec le concours de Jean Sonnier sous la direction de Jean Taralon assisté de Catherine de Maupeou. Les architectes responsables du chantier ont été successivement C. Dorian et P. Bonnard, et les peintres restaurateurs ont été M. Nicoud et Marie-France de Christen dont la connaissance des techniques médiévales de la peinture murale n'ont d'égale que l'adresse.

On découvrit d'abord le mauvais état des mortiers, le décellement des clavaux des arcs doubleaux décollés de la maçonnerie. Le support de la peinture étant ainsi très friable, on constata qu'elle était désormais condamnée par la condensation saisonnière et l'apparition de la chaux en surface, et l'hypothèse fut envisagée d'effectuer une dépose définitive. De toute façon, sur la nef, une dépose partielle et momentanée était indispensable. Ainsi, on s'aperçut qu'une restauration antérieure avait consisté à introduire dans la seconde travée des coins de bois dans les joints qui s'étaient ouverts, qu'une reprise ancienne, probablement du XVIIIe siècles avait masquée.

La dépose sur 47 m^2 a consisté à détacher seulement la pellicule de peinture, alors qu'habituellement on dépose aussi une partie du mortier. En l'espèce il état ici trop friable. Pour régénérer ce mortier on eut recours, pour la première fois sur le panneau du *Passage de la mer Rouge*, à une régénération par perfusion de résine au goutte à goutte. La médecine des monuments a comme celle des humains ses « grandes premières ». L'ancienne fissure dont Mérimée avait dénoncé la déplorable restauration suscita beaucoup de difficultés, dont techniquement on vint à bout, mais cela posa le problème esthétique de la reconstitution des lacunes.

Celles-ci posent toujours une question de déontologie particulièrement difficile à résoudre dans le domaine des fresques* et des peintures murales à l'égard du critère d'authenticité. Dans un cas semblable on s'interdit aujourd'hui de reconstituer des scènes, des figures manquantes, mais lorsque un décor est fait de traits continus ou répétitifs on les marque discrètement de façon à ne pas confondre la reprise avec l'original, et on maintient le fond du ton local.

De telles restaurations permettent d'identifier par des analyses stylistiques les reprises successives. On s'est aperçu que certains décors géométriques encadrant les scènes ne sont pas originaux mais néanmoins très anciens (fin de l'époque romane, XIVe, XVe, XVIe siècles) et on peut enfin lire très aisément les reprises du XIXe. Cependant, malgré ces reprises, l'ensemble de cet immense ouvrage, concernant notamment les scènes déployant le récit biblique, est parfaitement originel.

Certaines scènes, en partie effacées par le temps ou les vestiges du badigeon, sont réapparues dans leur entier comme le fond de l'*Ivresse de Noë* et l'on discerna même des repentirs primitifs. Ainsi s'identifie en continuité tout le récit biblique sur la voûte et la nef, et a été mieux compris le programme iconographique qui a un caractère essentiellement théologique et liturgique. Là où au Moyen Âge la fresque prend, comme en Italie, une part prépondérante au décor, elle joue ainsi le même rôle que le vitrail dans la France du nord.

Les restaurateurs ont été également frappés par la fraîcheur de l'exécution, la spontanéité du trait, et se sont convaincus de la rapidité de l'exécution réalisée, pour ce qui concerne ce programme central, par une seule main.

Pour autant, devant l'ampleur du programme général, l'artiste responsable de l'essentiel a-t-il réalisé toute la peinture de Saint-Savin ? Ce qu'aujourd'hui l'on admet à la suite des minutieuses analyses stylistiques de P. Deschamp, Thibout et A. Grabar, c'est la remarquable unité du style à la faveur d'une exécution générale très rapide au fur et au mesure du déplacement de l'échafaudage des maçons : ainsi se confirme la césure observée, néanmoins, au plan architectural, entre les deux campagnes de la nef. Le porche, pour sa part, a posé aussi beaucoup d'énigmes. Sa peinture est similaire à celle des premières travées de la nef, mais il a été lui-même construit par devant la façade de l'église dont il cache une partie du décor peint.

Les laboratoires de Champs-sur-Marne ont opéré toutes les analyses propres à placer Saint-Savin dans des conditions telles que soit évité le retour du mal dû, pour une part, à des condensations, et on a défini les conditions de températures propres à les éviter grâce à un système de chauffage sur rhéostat. Mais la plus spectaculaire opération dont a bénéficié Saint-Savin fut l'opération rendue possible par la photogrammétrie. Les coupes, obtenues par cette technique, avaient fait apparaître les déformations considérables de cette voûte. Une fois décidées la dépose provisoire et la repose après restauration de la voûte, était mise en question l'adéquation des surfaces de la voûte restaurée et de la pellicule de peinture détachée provisoirement de la voûte mais en ayant épousé les déformations. Une fois que le berceau fut restauré, il retrouva sa parfaite régularité en plein cintre. Pas question de respecter dans sa reconstruction structurelle des déformations qui sont les effets de désordres qui ont mis l'église en péril. On eut alors recours une seconde fois aux données de la photogrammétrie initiale et de ses cotes comparées à celles du nouveau volume restitué. On définit un moule qui fut ensuite fixé sous la voûte actuelle. La pellicule de peinture dont la surface avait épousé irréversiblement les déformations de la voûte put alors être collée en place. On a dû ainsi accepter une partie des déformations que le temps avait causé. Après les travaux sur la nef, les travaux de restauration se poursuivirent dans la tribune et dans la crypte.

Saint-Savin :** registre des peintures de la **crypte**. **Martyr de saint Savin.

Comme l'espérait Mérimée après cette intervention de sauvetage, ont réapparu les derniers murs peints qui étaient encore masqués. Le nettoyage, sans intervention de reconstitution, a fait réapparaître, comme le prévoyait Mérimée, les justes rapports de tons de la peinture originale et les reprises plus tardives de certains éléments décoratifs. C'est seulement après des années, après des oblitérations et des dégradations qui ont amputé l'œuvre pendant des siècles, qu'on peut aujourd'hui la revoir dans son ensemble et l'admirer dans son authenticité.

Rappelons que la voûte de la nef est décomposée en scènes tirées de la Genèse et de l'Exode. Sur ce berceau de 42 mètres de long se déroulent sur deux registres, après la Création aux tons atténués, les thèmes d'Enoch, de Noé, de la tour de Babel, d'Abraham, de Moïse et enfin de l'Exode. La tribune est restée consacrée aux scènes de la vie du Christ et la crypte à la vie de Saint-Savin.

Église de **Calvi** *: Christ en croix.*

Les peintures murales Corses

La Corse historique et artistique

Le patrimoine architectural de la Corse reste un des plus méconnus de la Méditerranée. Certes il ne comporte pas de grands monuments très spectaculaires, mais la relation entre la nature qui est d'une beauté exceptionnelle et l'architecture, illustre avec un rare bonheur leur intégration mutuelle. Ainsi peut-on parler de trésor artistique à l'occasion du paysage de la Corse tout entière.

Son relief très montagneux, son insularité, sa position stratégique en Méditerranée ont défini son histoire, ont accentué sa spécificité tout en l'exposant à des influences multiples et contradictoires. Sa place dans la préhistoire est très importante et nous aurons l'occasion d'y revenir. L'architecture militaire de différentes époques marque ses côtes depuis les fondations génoises de Bonifacio et de Calvi jusqu'aux citadelles classiques des mêmes cités qui s'achèvent par les aménagements français du XIXe siècle. Mais ce qui est le plus singulier dans l'intérieur de l'île ce sont les deux ensembles d'architecture religieuse faits d'édifices romans d'origine pisane et d'édifices baroques dont les clochers parsèment le paysage.

Dans l'ensemble du trésor des peintures murales de l'architecture religieuse française, nous choisirons de distinguer le décor peint de quelques-unes de ces églises corses : s'il n'est pas aussi ancien, aussi riche ni aussi diversifié que ceux du centre et de l'ouest de la France, il a son originalité propre. Il constitue en outre une révélation relativement récente et enfin, depuis une quinzaine d'années, il est l'objet d'études et d'opérations conservatoires partielles, opérées dans des conditions difficiles et qui justifieraient d'être pris avec la préhistoire corse, comme l'un des fils conducteurs à l'exploration de la Corse.

La Corse était encore bien ignorée du monde savant lorsque, en 1839, Mérimée y entreprit une tournée d'inspection générale de deux mois. Ce que l'histoire de la littérature a retenu c'est qu'il y puisa le thème de la plus célèbre de ses nouvelles, *Colomba*, dont il situa l'intrigue de vandetta dans le Cap Corse et qu'il publiera en 1840 trois mois après ses *Notes d'un voyage en Corse*. Mais on peut rappeler que, dès 1829, il avait déjà publié *Mateo Falcone* dont l'intrigue se situe aussi dans le maquis corse, sans qu'il fût alors jamais encore venu dans l'île.

Les statues-menhirs

Le propre de Mérimée est toujours de subodorer l'essentiel. Quand on parcourt ses notes de voyage, on s'aperçoit par exemple que si son voyage, fort difficulteux à l'époque, ne lui a pas permis de visiter la plupart des églises à fresque de Corse, il a du moins été captivé par les peintures d'une d'entre elles, celle de **Valle di Campoloro**, auxquelles il a consacré une description très détaillée. De même, il attache une grande importance aux mégalithes de la région de Taravo dont il décrit et mesure dolmens et menhirs. Plus loin, à Vico, il se fait conduire à ce qu'on appelle « l'**idolo dei Mori** », dont il pressent l'extrême antiquité et qui se révélera être une de ces statues-menhirs comme, cent ans plus tard, Roger Granjean pourra en étudier un si admirable et si énigmatique ensemble à Filitosa dans le voisinage de Taravo. On voit ainsi Mérimée procéder par sondages dans un domaine encore largement ignoré.

Les peintures

En somme Jean Jehasse, successeur de Roger Grosjean à la direction des Antiquités de la Corse est bien fondé à écrire que l'archéologie corse n'avait guère que vingt ans en 1976. L'intérêt porté aux peintures murales des petites églises corses est encore plus récent. On doit le plan de leur sauvetage systématique à mon collègue François Enaud, aux architectes et aux artisans restaurateurs qui l'ont aidé dans cette tâche.

Peintures murales corses XIVe-XVIe siècle

Si les édifices religieux stylistiquement les plus marquants sont les églises romanes et les églises baroques, les principaux ensembles de décors peints se situent dans la période intermédiaire fin XIVe-fin XVIe siècle. Ces décors sont répartis dans le cap corse (Branto), la Bologne (Aregno, Calvi), la Castagniccia — le pays des châtaignes — et les environs de Corte (Sermano, Murato, Favallero, Castello di Rostino, Cambia) et le nord de la côte-est (Valle di Campaloro).

Stylistiquement, cet ensemble de peintures murales n'est pas homogène et on ne peut parler spécifiquement d'une école de peinture murale corse, mais plutôt de deux cou-

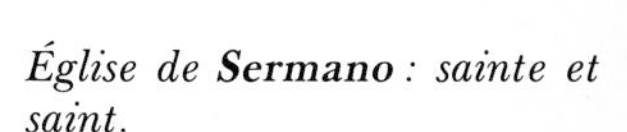

Église de ***Sermano*** *: sainte et saint.*

Église de ***Castello di Rostino :*** *saint Jean dans la manière florentine et qui nous fait songer à Modigliani.*

Église de **Favello** *: trois saints ou apôtres, sous arcatures.*

Église de **Cambia** *: Tête de jeune fille.*

rants, l'un de caractère artisanal et l'autre de caractère savant. L'aspect savant est particulièrement manifeste à Castello di Rostino, dans le chœur de la chapelle Saint-Thomas datée de 1500 environ. La figure de saint Michel et celle de saint Jean y sont d'une grande élégance. Les traits de saint Jean en particulier sont d'une grande fermeté qui en fait une œuvre digne du quattrocento italien, mais à laquelle on pourrait même trouver un graphisme qui me ferait aujourd'hui penser à celui de Modigliani... Quel contraste avec la veine populaire illustrée, par exemple, par l'église Saint-Quilico de Cambia dont les fresques datent du XVIe siècle et présentent les figures poupines et la saveur populaire des traits d'un ange et de ceux d'une Julitte qui ont incité F. Enaud à les rapprocher des figures naïves de Chagall.

L'iconogaphie de tels ensembles est aussi à souligner, notamment celle de la Légende dorée de cette sainte Julitte qui est la mère d'un enfant martyrisé à Antioche, saint Cyr, dont les reliques ont traversé l'Europe pour aboutir à Marseille. (Rappelons que la mère et l'enfant sont enfin devenus les patronymes de la cathédrale de Nevers par le relais d'un songe fait par Charlemagne et qui l'a incité à doter cet édifice éminent.)

Avant ces deux expressions tardives des peintures murales de Corse, où nous pouvons observer les tendances purement locales et la grande inspiration italienne de la Renaissance, l'inventaire actuel ne discerne pas de peintures murales véritablement romanes. Mais, à la fin du XIVe siècle et au XVe siècle, certaines églises plus anciennes sont recouvertes de deux autres types de peintures inspirées les unes par l'art lombard et sarde, les autres par l'art pisan, voire l'art catalan, au gré des hégémonies diverses qui dominent successivement la Méditerranée.

Toutes ces œuvres ont en commun d'être peintes **a fresco***, ce qui a contribué à leur pérennité. Toutefois beaucoup de ces ensembles ont été mutilés, d'autres badigeonnés et sont redécouverts aujourd'hui au fur et à mesure de prudentes explorations des murs. Elles occupent généralement le cul de four des chœurs, leurs parois latérales et l'arc diaphragme* quand il existe.

Enfin, l'art baroque s'épanouit en Corse dès la fin du XVIe siècle et surtout au XVIIe siècle. Nous entrons là dans l'expression artistique tout à fait différente où la peinture constitue surtout un décor très chargé qui compartimente les éléments architecturaux, comme par exemple la coupole de la chapelle Saint-Blaise de Calenzana. Ce style architectural est particulièrement répandu dans la région de la Castagnicia, à Bastia, à Calvi, à Alesani et à Ajaccio. À la différence, ce que nous observons pour le Moyen Âge, architecture et peinture décorative sont contemporaines et étroitement conçues l'une pour l'autre. L'influence génoise y est prédominante.

*Calvaire de l'***église de Pencran.**

L'IMPÉNÉTRABLE TRÉSOR BRETON

L'IMPÉNÉTRABLE TRÉSOR BRETON

de Carnac aux placitres
le sort des espaces sacrés bretons

Le « cas » breton

Lorsqu'on s'interroge pour choisir le trésor ou le type de trésor d'art qui pourrait figurer dans une anthologie pour représenter la Bretagne, l'abondance est telle qu'elle crée l'embarras.

Pour ne citer que des consécrations administratives, mais significatives, c'est la région dans laquelle les protections au titre des Monuments Historiques sont les plus nombreuses.

Et d'abord c'est la région où la densité des sites archéologiques, tant préhistoriques qu'historiques, est la plus dense et chacun sait qu'elle est parsemée d'impressionnants mégalithes en plus grand nombre et plus significatifs que dans tout le reste de la France.

Cette culture mégalithique fait ainsi de la future Bretagne, l'Armorique dans son ensemble, le haut lieu des premières manifestations architecturales conçues sur le territoire actuel de la France : pierres dressées ou **menhirs**, architraves à vocation funéraire de pierres horizontales posées sur des appuis horizontaux ou **dolmens**, alignements, dispositions de pierres en cercle ou **cromlechs**... autant de manifestations d'une culture qui apparaît dès le IVe millénaire avant notre ère en Occident et s'est répandue jusqu'en Asie sans qu'on sache s'il s'agit d'un phénomène global ou de manifestations autonomes aux causes diverses. Voilà en tout cas que s'approprient le culte des mégalithes de nouveaux arrivants, les Celtes, dont on dit qu'ils constituent le fond de notre future identité française, et ne se sédentarisent, en Gaule, que vers le milieu du premier millénaire avant notre ère. Mais ce celtisme en Armorique est particulièrement vérifié par l'arrivée, bien plus tardive, au Ve siècle de notre ère, des Celtes chassés de Grande-Bretagne par les Anglo-Saxons et qui donnent à l'Armorique son nom de « Petite-Bretagne », puis de Bretagne proprement dit. Toujours est-il que le celtisme a puissamment et irréversiblement imprégné cette terre. Le particularisme de la nature déjà très puissant s'est ainsi, depuis des millénaires et sans coupure, approfondi d'une dimension sacrée qui s'est perpétuée à travers le modèle spécifique de son christianisme. Les pierres levées après avoir été celtisées, ont été christianisées. Nulle part ailleurs, le christianisme n'est à ce point resté imprégné du passé de la terre ancestrale, ce qui n'en a d'ailleurs rendu ce christianisme que plus fervent.

C'est pourquoi le choix d'une prééminence d'un type de bien culturel, d'un monument, d'un haut-relief est, en fin de compte, impossible sans mutiler cette cohérence d'une culture essentiellement terrienne et rurale, qui tient autant à l'usage permanent du granit à travers toutes les époques, qu'à la façon même de le sculpter, de ceindre un espace cultuel, voire un champ. De même, à travers l'histoire qu'a su affronter la Bretagne à bras le corps bien qu'elle ait reçu plus d'influences qu'elle n'en a exercées, elle a toujours intégré ce qui lui fut extérieur mais superficiellement par rapport à sa réalité profonde. À la différence de ce que l'on observe ailleurs, la coupe diachronique* ou chronologique* n'est pas la meilleure façon de saisir la Bretagne et le monument le plus haut ou le plus grand ou le plus expressif d'une époque ne constitue pas la bonne façon d'exprimer le caractère le plus précieux de la Bretagne. Le plus éminent trésor de la Bretagne c'est la Bretagne elle-même.

L'architecture monumentale

Certes la Bretagne posséda d'importantes abbayes, celle de Landevennec, de remarquables cathédrales telles celles de Quimper, Saint-Brieuc ou Saint-Paul-de-Léon en Cornouaille. L'architecture religieuse romane l'a sans doute marquée à sa façon, mais les destructions du XIVe siècle en ont laissé peu de manifestations si ce n'est Saint-Gildas-de-Rhuis, des vestiges du XIIe dans l'ancienne cathédrale de Vannes et surtout Loctudy.

Le gothique a été plus prolifique, mais surtout sous l'inspiration de la Normandie dans ses franges, et le gothique proprement breton est plus tardif. On dirait qu'en Bretagne l'art a très tôt besoin de définir sa spécificité, mais ensuite s'y fixe, et que l'acquis se fondant sur des certitudes inébranlables, on ne change que lentement et comme insensiblement et sans paraître en convenir. La Bretagne ne prend tout son temps peut-être que parce qu'elle s'est vu devancière.

L'architecture militaire est fidèle à ce même schéma. La Bretagne est un pays où les mottes féodales sont particulièrement anciennes et nombreuses. Mais que construit-on au-dessus : des fortifications de bois que l'archéologue peut s'ingénier à reconstituer aujourd'hui, mais qui ont bien entendu toutes disparu. Le bilan de la charnière du XIe est peu significatif dans ce qu'il en reste. Cependant, dès le XIIe siècle, commence à s'édifier l'impressionnante enceinte de Fougères. A Tonquédec, les tours les plus anciennes qui ont survécu datent de l'an 1300. Mais le superbe et massif Combourg, cher à Chateaubriand, est entièrement du XIVe et du XVe siècles, ainsi que Vitré, l'un des plus beaux spécimens de l'architecture féodale française, mais dont le plan original fut défini dès le XIe siècle. Faut-il citer encore Josselin qui offre des vestiges du XIIe mais qui étendit son impressionnant développement le long de la rivière de l'Ouest jusqu'au début du XVIe siècle, et enfin Kerjean, la dernière des forteresses bretonnes, expression féodale tardive du XVIe siècle, au moment où on les ouvre ou on les détruit ailleurs. Cependant, il faut encore compter, pour donner une idée de la puissance de l'architecture féodale bretonnante, avec les remparts des villes telles que Vannes, élevés du XIIe au XVIIe siècle. L'ensemble de ces points forts dit bien toute la volonté bretonne de préserver, tout au long du Moyen Âge, son autonomie puisque dans son château de Nantes lui-même, la

Vitré : *tour du château.*

***Saint-Vougay : Château de Kerjean**, vue de la cour, avec sa tour carrée d'angle.*

châtelaine, la duchesse Anne, fut, par ses mariages royaux, contrainte à l'union avec la France.

Se perpétue alors le temps des manoirs bretons, de proportions plus modestes que les châteaux forts. En eux, la féodalité est surtout symbolique mais en y restant enracinée dans sa terre, la petite noblesse bretonne dans cette fortune des forteresses, dont les alignements dessinent les lignes de résistance et qui s'exprime autrement avec le succès des villes closes telles que Concarneau ou Saint-Malo, matérialise cette exigence de la clôture qui est sans doute le propre de toute l'architecture militaire féodale.

Clôture et fragmentation

Mais il se trouve que cette notion de clôture exprime au surplus en Bretagne une tendance plus profonde qui tient à l'extrême **fragmentation** de sa structure. Le terroir est étroit, les haies le partage et un certain système de transmission de la propriété n'avait qu'à la subdiviser jusqu'à séparer le sillon du sillon voisin. Il a bien fallu, un jour, remembrer et on le fit en certains endroits avec excès.

Tous ces traits que l'architecture manifeste si diversement par la nature de ses vocations militaires ou civiles, rurales ou urbaines, de la ferme bretonne à la petite ville de maisons de bois, telle Dinan, Tréguier ou Saint-Malo, illustrent bien l'exigence de clôturer partout ce qu'on a commencé par fragmenter. Cette fragmentation a, elle-même, une origine géologique : elle tient à la dissémination des points d'eau. La Bretagne a, depuis des siècles, été une province prolifique sans pour autant créer de grandes villes, sauf Nantes sur sa lisière, Rennes tout récemment et Brest pour des raisons externes à elle-même.

Est-ce cette dimension sacrée, silencieuse ou manifestée avec éclat, païenne, puis chrétienne avec la même ferveur, qui a voué ce territoire à cerner ses espaces intérieurs avec la même résolution qu'il s'est fermé sur lui-même ? Cette presqu'île, ses châteaux forts médiévaux ont tendu à faire une île parlant sans doute un français teinté de normand à l'est, un pays bretonnant à l'ouest. On oppose aussi l'intérieur, **l'Argoët**, à la côte, **l'Armor** tournée vers l'océan et les activités de la pêche lointaine, celle-ci étant une forme d'expatriation tardive, mais qui consista à rester enchaîné à son terroir. À vrai dire, la Bretagne profonde se reconnaît en tous ses enfants, des Terre-neuvas aux Bretons de Paris, ou de Miami.

Château de La Hunaudaye :
Deux vues des remparts et des tours d'angle en ruine.

Remparts de Vannes et de Saint-Malo.

La civilisation mégalithique, fondée sur des traditions gestuelles, architecturales et orales, étrangère, et sans doute hostile à toute écriture, a fécondé toutes les légendes orales et, tardivement, avec la littérature romantique, a entretenu toutes les suppositions : ce qu'il y a, c'est sa vocation à relier le lieu local à l'infinité du cosmos, jusqu'à intégrer le cosmos dans sa propre clôture. Et ce qui est inébranlable dans la tradition architecturale bretonne, c'est d'exprimer que **de la mort venait la vie**. Autour de l'église d'un village surgissant au bout d'un chemin creux ou né au croisement de routes, l'église bretonne pointe sa flèche : gothique, renaissance ou classique, cela paraît ici de peu d'intérêt : on reconnaît son caractère breton commun à travers différents langages formels importés ou non. Ce qui importe, c'est que l'ouvrage de granit est à la fois dentelé, effilé par ses flèches, son décor, et pourtant d'une robustesse, d'une épaisseur de moulure ou de maçonnerie peu commune. Ce qui importe, c'est que le temps en a usé un peu l'épiderme, mais sans désintégrer la masse ni amollir l'expression. Le granit trompe la mort architecturale et nargue l'**Ankou** , ce diable de pierre aux aguets sur les toitures d'ardoise. Il en va de même pour les célèbres calvaires bretons.

Vue du clocher de ***la Roche Maurice.***

Les calvaires

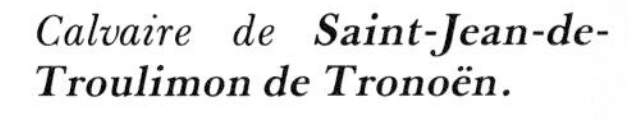

Calvaire de ***Saint-Jean-de-Troulimon de Tronoën.***

Ils pullulent auprès des églises : dominant les tombes des cimetières, ils élèvent au ciel l'image du Christ crucifié entre la Vierge et saint Jean et entre les deux larrons entourés encore d'anges et de cavaliers. Toute chapelle de pardon a aussi son calvaire élevé sur sa « masse », ce massif de pierre portant un autel. Il arrive enfin que les grands calvaires bretons racontent toute la passion et que cet art de veine populaire soit d'une animation qui n'a rien à envier à celui des portails de cathédrales. Pourtant, le style primitif breton des calvaires est celui d'un XVIe siècle finissant, voire d'un XVIIe siècle plus ou moins avancé, tandis que l'art savant et élaboré du gothique français s'exprime dans sa plénitude du XIIe au XVe siècle. Une fois de plus, la Bretagne inverse la marche du temps.

Mais ce n'est pas dans la logique d'une civilisation qui s'est développée avant que l'écriture ne lui serve de support, tandis qu'ailleurs, notamment autour de la Méditerranée, l'ecriture fixe la mémoire, qui elle-même sur cette base affirme le sens de l'histoire, et l'accumulation de l'information. En Bretagne, le menhir et le calvaire sont contemporains et nos contemporains parce qu'ils expriment deux savoirs parfaitement intemporels.

Les placitres

Les calvaires sont inséparables des églises, de leurs cimetières et leurs cimetières des **ossuaires**. Ces reposoirs sont d'une architecture particulièrement soignée comme ceux de Sizun, de Plounéour-Menez, de Saint-Thégonec. Plusieurs portent la marque de l'architecture classique avec leurs frontons, leur entrée en plein cintre encadrée de colonettes, leurs séries d'ouverture sur deux niveaux. Mais la marque de la décoration gothique continue à les accompagner jusqu'aux époques les plus tardives.

Tout cet appareil sacré compose l'unité de l'enclos des placitres, arrangement spatial spécifiquement breton autour des églises. La clôture de ses espaces est ouvragée avec le soin qui se manifeste dans l'exécution d'un clocher tel que celui de la Roche-Maurice, d'un classicisme qui ne renie pas le gothique et avec celui qu'exprime les ossuaires dans la révérence aux morts, et les calvaires dans la confiance dans la résurrection.

En cette Bretagne, qu'on dit austère et fruste, mais dont l'expression des sentiments est au contraire luxuriante, tous les arts participent aux époques les plus diverses et manifeste encore leur présence.

Prenons l'exemple de la peinture médié-

Sommet de l'arc d'entrée du placitre de ***Saint-Thégonnec.***

Entrée de l'enclos paroissial (placitre) de l'église de ***Miliau.***

Vue du chœur de **Commana.**

Entrée de l'église de **Sizun.**

vale, à l'époque de la grande crise qui fait s'abattre le malheur sur tout le territoire de la France actuelle et inspire à deux peintres le thème de la **danse macabre**. Il est particulièrement présent dans les petites églises bretonnes.

Prenons à l'inverse l'exemple de l'époque baroque et du renouveau catholique qui suit le Concile de Trente. Les intérieurs des petites églises bretonnes y deviennent particulièrement luxuriants avec leurs retables et leurs autels sculptés. Dans la même petite église d'origine médiévale, la voussure de bois qui la recouvre, décorée de ses blochets* sculptés et son mobilier baroque affirment, dans cette prédilection pour le bois, ce même sentiment de la continuité biologique de la vie, qu'à l'extérieur de l'église, la permanence et la pérennité d'un granit si consciencieusement et pieusement ouvragé. Tout cela se sent, se vit, se raconte, mais ne s'écrit guère.

À l'écrire en le rangeant dans des catégories universalistes, celles qui se veulent nécessairement inventoriales — et il faut bien qu'elles le soient pour dénombrer les trésors bretons —, il est à craindre qu'en échappe à travers la magie moderne de l'enregistrement informatique, la profonde signification.

La fragmentation des trésors bretons n'est en fin de compte qu'apparente dans la mesure où, depuis l'âge mégalithique, tout en Bretagne est en concordance, en consonnance avec tout.

C'est peut-être ce qu'il y a en fin de compte de plus angoissant face au monde moderne qui décompose cette unité psychique et plastique, monumentale et environnementale d'une façon productiviste et mécaniste. La Bretagne peut, cependant, peut-être relever ce défi : non en coupant ses haies ou ses arbres pour une productivité illusoire et démentie par les faits, mais en choisissant comme elle le fait parfois les secteurs de promotions qui sont, comme sa tradition l'est elle-même, un peu magiques et exigeant des doigts de fée : celle des dentellières de jadis ou des ouvrières précisément de l'électronique, faute que ce soit ceux de Mélusine.

Château de Kerjean, *vue du passage en arcades et de la tour.*

Vue lointaine de l'église de **Lavaudieu.**

LE ROMAN DU ROMAN

L'AVENTURE DE L'ART ROMAN

La longue transition entre l'Antiquité et l'art roman

L'Antiquité gréco-romaine et le Moyen Âge chrétien ont été reçus à l'époque moderne comme les fondements essentiels de ce qui constitue le patrimoine européen et, en particulier, français. Ils ont été parfois appréciés comme deux inspirations culturelles alternatives, mais l'histoire témoigne plutôt de l'entrelacement de ces deux racines, produisant sans cesse des créations originales.

On a même longtemps considéré que l'art roman était lui-même dérivé directement de l'art romain. Le nom de « roman » expliquait bien cette filiation. Employé pour la première fois par les archéologues normands Duhérissier de Gerville, en 1818, puis Arcisse de Caumont, il soulignait un parallélisme entre l'évolution de l'art et de l'architecture et celle des langues de l'Europe méridionale et occidentale, dites « langues romanes » pour être directement dérivées du latin.

Il se trouve que les choses sont beaucoup plus complexes.

Sans nul doute, le premier art chrétien, si nouvelle que soit son inspiration thématique, est, sur le plan formel, jusqu'à la fin du IVe siècle, d'une obédience romaine confirmée ensuite par le succès du plan basical des premières églises et celui des baptistères à plan centré. Et tandis qu'au VIe siècle s'épanouit en Orient le renouvellement formel de l'architecture byzantine, symbolisée par Sainte-Sophie de Constantinople (et Ravenne en Italie), c'est, au VIIIe siècle, la « Renaissance carolingienne » qui domine en Occident. À l'inspiration de l'Antiquité s'ajoute la force d'innover et de progresser grâce au double effort centralisateur de l'institution monastique et du mécénat impérial. Le plus prestigieux ouvrage de ce temps est la chapelle palatine d'Aix-la-Chapelle, mais subsistent aujourd'hui de cette époque en France, outre les cryptes de Saint-Germain d'Auxerre et de Saint-Médard de Soissons, Saint-Philibert-de-Grand-Lieu (Vendée) et Germigny-des-Prés (Loiret), celle-ci largement reconstruite au XIXe siècle. Mais cet élan est brisé pendant une centaine d'années, entre 850 et 950, par le déclin subit d'une civilisation occidentale meurtrie et destabilisée par de multiples et convergentes invasions. Et c'est autour de l'an 1000, qu'émerge enfin un univers différent constitué autour de pouvoirs féodaux, puis du pouvoir monarchique qui se structurera lentement pour aboutir en un millénaire, à l'État-Nation moderne. Au Moyen Âge, si la papauté conquiert laborieusement son autonomie à l'égard d'une puissance impériale très imprégnée elle-même de sacralité, c'est le renouveau de l'essor monastique qui va constituer le premier fondement du développement, dû à la fois à la conservation et à l'exploration des vestiges d'un précieux patrimoine antique et chrétien, culturel et spirituel, et au défrichement et aux innovations de l'économie agraire.

L'avènement du premier art roman

C'est dans ce contexte que s'élabore un **premier art roman** dont l'originalité et la zone d'expansion, de la Catalogne à la Rhénanie, ont été définies vers 1930 par l'historien d'art catalan Puig y Cadafalch (où persiste d'ailleurs le modèle carolingien comme dans tout l'est de la France), Louis Grodecki qualifie ce temps comme tout à la fois celui des *« expériences et des reminiscences »*, de sorte qu'après la *« coupure de l'an 900 »*, c'est à cette époque que se révèlent le plus clairement les éléments constitutifs de l'art du Moyen Âge. On y repère aussi bien, au-delà de Rome, les apports de l'Antiquité orientale et de l'art byzantin, des remanences des fonds celtique mais aussi germanique, et jusqu'à la marque de l'art des steppes et de l'art islamique dus aux invasions les plus récentes. Et, tandis que l'architecture ottonienne reste dans le centre de l'Europe l'expression accomplie d'un *« retour à la grandeur carolingienne, et par delà, à la grandeur antique »* (L. Grodecki), c'est sur le territoire de la France d'aujourd'hui, en Roussillon (Saint-Martin-du-Canigou, Saint-Michel-de-Cuxa), en Bourgogne (Rotonde de Saint-Bénigne de Dijon, Saint-Philibert de Tournus, Chapaize, bientôt Saint-Étienne de Nevers et naturellement les deux premières abbatiales de Cluny), sans oublier Saint-Benoît-sur-Loire et Saint-Germain-des-Prés à Paris, dans le domaine royal, qu'on voit se manifester le plus précocement l'art roman dans toute son originalité. L'innovation dans la recherche de la composition des volumes va caractériser les différentes régions touchées par l'art roman et leur donnera toute leur mesure. En outre, c'est le vocabulaire nouveau de la sculpture romane qui va imprégner désormais l'architecture, et celui-ci doit beaucoup aux arts qui, dans les temps difficiles, ont pu s'exprimer plus aisément que l'architecture : art précieux, art du tissu, miniatures. Le vocabulaire artistique révèle désormais dans les mentalités un besoin de ritualisation et d'exorcisme devant les ravages de l'esprit du mal et la crainte de la damnation, qui se nourrissent beaucoup plus qu'autrefois de légendes et de figures. Dans l'histoire universelle de l'architecture, on ne trouverait guère que dans l'art hindouiste un pareil besoin d'y intégrer une telle abondance d'expression figurée. Ici se mêlent le réalisme et l'humour du quotidien, les fantasmes de la peur et le merveilleux et sa charge d'espérance. Dans ce sens, si l'orfèvrerie, comme l'atteste la Sainte-Foy de Conques, a anticipé dans ce domaine sur la sculpture monumentale, la prédominance et l'originalité de celle-ci va donner à l'art roman sa pleine signification.

Vue sur le clocher de ***Tournus*** *depuis le cloître. Ses « bandes lombardes » sont caractéristiques du premier art roman.*

Les « écoles » romanes

C'est en considérant les particularités de la structure des volumes architecturaux à travers la lecture des élévations et des plans qu'on a cru pouvoir diviser, au XIXe siècle, l'architecture religieuse romane en « écoles régionales » relativement homogènes et, dans cet état d'esprit, qualifier les différents types de sculptures selon le même compartimentage. Mais, devant le caractère approximatif de telles divisions qui correspondent sans doute à de réelles différences de sensibilité mais qui ne coïncident pas avec les limites de régions géographiques ou institutionnelles, on a, par la suite, observé davantage de similitudes fondées sur des relations de parcours, comme, par exemple, les Chemins de Saint-Jacques de Compostelle ou la diffusion de certains ordres monastiques.

En fait, l'art roman est un art foisonnant, riche de ses différences, et dont les qualités éminentes sont, en France, équitablement réparties. Ainsi, en dépit de l'antériorité du premier roman dans d'autres régions, c'est l'architecture romane normande qui s'impose par sa précocité et son ampleur monumentale. Même si la façade de Jumièges relève elle-même, par certains caractères, du premier art roman, le plein essor de cette architecture normande se focalise à Caen et autour de Caen dès 1066, date de la victoire du duc de Normandie Guillaume le Conquérant à Hastings qui ouvre ainsi l'Angleterre à l'expansion de l'art roman normand.

Également très précoce et très monumental, l'art roman champenois s'exprime dès la première moitié du XIe siècle à travers une partie de Saint-Rémi de Reims. Quant à l'art roman en Basse-Auvergne il serait à peu près contemporain de celui de Normandie et de Champagne, si, à partir de certaines anticipations encore visibles dans la crypte de la cathédrale gothique actuelle de Clermont-Ferrand, on prend en considération la petite collégiale d'Ennezat (v. 1070) avant que les églises les plus remarquables de cette région, à l'art roman si spécifique, ne soient construites de la fin du XIe au début du XIIe siècle : (Notre-Dame-du-Port, puis Saint-Nectaire, Orcival, Issoire, Saint-Saturnin, Brionde).

Puis d'autres régions connaissent encore de nouvelles expressions illustres de cette architecture romane, à commencer par la Bourgogne, avec La Charité-sur-Loire en 1107, Saulieu en 1119, la nef de Vézelay et le chœur de Tournus en 1120 et, naturellement, l'ultime abbatiale de Cluny, consacrée en 1130. C'est alors qu'à la suite de l'épanouissement de l'art roman le long des chemins de

Vue des ruines de la nef et de la façade de ***Jumièges.***

Compostelle, Sainte-Foy de Conques et Saint-Sernin de Toulouse imposèrent l'avènement d'un admirable art roman méridional dont la sculpture s'épanouit à Moissac.

C'est aussi en Aquitaine que se manifeste, par l'effet des Croisades, la disposition des églises à file de coupole inspirées de Sainte-Sophie de Constantinople et de Saint-Marc de Venise (cathédrales d'Angoulême et de Saint-Front de Périgueux, vers 1130). Et c'est également en Provence, avec Saint-Trophime d'Arles et Notre-Dame-des-Doms d'Avignon (entre 1130 et 1150) et en Poitou avec Notre-Dame-la-Grande de Poitiers (vers 1140) que s'exprime encore l'art roman avec un raffinement décoratif particulier qui contraste avec la pureté abstraite et l'ascèse des abbatiales cisterciennes de toute l'Europe mais notamment en Bourgogne (Fontenay) et en Provence (Le Thoronet, Senanque, Silvacane).

Cette diversité extrême nous contraint au choix d'exemples d'édifices romans illustrant les thèmes relatifs aux destins modernes des monuments dont la conservation reste l'enjeu d'un combat quotidien. Nous avons déjà évoqué l'église de Conques à l'occasion de la description de son illustre trésor et de sa célèbre statue d'orfèvrerie de la Sainte-Foy. Nous évoquerons, plus loin, le dramatique combat livré actuellement autour du portail de Moissac.

En Normandie, parmi tout cet admirable ensemble d'églises romanes très touchées par la Seconde Guerre mondiale, nous illustrerons le thème des réparations de ces dommages par l'évocation rapide de l'église de Lessay et de Saint-Lo, dont les restaurations quoique fondées sur des principes très différents, ont été jugées exemplaires.

Nous évoquerons aussi le problème des restaurations du XIXe siècle, notamment lorsqu'il a fallu, ces dernières années, restaurer la restauration elle-même : celle de Saint-Sernin de Toulouse.

En Champagne, enfin, nous mentionnerons le sort de Saint-Rémi de Reims, puis celui du cloître de Notre-Dame-de-Vaux de Chalons-sur-Marne à propos du rapport entre la conservation de l'architecture et la fonction muséale.

Nous allons commencer par évoquer les églises auvergnates. Ne pouvant décrire, ici, l'ensemble de la typologie romane, nous avons jugé préférable, à des indications abstraites sur chacun des types, de nous attarder sur l'un d'eux et de montrer aussi combien l'ensemble auvergnat, qui passe lui-même pour homogène, est riche de sa propre diversité.

Par rapport aux majestueuses entreprises normandes, dont l'ampleur annonce déjà les ambitions gothiques, les églises romanes d'Auvergne sont relativement de petits édifices. Mais nous verrons en quoi, curieusement, leur austérité constitue un des secrets de leur charme, leur décor intérieur étant d'ailleurs lui-même d'une étonnante fécondité imaginative. Comment, malgré certaines restaurations excessives du XIXe siècle, ce charme a-t-il été généralement préservé en Auvergne ? C'est ce que nous allons montrer sur quelques exemples.

L'église de ***Saint-Sernin de Toulouse.***

Notre-Dame-du-Port à Clermont-Ferrand.

NOTRE-DAME-DU-PORT DE CLERMONT-FERRAND

Son histoire

Ce nom est dû au quartier dans lequel cette petite merveille architecturale a été bâtie : *portus*, en latin, est un entrepôt. Notre-Dame-du-Port désigna non seulement l'église mais la Vierge noire de Majesté qui y est vénérée dans sa crypte et qui est une réplique assez tardive d'une statue romane. La première église édifiée en ce lieu est du ve siècle. Elle survécut au sac de la ville par Pépin le Bref qui l'épargna, mais non au raid des Normands au xie siècle. Deux textes, du xie puis du xiie siècle, assez imprécis mais relativement précieux parce qu'ils sont rares en Auvergne, concernent l'église actuelle.

Cet édifice est d'une grande unité. Il est donc probable qu'il fut, pour l'essentiel, construit en peu de temps que l'on situe entre les dernières années du xie et des premières années du xiie siècle. Par comparaison avec l'église de Brioude visiblement plus tardive, et dont le style se retrouve sur le portail sud et sur la façade occidentale de l'église clermontoise, ce sont ces ultimes travaux romans qui furent achevés en 1185.

En 1478, par suite d'un tremblement de terre propre à cette région volcanique, les tours de façade se sont vraisemblablement abattues en même temps que la tour centrale. Rien n'est alors reconstruit, les temps n'étant guère favorables. C'est au début du xixe siècle (1823-1825) qu'est élevée une médiocre tour centrale, refaite en 1841 par l'architecte Mallay. En 1930, ce sont les bases de deux autres tours qui sont dénaturées. Par contre la reprise indispensable de la façade occidentale en 1974 dûe à André Donzet a été discrète.

L'extérieur

Serrée dans son quartier aujourd'hui dépourvu d'originalité, Notre-Dame-du-Port, de l'extérieur, est ainsi quelque peu trahie par ces restaurations du XIXe siècle, notamment à cause des couvertures de dalles de pierre que Mallay a substituées aux tuiles qu'il y a trouvées (comme Viollet-le-Duc au chevet de Saint-Sernin de Toulouse et pour des motifs tout aussi aléatoires). Mais, malgré la patine qui a noirci l'édifice, apparaît encore sur les murs du chevet un appareil de couleurs alternées, en particulier des bandes d'un décor géométrique fait de triangles, rosaces et losanges sur les murs de la chapelle axiale, qui en affirme le caractère précieux et qu'on a, peut-être trop hâtivement, attribuées à l'influence arabe. Sur les murs des chapelles saillent enfin les sculptures très animées des signes du Zodiaque. Enfin la belle rigueur du développement des volumes extérieurs tient à l'organisation générale intérieure de l'édifice qui est caractéristique du roman auvergnat.

L'intérieur

Élévation de Notre-Dame-du-Port.

Comme dans toutes les églises romanes d'Auvergne un narthex* précède la nef tout en étant largement incorporé à elle. En plan, les cinq travées de la nef et des collatéraux mènent au transept à deux absides et au chœur à déambulatoire et quatre absides latérales. En élévation les bas-côtés couverts en voûtes d'arêtes sont surmontés de tribunes à demi-berceaux qui vont épauler la voûte de la nef. Ces tribunes s'ouvrent dans la nef au-dessus de chaque grande arcade par un triplet de baies à colonnettes. Un des éléments les plus caractéristiques de cette architecture est l'importance accordée aux deux arcs-diaphragmes* qui limitent la croisée du transept dans la perspective de la nef et du chœur. Ceux-ci sont surmontés de murs percés de doubles et de triples baies qui rythment fortement le développement axial de l'édifice.

Le visiteur est particulièrement sensible à cet équilibre tridimensionnel qui distribue savamment une lumière parcimonieuse. Sur les deux côtés de son carré couvert d'une coupole sur trompes*, le transept présente des dispositions analogues. Quant au chœur, il est surélevé au-dessus de la crypte dont il reproduit des dispositions.

Les chapiteaux

Le calme et la sérénité de cette architecture contrastent, comme c'est le cas dans la plupart des édifices romans d'Auvergne, avec le foisonnement de la sculpture concentrée sur les chapiteaux des piliers. Quatre d'entre eux sont signés par leur sculpteur, un certain Robertus, nom qui a été déchiffré par Louis Brehier. Un autre chapiteau porte le nom du fondateur de l'église, l'évêque Étienne (Stephanus).

On peut suivre sur l'ensemble de ces chapiteaux différents thèmes iconographiques, en premier lieu celui de l'opposition entre le rôle de la femme qui apporte la mort (Ève) et celui de la femme qui apporte la vie (Marie). Le chapiteau du fondateur dédie l'église à Marie par l'inscription signifiant « Étienne m'a faite en l'honneur de Sainte Marie ». Ensuite se développe un premier cycle des figures des chapiteaux : « Le livre de vie », c'est ce livre que tient l'ange, livre sur lequel sont enregistrés les éléments saillants de notre vie. Sur les chapiteaux suivants est exposée la « Psychomachie », histoire du combat entre les Vices et les Vertus décrite au Xe siècle par le poète Prudence : un homme nu désigne un premier vice que vient combattre une femme, la Largesse. Plus loin, l'Avarice est combattue par la Charité. La Colère a une place de choix : elle retourne son glaive contre elle-même. Certaines figures s'affrontent sous forme de soldats armés, casqués, revêtus de cotte de mailles. Quant aux chapiteaux du déambulatoire, ils sont consacrés aux damnés.

Le portail sud

Achevons l'évocation du décor sculpté de Notre-Dame-du-Port par le décor du portail sud, qui est un peu plus tardif que le reste de l'édifice et qui présente un ensemble de figures en pied très ordonnées, à la fois sur les piédroits, sur le linteau en bâtière et sur le tympan de l'arc surhaussé. Les reliefs des piédroits* représentent Jean-Baptiste et Isaïe ; deux autres reliefs surmontent l'arc. L'Annonciation et la Nativité ne sont pas incorporées dans les structures de l'architecture. Ainsi que l'a observé Henri Focillon, elles sont comme accrochées au mur, ce qui laisse penser qu'il s'agit de remplois. Cependant, elles sont du même style très évolué que le reste du décor du portail, lequel est très proche, par son savant graphisme, de la sculpture romane bourguignonne, notamment ce beau déploiement d'ailes des deux séraphins encadrant au tympan l'Éternel sur son trône.

Sans être la plus ancienne ni la plus grande église romane d'Auvergne, Notre-Dame-du-Port en est bien le symbole, tant par sa rigueur architecturale que par sa générosité sculpturale. Quelques autres églises vont nous permettre de souligner la richesse et la variété de cet ensemble. Mais nous ne devons pas quitter Clermont sans évoquer à nouveau la crypte de la Cathédrale elle-même, que l'on peut considérer, avec les vestiges préromans du chœur qui la surmonte, comme l'élément archétypique qui prédéfinit « l'école » de la Basse-Auvergne romane.

Portail sud de Notre-Dame-du-Port.

Quelques autres églises romane d'auvergne : Leurs caractères

La présence, près de Clermont d'églises comme celles d'Orcival, de Saint-Nectaire, d'Issoire, de Saint-Saturnin et de Mozat, nous permet de justifier l'existence d'un véritable style commun dans toute la Limagne auvergnate, partie centrale de l'ancien diocèse de Clermont, la petite église d'Ennezat en étant le modèle subsistant le plus ancien.

Le narthex

Toutes ces églises présentent de façon plus ou moins accentuée les mêmes caractères architecturaux. Le clocher-porche* préroman visible à Mozat (IXe siècle) est à l'origine du développement du narthex*. À la cathédrale de Clermont de l'évêque Étienne II, le narthex qu'il a construit au Xe siècle a subsisté sans ses tours jusqu'en 1840. À ce propos on constate qu'en Auvergne, région relativement épargnée par les destructions de la Révolution, qu'en 1840,

L'eglise d'Ennezat.

dix ans après la création de l'inspection de Monuments historiques, il arrivait que des décisions locales aboutissent encore à la destruction d'œuvres majeures. Et ce fut Mallay, le restituteur approximatif du clocher de Notre-Dame-du-Port qui fut chargé de cette démolition à la cathédrale. Du moins ce qu'il a découvert pendant la démolition a-t-il été soigneusement décrit par ses soins.

Les arcs-diaphragmes

Le second élément le plus caractéristique de ces églises de Limagne est constitué par les arcs-diaphragmes de la croisée du transept que nous retrouvons dans les églises déjà citées. Notons que ceux-ci, qui ne sont pas exclusivement auvergnats, étaient d'origine carolingienne comme le narthex lui-même.

Le demi-berceau des tribunes

Outre le plan général comportant un chœur à déambulatoire et chapelles rayonnantes savamment déployées, l'élément le plus commun à ces églises est l'organisation de l'élévation de la nef et des bas-côtés avec leurs tribunes à voûte en demi-berceau et leurs doubles baies (comme à Orcival, Saint-Nectaire et Saint-Saturnin) ou triples (comme à Ennezat, Notre-Dame-du-Port et Issoire) au-dessus des grandes arcades. Quant aux clochers anciens, dont on est privé à Notre-Dame-du-Port, nous en dirons un mot à propos de la silhouette générale des édifices qui les ont conservés.

Élévation de l'église de ***Saint-Julien de Brioude.***

*Vierge de l'église d'***Orcival.**

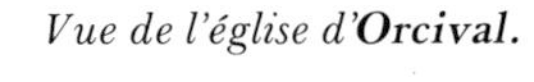

*Vue de l'église d'***Orcival.**

Orcival

Orcival a sur Notre-Dame-du-Port le premier avantage d'être situé dans un admirable site agreste, l'église dominant de sa masse les toits d'ardoise d'un petit village typiquement auvergnat aux maisons serrées autour d'elle au cœur du vallon.

Orcival est à l'origine le siège d'un petit prieuré, doté, en 1242, d'un important chapitre de chanoines qui disparut à la Révolution. Mais c'est la statue de la Vierge en Majesté, qui avait échappé au bûcher révolutionnaire du mobilier de l'église qui, au XIXe siècle, suscita un pèlerinage très fervent. Très bien conçue et ayant résisté au temps, l'église elle-même ne fut endommagée ni par la Révolution ni par des restaurations intempestives, sinon celle qui fit disparaître une triple arcade reliant les tours intérieures du narthex. Enfin elle a en outre été décapée avec un peu d'excès en 1951.

On attribue à Orcival une date de construction légèrement postérieure à celle de Notre-Dame-du-Port, au premier tiers du XIIe siècle. Le transept d'Orcival est d'une rare beauté due à ses arcs-diaphragmes dont l'exécution a à la fois quelque chose de fruste et de rigoureux. Au chœur dépourvu de chapelle centrale, s'ouvrent quatre chapelles latérales symétriques. C'est aussi le cas dans toutes les églises citées sauf Issoire et Saint-Nectaire.

Enfin le décor d'Orcival comporte dans l'abside soixante-quatre chapiteaux décoratifs au style très vivant associant l'abstraction à une description précise de feuillages entrelaçant des oiseaux.

En 1958, François Enaud a restauré et a placé la statue de Notre-Dame d'Orcival derrière un nouvel autel en pierre, à l'occasion du remaniement de la présentation du chœur. À l'origine de telles icones étaient conservées dans les cryptes, mais dès le haut Moyen Âge, on les « éleva » dans les chœurs supérieurs pour mieux les offrir à la vénération publique. La disposition de 1958 est donc justifiée. Cette Vierge est la seule Vierge auvergnate qui a conservé son revêtement de métal doré originel. Le visage « au naturel » est d'une grande sobriété. Sa posture de Vierge assise, hiératique et symétrique, contraste avec le classicisme du visage. Ce type de Vierge assise « en majesté » est caractéristique de l'art auvergnat.

*Église d'***Issoire** *: vue intérieure et chevet.*

Issoire

L'église Saint-Austremoine d'Issoire doit son patronyme à l'évangélisateur de l'Auvergne au IIIe siècle dont le tombeau était à Issoire. Mais Issoire n'en conservera pas finalement les reliques qui firent l'objet de « translations » à Volvic puis à Mozat. Néanmoins, un texte attribue au Saint la fondation du monastère d'Issoire. Quant à l'église actuelle, elle est généralement datée, comme les précédentes, du second tiers du XIIe siècle. Pendant les guerres de religion, le monastère fut pillé et les moines massacrés par un capitaine protestant. Cependant l'église résista au traitement qui devait l'abattre en entier. À la Révolution, nouveau pillage, et au XIXe siècle restaurations aussi diverses qu'infidèles de la façade (1841), des clochers (1845), du transept et des toitures en lave (1857). À la même époque on dépensa beaucoup d'argent pour peindre entièrement l'intérieur d'une façon très fantaisiste, quoique avec l'intention de rendre à ce type d'édifice cultuel l'ambiance de polychromie médiévale.

Le chevet d'Issoire reste un des sommets de l'architecture auvergnate romane en raison de sa rigueur géométrique qui déploie ses volumes selon un parfait agencement pyramidal, mais aussi d'un savoureux décor de ses murs faisant alterner les galeries d'arcatures avec des plates-bandes* aux décors géométriques très divers. Au-dessus des fenêtres des absidioles, sont sculptés les douze signes du zodiaque qui constituent l'image de l'univers.

Les dimensions d'Issoire sont beaucoup plus considérables que celles de Saint-Nectaire ou de Notre-Dame-du-Port. La nef est couverte par un berceau uni mais légèrement brisé, coupé transversalement par un seul doubleau*, tandis que se profilent des colonnes engagées sur les piliers, entre la cinquième et la sixième travées qui ne supportent plus rien au-dessus de leurs chapiteaux. Ce sont parfois de telles anomalies irrationnelles qui ajoutent à la saveur propre d'un édifice.

Les chapiteaux du chœur d'Issoire représentent d'une façon littérale, différentes scènes de la Passion. Avant d'être barbouillés par Dauvergne certains avaient été endommagés lors du sac de 1571. À l'époque où l'architecte Mallay intervint, il signala à Mérimée les effets de ces dommages anciens et le caractère médiocre des réparations antérieures de ces chapiteaux, effectuées en mastic et en plomb. C'est pourquoi il est difficile de les apprécier exactement sous la couleur dont ils ont été revêtus.

Saint-Nectaire

L'église de Saint-Nectaire porte le nom d'un des compagnons de saint Austremoine. C'est avec Saint-Saturnin, le plus petit édifice de cet ensemble remarquable des églises romanes auvergnates, mais non le moindre en intérêt. Comme Orcival, il est au cœur d'un très beau paysage, sur le piedestal d'une butte rocheuse, le fond du décor étant dominé au loin par la masse du château de Murols. L'édifice a l'avantage de présenter ses trois tours, les deux tours carrées de la façade occidentale et, à la croisée du transept, la tour centrale octogonale à deux niveaux de baies géminées*. Cette construction de trachite* gris, a été entreprise avant 1146. Elle est donc contemporaine de celles d'Orcival et d'Issoire. À l'intérieur, les proportions plus ramassées paraissent rendre encore plus présentes les caractéristiques de l'architecture auvergnate, dont nous avons déjà parlé : nef voûtée en berceau contrebutée par les demi-berceaux des tribunes au-dessus des bas-côtés, carré du transept aux arcs-diaphragmnes. Toutefois ceux-ci sont moins expressifs qu'ailleurs. Enfin, la séparation monumentale entre la nef et le narthex à quatre niveaux : arc inférieur, triplet d'arcature supportant une grande baie et au-dessus deux ouvertures jumelles, est tout à fait superbe.

Le chœur à déambulatoire à trois absidioles est entouré de six colonnes rondes à gros chapiteaux dont les faces présentent La Passion du Christ, la Transfiguration, l'Apocalypse et la Résurrection associés, sans ordre apparent, à la vie de saint Nectaire et à l'histoire d'un certain Ranulfo qui semble être l'enjeu humain du combat des Vices et des Vertus. Comme ceux de Notre-Dame-du-Port dus à Robertus, ces chapiteaux ont un style d'une grande maturité et d'un mouvement très libre. Ils sont donc peut-être aussi de la main de Robertus. Les têtes des personnages y sont particulièrement expressives. Un des chapiteaux de Saint-Nectaire fait apparaître, derrière les personnages, la figuration d'une église auvergnate, mais ses murs extérieurs paraissent y présenter l'élévation intérieure.

Saint-Nectaire possède, comme beaucoup d'autres en Auvergne, une Vierge en majesté du XVe siècle : Notre-Dame-du-Mont-Carnadore, du nom d'une montagne voisine de Saint-Nectaire. D'une qualité beaucoup plus rare, est le buste-reliquaire en cuivre de saint Bandine. C'est une pièce d'orfèvrerie du XIIe siècle. Le regard de ce compagnon de saint Nectaire n'est pas sans rappeler celui de la Sainte-Foy de Conques. Cet ouvrage a perdu ses joyaux précieux, mais il reste admirable par la stylisation de son modelé.

Saint-Nectaire n'a malheureusement pas été épargné par les restaurations qui ont entendu réparer les dommages de la Révolution. Après la reconstruction des tours de la façade du milieu du siècle, l'architecte Bruyerre a refait le clocher central sans conserver l'étage supérieur ancien que la Révolution avait épargné.

L'église de **Saint-Nectaire** *dans son site.*

Vues de l'église de **Saint-Saturnin.**

Saint-Saturnin

Construite vers 1150, en arkose* claire légèrement dorée, avec quelques effets d'appareil d'autres coloris, la petite église de Saint-Saturnin est située, elle aussi, dans un très beau site naturel, au cœur du plus modeste des villages, à l'entrée de la Limagne. Elle a certainement un caractère un peu plus fruste que ses congénères. Mais, en revanche, elle a échappé à certaines erreurs commises sur l'architecture extérieure de certaines d'entre elles, au XIXe siècle : toutefois la toiture en dalles sur le chœur et le déambulatoire est un peu raide.

Le programme architectural de Saint-Saturnin est plus sommaire que le programme habituel, sans narthex, ni partie droite du chœur, ni absidiole du chœur. Le transept, très rustique, est d'une belle venue, ainsi que l'élévation de la nef avec les triplets des baies de la tribune au-dessus de la nef. Très tôt, Saint-Saturnin, d'origine prieurale, a été privée de ses moines. Auprès d'elle une petite chapelle Sainte-Madeleine, reliée à un ancien système de défense du village, paraît un peu plus ancienne que l'église elle-même.

Mozat ou Mozac

Par rapport au programme général, l'église de Mozat présente de nombreuses particularités, car d'une part, elle a conservé son clocher-porche pré-roman sur plan carré, qui lui tient lieu de narthex ; d'autre part, l'effondrement de toute sa partie occidentale à deux reprises, au xve siècle, provoqué certainement par les tremblements de terre qui ravagèrent l'Auvergne à l'époque, entraîna son remplacement par un ouvrage gothique : la partie proprement romane du xiie siècle se limite donc à la nef et ses bas-côtés, à une partie du transept (dépourvu d'arc-diaphragme) et à une partie de sa façade occidentale.

Mozat présente, comme Notre-Dame-du-Port et Orcival, un admirable ensemble de chapiteaux. À l'entrée de la nef, le plus célèbre est celui de la Résurrection, avec son ensemble des Saintes-Femmes. La figure de Marie, comme celle de l'Ange, est d'un admirable modelé, et d'une bouleversante humanité. Sont également très expressives les figures des soldats endormis. En face du chapiteau de la Résurrection, se situe le chapiteau dit des « Atlantes » qui est d'une veine beaucoup plus populaire, ainsi que la plupart des autres chapiteaux distribués tout le long de la nef et sur les murs de bas-côtés. Autre sculpture remarquable à Mozat : le linteau* en bâtière* du portail du croisillon-sud* qui s'ouvrait jadis sur un cloître, disparu au xve siècle. Cette pièce présente saint Pierre et saint Jean l'Évangéliste, Saint-Austremoine à gauche de la composition présentant l'abbé de Mozat à la Vierge. Celle-ci est figurée comme la statue d'une Vierge en majesté sur son trône, constituant elle-même le trône de l'enfant Jésus. Dans le précieux trésor de Mozat, église qui fut un temps rattachée à l'ordre de Cluny et bénéficia de la translation des reliques de saint Austremoine, n'oublions pas la présence de la Châsse de saint Calmin en émail champlevé* limousin du xiie siècle.

Ennezat

Maintenant que nous avons présenté les principales œuvres romanes de Limagne, ensemble à la fois très homogène et cependant très diversifié autour de Notre-Dame-du Port, rappelons que la petite église actuelle d'Ennezat a, parmi elles, le bénéfice de l'antériorité. Ayant en effet, remplacé une construction plus ancienne incendiée, elle fut construite entre 1061 et 1073, ce qui est très précoce par rapport aux dates des édifices que nous venons de citer (l'église de Mozat elle-même n'a été commencée que vers 1095). Si, cependant, Ennezat ne figure pas en tête de notre « armorial » roman, c'est seulement qu'il ne reste de cette époque que sa nef, qui est à la fois d'une grande pureté et d'un caractère très rustique. Par contre, son clocher-porche*, transformé en narthex* au xiiie siècle, a perdu son authenticité au xixe siècle, au profit d'une recherche d'un pittoresque auvergnat bien sujet à caution, et la reconstruction du chœur ne fut pas plus heureuse, ni la présentation extérieure de la nef elle-même. Il reste qu'apparaît à Ennezat la struc-

*Chapiteaux de **Mozat** : centaures affrontés et feuillages avec masque.*

*Vue de l'entrée de l'église d'**Ennezat**.*

ture essentielle commune à l'architecture auvergnate et à celle des églises de pèlerinage comme Saint-Sernin de Toulouse : les voûtes des tribunes en demi-berceau venant épauler le berceau central de la nef. Il s'agit donc bien d'une « grande première » de l'architecture française, dans un édifice malheureusement trahi par des destructions et des substitutions relativement récentes. Mais, ne négligeons pas que ce système de voûtement latéral a, à Ennezat, une expression particulièrement aboutie, car le souligne, statiquement et esthétiquement, la présence de demi-arcs doubleaux qu'on retrouvera ensuite hors de l'Auvergne comme dans l'admirable église Saint-Étienne de Nevers.

Mais à la limite nord du Puy-de-Dôme, il nous faut encore citer la belle église de Veauce, avec sa nef aux doubleaux en arc brisé très accentué, son chevet circulaire sans absidiole, et celle de Chatel-Montagne, l'une et l'autre restant conçues dans le fil du style de la Limagne.

Saint-Julien de Brioude

L'Auvergne présente, par contre, une variante marquante d'art roman dans la Haute-Auvergne, tant à l'est, dans le Brivardois, à Brioude et Lavaudieu, qu'à l'ouest, à Aurillac et à Mauriac. Nous laisserons ici de côté les édifices du Puy qui appartiennent au Velay (historiquement en Languedoc) et, à plus forte raison, la célèbre abbatiale gothique de la Chaise-Dieu.

Chef-d'œuvre de l'architecture romane, Saint-Julien de Brioude est, par bien des côtés, une œuvre atypique, mais elle définit une variante auvergnate essentielle. Le site de Brioude fut, dès l'ère paléo-chrétienne, un lieu de pèlerinage consacré à saint Julien, martyrisé près de cette ville en 304, et ce pèlerinage eut alors un renom exceptionnel en Gaule, quasi égal à celui de saint Martin. La vénération de saint Julien y est nimbée de légendes. Pourtant, elle tomba en désuétude jusqu'à ce que Grégoire de Tours évoquât la mémoire de saint Julien et fît de Brioude un lieu d'asile. Au IXe siècle, les chanoines qui desservent l'église Saint-Julien deviennent chanoines-comtes de Brioude, ce qui atteste leur puissance et, à leur tour, ils raniment le pèlerinage.

L'histoire des constructions se développe à Brioude parallèlement à ces événements, et d'abord celle du martyrium* du IVe décrit par Grégoire de Tours et de la basilique qu'il reconstruit lui-même à la fin du Ve siècle. L'église qui la remplace au VIIIe siècle semble avoir acquis les proportions de l'église actuelle, construite à partir de 1060 et qui en utilise les murs. Commencée par les parties

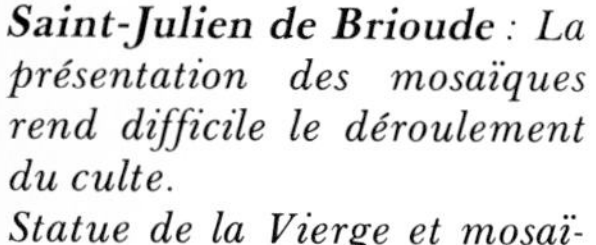

***Saint-Julien de Brioude** : La présentation des mosaïques rend difficile le déroulement du culte.*
Statue de la Vierge et mosaïques.

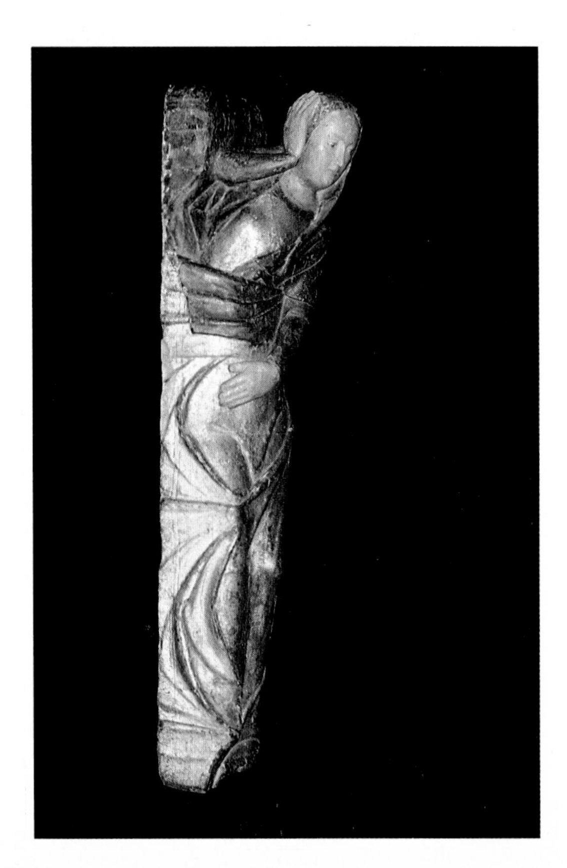

***Saint-Julien de Brioude** est riche de décors peints et de chapiteaux sculptés.*

basses du narthex et des deux premières travées de la nef, vers 1150, cette dernière construction atteint le chœur, en 1180, au-dessus du tombeau de saint Julien, dont la relique, transférée dans un reliquaire, a disparu à la Révolution. Mais des fouilles poursuivies jusqu'en 1957 dans le chœur au-dessus d'une crypte récente située à l'emplacement du martyrium, ont permis de retrouver l'emmarchement de l'ancien autel avec des vestiges de mosaïque. La présentation de ces vestiges du lieu de dévotion primitive a rendu très délicat l'aménagement du lieu de culte actuel.

C'est un édifice qui reste très séduisant par sa structure architecturale assez éloignée de celle des églises de Limagne. Cependant sa belle collection de chapiteaux du chœur et de la nef fait penser à celle de Notre-Dame-du Port. Et à l'extérieur de la nef, malgré la reprise du XIXe siècle, sont restées apparentes de savoureuses différences de matériaux. Depuis la guerre, les architectes C. Nicaut et A. Douzet et l'archéologue des fouilles G. Fournier ont été responsables de ces travaux.

Cet exemple fait ressortir des exigences de programme de restauration qui peuvent être contradictoires, même dans l'ordre strictement religieux, lorsque l'exercice du culte d'une part, et d'autre part le respect de la mémoire du saint qui est à l'origine de la construction de l'édifice en ce lieu, parviennent à se présenter en termes alternatifs.

Vue du cloître, l'église de ***Lavaudieu*** *possède une très belle statue de Vierge. Sa nef et son réfectoire sont riches de peintures murales.*

Lavaudieu

C'est un prieuré de femmes, tout voisin de Brioude et fondé par saint Robert en même temps que La Chaise-Dieu. Sa réhabilitation tardive doit beaucoup au Service des Monuments historiques, à la fois pour la remise en état de son petit cloître et par le dégagement de son admirable ensemble de peintures murales qui constitue la rare parure de l'église et du réfectoire de Lavaudieu.

Le cloître comporte deux galeries superposées et non voûtées. Le premier niveau est constitué d'arcades en plein cintre romanes faisant alterner des supports de colonnes uniques et de colonnes géminées*. Le second niveau est protégé par un auvent de tuiles canales simplement supporté par des poteaux de bois. Ce caractère très rustique de Lavaudieu a beaucoup de saveur. Mais ses peintures murales ont, au contraire, un caractère savant et monumental.

Notre-Dame des Miracles de Maurignac

Nous achevons cette description par l'église de Mauriac, en Haute-Auvergne (Cantal) qui doit sa dénomination de « Notre-Dame des Miracles » à la réputation que fit à ce lieu une fille de Clovis qui y aurait eu une apparition de la Vierge à qui elle aurait consacré une chapelle.

On sait, en tout cas, qu'un monastère dédié à saint Pierre y fut fondé au IXe siècle. L'importance de l'église actuelle tient au fait qu'étant étrangère au type auvergnat de la Limagne symbolisé par Notre-Dame-du-Port, elle est, par contre, l'exemple le meilleur des églises romanes de Haute-Auvergne, depuis que l'abbatiale Saint-Géraud d'Aurillac a été presque entièrement détruite.

À Mauriac s'oppose un chœur roman de la seconde moitié du XIe siècle, de facture très archaïque, à une nef du XIIe, également romane, mais influencée par Cluny. En effet elle a les particularités, à la différence des nefs de Limagne, de recevoir un éclairage direct par des fenêtres hautes au-dessus des bas-côtés, et d'avoir de puissants doubleaux en arc brisé.

Ce qui est aussi inédit en Auvergne, c'est enfin la présence, sur la façade occidentale, d'un beau portail présentant le Christ de l'Ascension dans une mandorle* accompagnée de deux anges à la très belle posture dansante et toutes ailes déployées, au-dessus du linteau figurant lui-même les douze Apôtres (témoins de l'Ascension selon les Actes des Apôtres). Ce bel ensemble de sculpture d'une grande maîtrise et sans relation avec l'Auvergne, est à rapprocher de l'école languedocienne de sculpture romane voisine. Mais il n'est pas non plus sans lien avec la Bourgogne.

Nous achevons donc ce parcours auvergnat par le cas d'une œuvre périphérique de la région et qui témoigne du caractère européen et multiple de l'art roman. Quel dommage que l'inévitable Mallay, au milieu du siècle dernier, se soit préoccupé de reconstruire une partie de l'église de Mauriac cependant moins maltraitée que d'autres. Il lui a donné néanmoins une sécheresse extérieure dont les églises d'Auvergne qui ont échappé à sa vigilance sont heureusement indemnes.

L'Auvergne et l'Europe médiévale

À propos de Mauriac nous avons évoqué une église qui a été un jalon important dans l'art roman : Saint-Géraud d'Aurillac, malheureusement en très grande partie détruite. Tandis que s'élabore, en Basse-Auvergne, un art auvergnat très spécifique, nous observons, dans la Haute-Auvergne, la manifestation du croisement des idées qui parcourent l'Europe avec une rapidité et une intensité qui peut encore nous étonner aujourd'hui, mais qu'illustrent certains hommes. L'abbé Géraud a vécu au IXe siècle. Châtelain du voisinage, il est le créateur de son abbaye au retour d'un pèlerinage à Rome, et son abbatiale est reconstruite au Xe siècle par son successeur Adralde venu de Conques. Un jeune prêtre, Gerbert (938-1003) y est moine, avant de devenir conseiller des Capétiens, les faire accéder au pouvoir, exercer les charges d'archevêque de Reims puis de Ravenne, devenir ensuite l'ami de l'empereur Otton II, le précepteur de son fils Otton III et à son tour l'ami de celui-ci, pour accéder enfin au trône pontifical sous le nom de Sylvestre II.

Ajoutons que saint Odon, premier abbé de Cluny, était d'Aurillac et que saint Odilon son successeur était le petit-neveu de Géraud d'Aurillac. Ainsi, du Xe au XIe siècle se noue, d'Aurillac à Conques, de Paris à Reims, de Cluny à Ravenne, et de l'Empire ottonien à la papauté romaine, le plus efficace chassé-croisé de pouvoir et de pensées que ne pouvait laisser indifférent le destin de l'architecture. Quand on observe la difficulté que le XXe siècle finissant rencontre dans l'élaboration d'une Europe intégrant les États-Nations modernes, on mesure combien, un millénaire avant, l'idée d'une Europe culturelle était familière, grâce à cet étonnant réseau de liaisons serrées dont Rome n'était que l'issue finale mais non la seule dynamique. Dans ce contexte on n'est pas surpris de voir Conques, posté sur le chemin de Compostelle, inspirer Aurillac, Aurillac inspirer Brioude. Alors, le laboratoire des petites églises de Limagne apparaît relativement à l'écart des échanges d'informations sur l'architecture qui ont pu émaner d'abbatiales telles que Saint-Rémi de Reims, et, par la suite, aboutir à la dernière expression de Cluny, mais intégrer le modèle des grandes églises de pèlerinage compostellanes, telles que précisément, Conques, Saint-Jacques-de-Compostelle elle-même et Saint-Sernin de Toulouse. Nous verrons encore à propos du cas de Moissac que nous allons étudier séparément, combien Saint-Sernin de Toulouse se trouve à la croisée de beaucoup de ces chemins de foi et de pensée. Nous ne pouvions nous étendre sur le cas très complexe de cet édifice éminent, mais nous avons saisi l'occasion du destin de ses cousines auvergnates pour évoquer brièvement ici la problématique actuelle de Saint-Sernin dont le chantier de restauration est l'un des plus importants de la fin du xxe siècle.

EN MARGE DE « L'ÉCOLE » D'AUVERGNE

La restauration au XIXe siècle et au XXe siècle De l'Auvergne à Saint-Sernin de Toulouse

Cette vision de l'Auvergne romane a été focalisée sur la Limagne parce que c'est là qu'on a pu définir les caractères homogènes d'un style roman local. Cet examen nous suggère plusieurs réflexions qui concernent les restaurations du xixe siècle que nous venons d'évoquer encore à propos de Mauriac mais aussi de Saint-Sernin de Toulouse, dont nous avons dit la parenté avec les églises d'Auvergne.

L'Auvergne, pays réputé très retranché, nous donne, en Limagne, un exemple d'homogénéité architecturale.

Saint-Sernin de Toulouse.

Sa rudesse et sa sobriété ont sans doute moins exposé ce patrimoine qu'ailleurs aux restaurations aléatoires du xixe siècle. Néanmoins ici et là, celles-ci sont manifestes et constituent une occasion d'exercer notre esprit critique. Le xixe est aujourd'hui entré dans l'histoire avec la réalisation de ses créations propres qui constituent un apport au patrimoine. Au sein de cet apport, la restauration excessive d'églises anciennes est un phénomène ambigu car elle a l'alibi de retourner à une authenticité qu'elle se trouve, au contraire, parfois compromettre.

Les restaurations d'aujourd'hui n'ont pas pour vocation d'effacer ces marques du xixe siècle, qui témoignent à la fois d'un état daté du goût et de la sensibilité et d'un moment de l'histoire de la restauration où l'on ne disposait ni du savoir technique ni du savoir archéologique d'aujourd'hui. L'intervention actuelle modifiant les dispositions du xixe siècle ne s'imposera donc pas pour des raisons artistiques, mais pour des raisons techniques, si le parti adopté par le xixe siècle est fautif du point de vue de la conservation elle-même. On ne peut en effet délibérément refaire à l'identique une disposition vicieuse, comme, par exemple, cela a été contasté dans la restauration de Viollet-le-Duc de Saint-Sernin de Toulouse. L'architecte en chef Yves Boiret a montré que la disposition des chéneaux en pierre poreuse était à l'origine de dégats qu'on ne peut délibérément souhaiter voir se reproduire après la restauration. Dans le cas particulier, deux constats ont pu être faits, documents à l'appui. Le premier, c'est que le projet de la restauration que Viollet-le-Duc avait dessiné était impossible à réaliser, et qu'il ne l'a pas été. Le second, c'est qu'il a lui-même protesté dans une lettre où il constate que ses intentions ont été trahies par l'exécution. De telles observations imposent des limites à la conception historiciste d'une restauration actuelle qui reproduirait, par souci d'être fidèle à l'histoire la plus récente, des erreurs aussi évidentes. La restauration est une science et c'est aussi un art qui ne doit pas s'écarter du bon sens au nom d'une idéologie paradoxale.

***Puits de Moïse:** Tête de Moïse.*

DEUX TRÉSORS EN BOURGOGNE

LE « PUITS DE MOÏSE »

Les Prophètes, socle d'un calvaire

Angelots affligés.

Partie supérieure du ***Christ du Puits de Moïse*** *au Musée d'archéologie.*

Le « Puits de Moïse » situé dans l'ancienne Chartreuse de Champmol, près de Dijon, est une des œuvres majeures de la sculpture occidentale et certainement le sommet de ce style si puissant et si généreux qui s'est exprimé à la fin du Moyen Âge sur les terres flamandes et bourguignonnes alors réunies par la dynastie des ducs Valois.

Surgissant effectivement des eaux d'un puits, se dressait alors, au début du XVe siècle, au centre du grand cloître de cette chartreuse, un calvaire dont le socle héxagonal, aujourd'hui toujours en place, porte les grandes statues de six Prophètes : David, dans sa majesté royale ayant sa lyre pour attribut ; Jérémie au visage ridé et lisant son livre de prophéties ; Zacharie en méditation, Daniel, à l'attitude fougueuse et dont les traits du visage paraissent exprimer l'éloquence, Isaïe dans une attitude de désolation, enfin Moïse, cornu et barbu, dont le visage épanoui semble illuminé par l'esprit et rayonne sur l'ensemble. De la sorte, le nom que l'usage a donné à cette œuvre mutilée puisqu'elle a été privée du calvaire lui-même, est-il justifié par la prééminence spirituelle de cette figure de Moïse, cependant que chacun des six prophètes occupe une place distribuée selon un rythme géométrique parfaitement équilibré.

Aux angles de la composition, des angelots jonchés sur des colonnettes déploient leurs ailes au-dessus des Prophètes et sous la plate-forme du socle, et leurs visages enfantins expriment comme une tristesse naïve en contrepoint de l'expression grave et inspirée des grandes figures.

Enfin, de la scène de la crucifixion elle-même dressée sur ce socle prestigieux on a retrouvé, outre les bras de la Vierge, le buste et les jambes du Christ, qui sont conservé au musée archéologique de Dijon.

Dans une exposition d'art sacré consacrée à la sculpture bourguignonne, j'ai eu l'occasion de présenter dans l'ancienne église Saint-Philibert de Dijon cet admirable figure du Christ en plaçant ses deux parties dans une position logique confortée par un éclairage adéquat. Est-il concevable qu'aujourd'hui encore le musée archéologique ignore l'évidente monumentalité de cette œuvre magistrale ? La monumentalité est une donnée de cet art sculptural qui exige une présentation adéquate. Le nouveau conservateur de ce musée qui est épris d'art médiéval améliorera certainement les choses.

Il est bien dommage que ces vestiges ne puissent être replacés dans leur contexte, car le visage crucifié est d'une telle intensité d'expression, à la fois pathétique et sereine, qu'il donne tout son sens à l'ouvrage. En outre, la composition plastique du socle dispose les gestes des prophètes selon des tracés régulateurs hélocoïdaux qui l'enveloppent et mènent le regard vers le sommet : voilà d'ailleurs qui illustre bien l'une des constantes de l'iconographie médiévale présentant l'Ancien Testament comme la base sur laquelle repose le Nouveau.

Arrêtons-nous un instant sur les textes des phylactères portés par les Six Prophètes. Ce sont des propos prêtés à chacun des Prophètes et relatifs à la Passion du Christ. Ainsi Isaïe : *« Il sera conduit comme une brebis »* ou David : *« Après soixante deux semaines il sera occis »*. Il a été établi que ces textes correspondaient à des **repons*** ponctuant un sermon introduit dans la liturgie dès le IVe siècle dans l'entourage de saint Augustin. Cependant ces mêmes textes ont inspiré une autre tradition, celle du théâtre liturgique ; et notamment Émile Male cite le thème d'un certain « Mystère du jugement » dans lequel sont mis en scène les Prophètes et la Vierge, celle-ci implorant, semble-t-il, ceux-là d'épargner la mort à son fils. Mais cette mort, inséparable de la Résurection et de l'avènement du Christianisme, est inscrite dans leurs prophéties. Ainsi peut-on risquer un parallèle entre deux traditions, sculptée et théâtrale, sans pouvoir être pour autant persuadé qu'il s'agit d'une filiation, mais, pour le moins, d'un cousinage. Reste que l'ampleur de la composition, du traitement des vêtements et de l'expression des visages confère à l'ensemble du « Puits » un véritable effet théâtral.

La chartreuse des Ducs

C'est le premier Duc Valois*, Philippe le Hardi, qui fonda près de Dijon cette chartreuse de Champmol en 1383, pour en faire le mausolée de sa dynastie et y constituer, en quelque sorte, l'équivalent de ce que Saint-Denis était pour les Rois de France. Mais, à la Révolution, elle fut saccagée. Fut détruite, en particulier, la chapelle ducale qui contenait les seuls tombeaux d'apparat réunis à Champmol : celui de Philippe et celui de son fils Jean Sans Peur et de son épouse Marguerite de Bavière. Ces tombeaux, ainsi que deux admirables retables en bois sculpté doré de Jacques de Baerze (dont l'un est en outre peint à l'extérieur par Broederlam) ont été recueillis au Musée des Beaux-Arts de Dijon dans la Salle des Gardes de l'ancien palais ducal. Subsiste de la chapelle ducale originelle outre une petite tour et trois verrières, son **portail sculpté** où figurent, au centre, la Vierge adossée au trumeau*, et, de part et d'autre, Philippe le Hardi et son épouse Marguerite de Flandre agenouillés et derrière eux, debout, saint Jean-Baptiste et sainte Catherine. Enfin le jardin botanique de Dijon possède quelques vestiges du petit cloître. Le dépeçage consacré par la conservation de chaque partie a été ainsi porté à son comble : voilà qui demande aujourd'hui réflexion.

Claus Sluter et la sculpture bourguignonne

Incontestablement le « Puits de Moïse » constitue l'œuvre majeure de tout un ensemble aujourd'hui dépecé mais qu'il faut considérer dans son unité fondamentale tant du point de vue historique et religieux que du point de vue stylistique. Il porte la marque à la fois d'une école artistique dite « bourguignonne » et d'une personnalité géniale, celle de Claus Sluter, dont le « Puits de Moïse » nous permet de considérer qu'elle domine la sculpture européenne de la fin du XIVe siècle et du début du XVe.

Rien de ce qu'on appelle aujourd'hui le « gothique international », en vogue jusqu'alors, ne permet de soupçonner l'éclosion de l'art slutérien.

Sluter (Claes de Slutere van Haarlem) lui-même d'origine hollandaise est inscrit au registre des tailleurs de pierre de Bruxelles vers 1380. En 1385, il est adjoint sur le chantier de Champmol à l'imagier du Duc de Bourgogne Jean de Marville qui meurt en 1387, et il lui succède. On s'aperçoit que la conception initiale du portail de la Chapelle se trouve alors modifiée par rapport au projet initial de l'architecte et que les portraits des personnages Philippe et Marguerite y sont animés par un puissant réalisme « slutérien ».

La construction du « Puits de Moïse » lui-même commence en 1395 et les prophètes sont datés de 1403 à 1406, date de la mort de Sluter, auquel succède son neveu Claus de Werve. Si la réalisation du tombeau de Philippe implique aussi bien Sluter que son prédécesseur et son successeur, le « Puits de Moïse » porte non seulement les caractères de toute cette école mais sa marque propre. L'autre œuvre majeure de Sluter, malheureu-

***Puits de Moïse* : David** *et deux prophètes dans la lumière glauque qui règne sous « l'édicule ».*

Copie du **XVIIe siècle** *du Puits de Moïse présenté devant l'hôpital général de Dijon.*

sement détruite, fut, selon les textes qui en témoignent, l'entrée du Chateau de Germolles où Sluter avait situé Philippe et Marguerite dans un étonnant paysage sculpté de caractère pastoral.

La confrontation de ces programmes et la contemplation du « Puits de Moïse » montrent l'importance incomparable de l'événement artistique que symbolise Claus Sluter. C'est par son attention la plus pointue à la réalité que Sluter la dépasse et atteint à l'expression du sentiment à la fois la plus pathétique et la plus profondément extatique. Il est peu d'exemples, dans la sculpture universelle, où l'on ait réussi à allier ces trois vertus. Ajoutons que si les antécédents de ce style ne sont guère discernables, sa postérité est considérable et d'abord dans le domaine pictural. N'oublions pas que cette sculpture monumentale était polychrome. Des restes de polychromie due à Jean Malouel subsistent sur les figures du « Puits de Moïse ». La peinture flamande elle-même à partir des frères Van Eyck paraît devoir beaucoup à l'école de la sculpture bourguignonne et flamande qui en précède le développement de près d'un demi-siècle, puisque Jean Van Eyck est né au moment où Sluter arrivait à Dijon. Nous reviendrons sur les rapports entre la sculpture et la peinture de la fin du Moyen Âge à propos de cette autre œuvre éminente située en Bourgogne qui constitue le **polyptyque du Jugement** de Beaune et qui est due à Roger Van der Weiden.

Heurs et malheurs du « Puits de Moïse »

*« **Édicule** » protégeant le puits.*

Nous ne voulons pas douter que le colloque consacré à Sluter en novembre 1990 soit le départ d'une nouvelle attention portée à la Chartreuse de Champmol. Déjà celle-ci a requis toute l'attention de la Direction de Patrimoine afin de donner au « Puits de Moïse » un cadre digne de lui. Certes, l'œuvre elle-même a été l'objet de soins attentifs depuis un siècle. En dépit de la position de son socle environné d'eau, les maladies de la pierre ne l'ont pas attaquée jusqu'ici. C'est un délicat nettoyage qui a fait apparaître voilà quelques années les vestiges de l'ancienne polychromie. Mais les conditions de la visite sont telles que la sécurité elle-même est mal assurée. À plusieurs reprises, des parties les plus fragiles comme les phylactères ont été brisées. Cet état de chose est lié au problème épineux de sa présentation générale. Au XIXe siècle les architectes ont aménagé un hôpital dans les ruines de la Chartreuse saccagée. Le paradoxe est que la vocation du calvaire est celle d'une sculpture de plein air mais que sa conservation exige qu'il soit couvert. Il l'est par un édicule qui empêche de le contempler, à moins quasiment de le toucher des yeux. Certains avaient songé à déplacer le « Puits de Moïse » : ç'eût été encore aggraver le dépeçage. Aujourd'hui on peut escompter la construction d'un nouvel hôpital dijonnais qui libérera partiellement la Chartreuse. Des utilisations de cette sorte (hôpital, prison ou autres), ont constitué il y a deux siècles une occasion de dommage mais aussi de conservation circonstancielle du patrimoine architectural (ainsi le Mont-Saint-Michel ou Fontevrault). Aujourd'hui une politique de reconsidération des utilisations abusives peut être menée systématiquement. Cette politique doit concerner la Chartreuse de Champmol.

La première tâche consiste à rendre, selon l'étude faite par Michel Jantzen et Judith Kagan l'espace exact du grand cloître au centre duquel fut érigé le « Puits » et d'étudier la présentation qui assure à la fois sa sécurité, sa conservation et sa contemplation. Formulés il y a trente ans nos projets n'ont pu aboutir. La seule solution que l'on pouvait faire partager alors aux autorités publiques, était le transfert. Les esprits ont aujourd'hui évolué et la Chartreuse de Champmol pourra redevenir un haut lieu de contemplation de la sculpture européenne. Le contexte européen ne peut y être aujourd'hui que favorable. Sluter est un admirable symbole de l'unité culturelle européenne : néerlandais de naissance, bruxellois d'adoption, il a illustré une Chartreuse qui est l'œuvre architecturale majeure des Grands Ducs d'Occident et le dépeçage de cette Chartreuse est à l'image d'une Europe divisée dont l'unité est en marche.

Beaune, Hôtel-Dieu : salle des « pôvres ».

LE POLYPTYQUE DU JUGEMENT DERNIER DE L'HÔTEL-DIEU DE BEAUNE

C'est en 1443 que fut fondé l'Hôtel-Dieu de Beaune par Nicolas Rolin, chancelier du troisième duc Valois d'Occident, Philippe le Bon. Épidémies et famine avaient sévi en Bourgogne quelques années plus tôt, et avaient particulièrement affligé la ville de Beaune. Nicolas Rolin dont l'habileté politique et diplomatique avait tant contribué à la puissance bourguignonne, porta la plus grande attention à la réalisation de l'édifice et à la gestion de l'institution charitable propre à assurer en outre son propre salut.

La beauté des bâtiments inspirés de ceux de Valenciennes et dûs à l'architecte Jacques Wiscrere a dépassé celle de leur modèle. L'aménagement général extérieur de la cour et des galeries de bois, des toits de tuile vernissée avec ses amples lucarnes, n'a d'égale que la disposition intérieure du vaisseau de sa « Grand'Chambre » ou « Salle des Pôvres » dont le volume se prolonge par celui de la chapelle. Cette « Grand'Chambre » de 72 m de long est voûtée en berceau lambrissé et une partie de son mobilier date de la fondation. De part et d'autre, tout au long de la salle, quinze lits monumentaux sont adossés aux murs et étaient clôturés, les jours de fête, par trente tapisseries figurant déjà sur l'inventaire de 1501. Ces tapisseries* de haute lisse* sont à fond rouge, et sur ce fond se détache un décor en semis de tourterelles sauvages posées sur des branches d'arbres coupés, alternant avec les initiales des fondateurs N et G, Nicolas Rolin et son épouse Guigone de Salins ; y figure également la devise « Seulle », la devise desdits fondateurs.

Cette Grand'salle a accueilli les pensionnaires de l'Hôtel-Dieu jusqu'aux années 60 qui a vu sa désaffectation hospitalière. À l'origine, les malades pouvaient de leur lit suivre la messe célébrée à l'extrémité de la salle dans la chapelle de l'Hospice. C'est sur l'autel de cette chapelle que se déployait le dimanche le polyptyque* du Jugement Dernier qui constitue le joyau du trésor d'art de l'Hôtel-Dieu.

Le polyptyque du Jugement Dernier *entièrement ouvert.*

Rogier Van der Weiden

Rogier de la Pasture est un peintre wallon né à Tournai en 1400, six ans avant la mort de Sluter. Il fut l'élève d'un peintre de grand mérite, Robert Campin, aux travaux desquels il fut associé mais qu'il surpassa. Il tira également le plus grand profit des leçons des frères Van Eyck considérés comme les fondateurs de l'école flamande. Travaillant lui-même en Flandres, Rogier de la Pasture devint « Rogier Van der Weiden », traduction de son nom en langue flamande et c'est avec la *Descente de Croix* de Louvain, en 1436, et avec son *Retable* de la Vierge*, en 1437 (conservé aujourd'hui en partie à Grenoble et en partie à New York), qu'il s'affranchit de l'influence eyckienne. Il composa alors son œuvre majeure entre 1445 et 1449 pour Nicolas Rolin et son Hôtel-Dieu beaunois : le *Polyptyque du Jugement Dernier*. Et ce n'est qu'après avoir réalisé ce chef-d'œuvre que Van der Weiden prendra contact avec l'Italie où il subira l'influence de Fra Angelico.

L'intérêt du polyptyque tient aussi bien à son iconographie et sa facture qu'à sa position exceptionnelle dans l'histoire de la peinture qui en fait un jalon essentiel de l'évolution de la peinture flamande avant que son auteur ne renoue lui-même avec la tradition italienne.

Les élus à droite de la Vierge (dont Nicolas Rolin).

Le thème et le style du polyptyque

Le polyptyque de Beaune se développe sur huit panneaux mobiles autour du grand panneau central consacré au Christ souverain-juge trônant sur un arc-en-ciel au-dessous duquel l'archange Saint-Michel en robe blanche pèse dans une balance les bonnes et les mauvaises actions humaines.

Sont assis à sa droite la Vierge vêtue de bleu et à sa gauche saint Jean-Baptiste, chacun devançant un groupe de dix figures dont six apôtres et, un pape, un souverain, un évêque et Nicolas Rolin lui-même. Sous les nuages qui supportent ces figures, Van der Weiden a représenté la Résurrection des morts émergeant, dans leur nudité, d'une terre aride, et, une fois leurs âmes pesées se dirigeant, les uns, les Justes, vers le Paradis représenté par une cathédrale gothique étincelante d'or, les autres, les Réprouvés, précipités dans les flammes de l'enfer. Les revers des panneaux sont eux-mêmes peints en grisaille* et représentent une Annonciation, saint Sébastien et saint Antoine ainsi que Nicolas Rolin et Guigone de Salins agenouillés. Sans nous attarder sur les discussions auxquelles a pu prêter l'attribution de ces derniers panneaux et même d'une partie de la composition principale, et tout en tenant compte des reprises de certaines restaurations, attachons-nous surtout à souli-

Polyptyque du Jugement Dernier, *de l'Hôtel-Dieu : saint Michel, figure centrale pesant les âmes.*

Le polyptyque refermé montre ses volets ***peints en grisaille.*** *

gner l'originalité de cette composition par rapport à celle de l'*Agneau Mystique* (1426-1432) des frères Van Eyck qui l'ont précédé à peine de vingt ans.

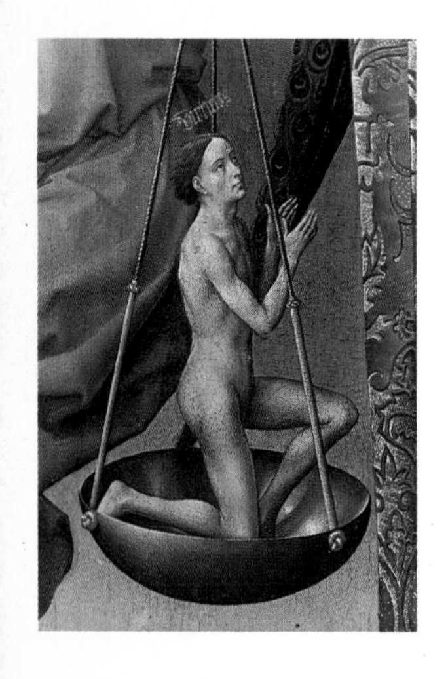

Ce qu'inauguraient les Van Eyck, c'est évidemment cette révolution plastique qui éloigne l'art, comme l'a fait déjà Sluter luimême, des élégances suaves du « style gothique international* ». Ce minutieux réalisme descriptif est dans *« l'Agneau Mystique »* au service d'une sorte d'encyclopédie naturaliste dont les composants se pressent en groupes serrés autour de l'Agneau, mais dont l'ensemble reste au service d'un admirable symbolisme. L'intensité des coloris, la rigueur du dessin, la profondeur du champ étagent symétriquement les groupes de figures. Et tout ce qui fait sur le plan technique la grande originalité de l'art flamand en général est propre ici à célébrer la création tout entière développée dans l'espace, ordonné sur un immense plan de fuite. Le propos de Van der Weiden est différent. Il s'agit dans le *Jugement Dernier* de développer un thème précis, non pas symbolique au premier chef, mais appartenant à l'histoire sacrée et constituant son thème majeur. Et les moyens nouveaux propres à la pratique de la peinture à l'huile sont ici maîtrisés par une nouvelle ascèse, en abandonnant ce qui restait de « primitif » dans les juxtapositions des motifs, et en composant une structure rythmée unique qui nous emporte dans la force émotionnelle qu'elle sous-tend. L'expression de la première œuvre est symbolique et cosmique, la seconde privilégie l'humanisme sacré. Sans donner la moindre connotation péjorative à ces deux mots, bien au contraire, on peut dire que à **l'imagerie** succède la **dramaturgie**.

Nous avons déjà observé que la modernité de Sluter avait inspiré celle que Jean Van Eyck, manifeste dans ses œuvres profanes, mais son œuvre religieuse majeure reste imprégnée de la tradition médiévale. Avec le *Jugement Dernier* de Van der Weiden cette modernité prend une dimension nouvelle. Il est d'ailleurs très révélateur que ce découpage du Polyptyque en panneaux ne soit plus qu'une commodité qui ne contraint pas la composition globale : celle-ci le déborde de toutes parts. L'*Agneau Mystique* reste au contraire très compartimenté autour du panneau central.

À ce sujet, un rapprochement s'impose entre la musique sacrée et la peinture des retables. À s'en tenir aux œuvres qui nous sont parvenues, il se trouve que la première messe*, en tant que genre musical, porte le nom de *Messe de Tournai*, du nom de la ville où Rogier de La Pasture voit le jour un peu plus tard. Mais c'est surtout, au milieu du xve siècle, l'évolution des messes de Guillaume Dufay (1400-1474), chanoine de Cambrai, et de Johannes Ockeghem (1420-1495), natif du Hainaut, c'est-à-dire tous deux quasiment compatriotes, et, pour le premier exact contemporain du peintre du *Jugement Dernier*, qui force le rapprochement (et beaucoup mieux d'ailleurs que les musiciens de la cour ducale du même moment pourraient nous tenter de la faire). En effet ces messes de Dufay et d'Ockeghem constituent pour la première fois des compositions tendant vers une sorte d'unification. La richesse naturelle de la polyphonie est mise à profit pour transgresser le découpage des parties successives de la liturgie en instituant ce qui s'annonce déjà comme *« un thème conducteur commun »* (L. Rebatet). Et le grand motet* d'Ockeghem, **Gan de Maria**, faisant alterner les voix hautes et les voies graves tout au long de son développement, fait bien « entendre » ce qu'a recherché, pour sa part, Van der Weiden, dans son Jugement, en organisant son contrepoint plastique tout au long de ses registres de figures superposées, unifiées par le thème majeur du Jugement divin.

Les misères du « Jugement »

Pendant trois siècles, ce polyptyque insigne était offert à la dévotion des pensionnaires de la Grand'Chambre de l'Hôtel-Dieu : terrorisait-il les pècheurs ? On peut augurer, le repentir aidant, qu'il imprégnait surtout d'espérance les agonisants.

La Révolution survenant, des mains pieuses le dérobèrent aux risques du vandalisme et la cache du grenier de la Grand' Chambre le recueillit jusqu'au jour où, en 1836, il y fut découvert par l'archéologue châlonnais Canat de Chizy. Il était temps car l'humidité l'avait mis en piteux état. Il fut restauré d'ailleurs très maladroitement, mais en 1875 la restauration en fut heureusement reprise sous la conduite du directeur des Musées Nationaux. La peinture transposée sur toile en raison du délabrement des panneaux originaux de bois est débarrassée des voiles dont on avait affligé les nudités en 1836. Rentré à Beaune en 1878 et désormais objet d'une admiration universelle, on ne pouvait réintégrer le retable à sa place d'origine tant que la Grand'Chambre conserva son usage hospitalier.

Il y a une trentaine d'années, une restauration très discrète dirigée par Jacques Dupont fut à nouveau nécessaire, mais aussitôt après un ministre eut l'imprudence de prêter le polyptyque à une galerie d'art qui l'exposa sous les feux d'un éclairage excessif et il fallut aussitôt après reprendre à nouveau le travail qui venait d'être opéré.

On sait aujourd'hui quelles normes d'éclairage doivent être respectées, mais à l'époque le simple bon sens aurait dut suffire à éviter cette mésaventure. On ne dira jamais la fragilité de tels ouvrages, qui ont gardé malgré tant de circonstances défavorables un éclat intangible dû pour une grande part à la sureté technique des « peintres flamands ».

*Un **élu** et un **damné** dans les plateaux de saint Michel.*

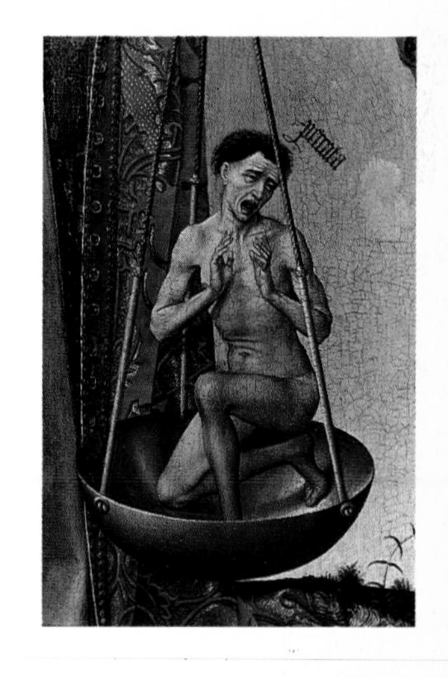

Un jugement éthique et esthétique

Quelques années plus tard l'occasion se présenta de replacer le polyptyque sur l'autel de la chapelle, dans les mêmes conditions où il fit rayonner sa splendeur pendant plus de trois siècles. J'ai regretté, comme G. Jouven et J. Taralon qu'on ait préféré la solution d'une présentation muséographique, dans les conditions certes pédagogiquement valables, mais qui ne sauraient se comparer à la restitution de la relation du polyptyque avec le cadre architectural pour lequel il a été conçu. C'est là une règle d'or pour les cas de cette nature.

Le polyptyque de Beaune dont nous avons fait ressortir la modernité reste une illustration la plus élevée de la notion de trésor sacré, telle que nous en avons donné précédemment le sens extensif. Du Moyen Âge il a gardé la rutilence du fond d'or du milieu du XVe siècle flamand il illustre la parfaite technique réaliste, saisissante dans le moindre détail d'un modèle de musculature, d'un portrait ou d'une simple fleur. Il anticipe aussi comme nous l'avons dit sur l'avenir, sans céder à la fascination de la grande peinture rivale : la peinture italienne. L'usage des retables de la fin du Moyen Âge perpétue ce jeu dont nous avons dit qu'il était le propre des trésors : alternativement caché et offert à la vue. Et ce fut là aussi le destin particulier du *Jugement Dernier* qui faillit mourir à deux reprises : une fois d'avoir été trop bien caché, une autre d'avoir été montré avec une trop insouciante générosité. Un retable, au Moyen Âge était fermé en semaine, c'est pourquoi les revers des panneaux étaient eux-mêmes peints. Et il était ouvert tout grand le dimanche dans l'éclat de la cérémonie liturgique, au son de la musique, dont le message s'accordait si bien au sien.

Château de Fère-en-Tardenois.

La Cour de l'Hôtel-Dieu de Beaune.

Puissions-nous faire en sorte de ne pas aborder les chefs-d'œuvre dans cet esprit de « consommateur culturel » qui dégrade ce qu'il touche ! Puissions-nous apprendre de cette fréquentation rare de telles œuvres, une certaine éthique qui est celle-là même qui accomplit moins en parole qu'en acte le vrai respect d'autrui. Il fut donné à Jacques Copeau en 1943, de rendre un bel hommage à l'Hôtel-Dieu de Beaune en jouant dans sa cour le « Miracle du Pain Doré », mystère médiéval dont le texte a été conservé et dont Copeau, malgré l'Occupation, avait réussi à restituer la beauté plastique et musicale et le caractère sacré. Vingt ans plus tôt, avec ses « copeaux », le grand rénovateur de la scène française parcourait la Bourgogne et y plantait ses tréteaux de village en village. En 1949, revenu habiter Pernand-Vergelesse, un village de la côte des vins de Beaune, il fut hospitalisé à l'Hôtel-Dieu et y mourut.

J'eus le privilège en 1954 et en ouverture aux Nuits de Bourgogne qui pendant trente ans animèrent les hauts lieux de cette province, de célébrer dans la cour de l'Hôtel-Dieu, la vie de Nicolas Rolin et de son épouse en en croisant le thème avec ceux du Mystère du *Jugement* et du *Puits de Moïse*. Ces étagements de l'Hôtel-Dieu se prêtaient aux évocations médiévales du ciel, de la terre et de l'enfer du Polyptyque. Les « mansions* » de ce jeu s'animaient simultanément comme l'avait fait Copeau en hommage duquel les tréteaux avaient été à nouveau dressés. C'est un extraordinaire décor que l'Hôtel-Dieu, et c'est même théâtralement plus que cela chaque fois qu'il prête ainsi sa cour à l'expression du théâtre, comme ce fut encore le cas lorsqu'on y joua quelque temps plus tard la *Dévotion à la Croix* de Calderon : c'est comme un retable lui-même.

Non seulement le monument, mais l'œuvre de Nicolas Rolin étaient doués d'une rare pérennité, puisque selon les termes de la Charte de la Fondation de 1443, les vignes dont la Fondation est dotée continuent à alimenter son budget grâce à la vente spectaculaire des vins des « Hospices de Beaune ». Parmi ceux qui, au XXe siècle, ont veillé sur l'Hôtel-Dieu, la famille Latour lui a donné ses administrateurs et conservateurs les plus notoires.

MÉTAMORPHOSES DES CHÂTEAUX

LES MÉTAMORPHOSES DES CHÂTEAUX

Un passé de métamorphoses un avenir à fixer

La maison rurale, comme d'ailleurs le monastère, est intimement liée à son terroir d'où elle tire les ressources naturelles qu'exploitent et traitent ses habitants. La maison urbaine est solidaire de ses voisines qui composent avec elle l'espace citadin. De même, urbaine ou rurale, l'église ne saurait être privée du contexte paroissial dont elle constitue l'épicentre tant physique que spirituel.

Par contre, la dénomination de château est un terme qui recouvre des formes et des fonctions si multiples que pour ce qui le concerne, la relation de l'architecture et son environnement est loin d'être aussi évidente. Dans une certaine mesure, il y a entre eux, au moins à l'origine, confrontation plutôt que complémentarité. J'ai eu, un jour, l'occasion d'appeler l'attention d'un historien des châteaux sur le fait que l'idée d'une coupure avec l'environnement était incluse dans l'étymologie même de castrum et de castellum (et de leur racine indo-européenne qu'on retrouve dans l'idée de castration), et je sais gré à Jean-Pierre Babelon d'en avoir souligné l'idée dans sa préface de « Châteaux en France ».

Bien entendu, c'est la fonction même de la fortification que de **retrancher** un point fort pour qu'il soit **inaccessible** et **dominateur**, d'où l'on voit sans être vu, d'où l'on tire à l'arc en échappant aux flèches d'autrui, où l'on peut aussi contraindre ou défendre une population et la lier à la glèbe ou l'abriter dans la basse-cour* des défenses du château en cas d'agression.

Constituer le point d'appui d'un élan conquérant, mais aussi un abri protecteur est la vocation du château, qu'il appartienne au modeste détenteur d'un point fort ou au prince en quête de constituer un état souverain. Dans ce contexte se fonde la tactique qui exploite les vertus de cette coupure et la stratégie qui relie ou oppose entre eux, les points forts. Ces pratiques sont à l'image des usages du monde animal où l'on distingue les refuges et les territoires où peuvent s'affronter plusieurs prédateurs.

Lorsqu'on exploite le champ sémantique du trésor d'art, on n'a pas de peine à faire dériver le caractère précieux de l'objet cultuel, de l'idole, de l'icône, du don offert à la divinité, jusqu'au temple, ou à l'église.

Dans sa forme originelle, il vient moins aisément à l'esprit que le château, le château fort s'entend, peut revêtir une préciosité de la même nature.

C'est grâce à la richesse personnelle qu'un puissant seigneur peut accumuler, que le château devient lui-même, au Moyen Âge, un trésor. Il deviendra en fait aussi une œuvre d'art et un sujet d'émerveillement de même que l'église dont la richesse concrétise l'élan spirituel. Le seigneur, au Moyen Âge, participe lui-même, par ses dons, à cette célébration divine. Mais c'est aussi dans un but d'hédonisme que le châtelain fera de sa résidence un trésor d'art inséparable des raffinements de la vie courtoise, de la chevalerie, des formes de plus en plus riches de la littérature médiévale dans laquelle, des Chansons de Geste à Chrétien de Troyes, se mêlent l'inspiration sacrée et l'inspiration profane à la recherche de l'inaccessible Graal.

Mais, pour autant, l'aventure imaginaire que devrait constituer le « paradigme » du château n'a pas pour issue le modèle du « paradis ». La Jérusalem céleste n'est pas un château, mais une ville accueillant la communauté des saints et des élus : elle signifie la double communion dans l'amour de Dieu et des hommes.

Le château reste un symbole de solitude. Certes, ce château de la fin du Moyen Âge peut être paré de tous les agréments de la vie. On le voit dans ce qu'on peut considérer comme le sommet de son iconographie : les miniatures célèbres des Très Riches Heures du Duc de Berry, mais combien ces images qui sont, en elles-mêmes, des trésors d'art parmi les plus précieux du monde, dénotent la fragilté au cœur de la vie de plaisir. C'est bien le moment où l'artillerie fait en sorte que l'inaccessible tour du château féodal n'est plus, elle-même, qu'une image, qu'une sécurité illusoire. C'est pourquoi le fort devient gracieux, le massif devient le multiple, le viril le cède à la féminité, le château de pierre devient comme cristallin.

Alors même que les châteaux, singulièrement même les royaux, restent destinés à protéger et à sévir, leur vocation à plaire a déjà suscité de nouvelles générations de trésors d'arts nous y reviendrons à propos de la tapisserie et de son développement spectaculaire. Si rares soient les vestiges de l'art textile du haut Moyen Age, le décor profane féodal, notamment grâce à l'héraldisme, ne fut jamais interrompu. En ce qui concerne la mosaïque, décor précieux par excellence, que l'Antiquité, les Empires carolingien et byzantin et Venise ont illustré, il fut en France écrasé par la préséance du vitrail. De Ganagobie* à Brioude, nous l'avons vu, ses vestiges sont surtout religieux.

Le récit de la métamorphose décisive des châteaux de la Renaissance, que Blois, Fère et Bussy vont expliciter ici, appelle deux précautions. La première consiste à éviter d'identifier, point par point, mutation de la vocation des châteaux et italianisme « L'architecture à la française » telle que l'a joliment baptisée J. M. Perouse de Montclos, n'est pas au XVIe siècle une branche morte et brisée de l'arbre généalogique de l'architecture. Cet auteur détecte les signes qui se perpétuent jusqu'à l'ère classique. A regarder de près quelques hôtels parisiens, on trouve de la saveur à voir s'affronter deux tempéraments plus encore que deux modes. Aux italianisants l'assymétrie, formule théâtrale : l'architecture gestuelle selon la façon enviable qu'ont les Italiens de s'exprimer. Aux classicistes la symétrie qu'impose la logique du plan. Chez les uns l'originalité vient de la fougue, chez les autres de la nécessité.

La seconde précaution consiste à rappeler que l'exigeance d'une architecture militaire ne s'est pas affaissée à la Renaissance. C'est au contraire, pour elle, un grand recommencement dans le chapitre suivant, « Le pré carré français » nous brosserons rapidement la manifestation de sa présence aux nouvelles frontières de la France du temps de Vauban. Entre temps, si la monarchie française ne pouvait éprouver que de la méfiance à l'égard des vieilles forteresses qui hérissaient tout le royaume, des châteaux importants furent en revanche édifiés en vue de protéger une nouvelle frontière comme par exemple le trop méconnu château de Dijon* bâti par Louis XI lorsqu'il eut écrasé la puissance bourguignonne. Ce château constitue un des plus éclatants scandales du vandalisme ; classé en 1876 et déclassé en 1887, ce qu'à cent ans de distance, on ne saurait mettre sur le compte du symbolisme de la démolition de la Bastille. Bastions nouveaux ou châteaux forts métamorphosés, la tradition de l'architecture se poursuit.

À vrai dire, le moment où le château propose son image de bonheur et de plaisirs esthétiques et sensuels les plus épanouis, la misère, la famine, la guerre, la peste, la discorde et la haine font rage. Le retranchement entre le château et son environnement est donc encore une réalité quotidienne et se double d'un retranchement entre le rêve et la réalité. Le repaire du « Baron Massacre », cher au poète Audiberti, dont la cruauté alimente tant de forces obscures en quête de revanche sur le christianisme, c'est le château qui, au tournant de l'histoire, va finalement mourir à l'aube des temps modernes.

Tel le phénix, comment le château va-t-il renaître de ses cendres ? Nous allons l'expliquer au long de ce chapitre. Beaucoup de châteaux forts sont bientôt démantelés. D'autres perdent un côté de leurs courtines et sur les trois autres s'appuient de nouveaux types de logis. Quant aux tours qui subsistent, elles ne sont plus que symboliques des droits acquis dans le passé par leur puissance disparue.

Sauf les guerres de religion, ces châteaux forts métamorphosés en châteaux de plaisance n'ont plus à craindre de conflit fratricide jusqu'à la Révolution française, ni d'environnement hostile. La noblesse architecturale subsiste à travers la qualité plastique des œuvres et leur décor. Quant à la force militaire elle se transporte à la périphérie du royaume. La puissance suprême se concentre à Versailles et les châteaux de province poursuivent leur rêve nostalgique. Les atours et les lois du classicisme leur réservent encore une nouvelle aventure architecturale, mais qui ne les distingue pas radicalement du grand hôtel urbain. En reproduisant l'hôtel Biron à Paris (l'actuel musée Rodin), un beau château bourguignon, le château de Tanlay, en est un exemple. Simplement la tour féodale ancestrale veille encore sur lui.

Enfin les châteaux qui n'ont été ni démantelés ni transformés sont devenus des prisons-citadelles où le roi enferme ses mauvais sujets et les familles leurs mauvais garçons. La Bastille, que Louis XVI ne démolira pas lui-même à temps, comme il en avait l'intention, sera détruite par les Parisiens. La France rurale leur fera écho au cri de « À bas les châteaux ! »

Aujourd'hui, il reste que les châteaux, à l'issue de leur incessante métamorphose, constituent la plus grande masse patrimoniale de France. Un ensemble de trente mille biens immobiliers de toutes formes, de toutes natures, la plupart du temps, une fois encore, privés de leur environnement à l'exception parfois de leurs parcs et jardins.

Sur cet ensemble, trois mille sont classés Monuments Historiques ; des propriétaires entreprenants, groupés, forment des associations actives qui jouent la carte de l'avenir des châteaux pour le siècle qui pointe.

COMMARQUE EN PÉRIGORD NOIR

Dans un site rocheux et boisé du Périgord noir, sur le territoire actuel des Eyzies-Sireuil, s'élève depuis le XIIe siècle la puissante forteresse féodale de Commarque. Mais le site était choisi par les hommes du paléolithique plus de dix mille ans plus tôt, comme le prouve la présence de la grotte ornée au-dessous du château à qui on a donné le nom du fief.

Enfin, à mi-pente, les vestiges d'un habitat troglodyte expriment le rôle stratégique de cette falaise abrupte et de ce gué offert par la petite rivière de la Beune à ses pieds.

Le donjon, construit sur ce rocher, élève sa haute silhouette dont la forme aux angles vifs accentue ce symbolisme de coupure, de retranchement et de domination, que la nature exprime d'elle-même. Ainsi, comme à Fère-en-Tardenois que nous décrirons sommairement plus loin, comme au château royal de Blois lui-même, pour assurer la communication de la résidence avec ses dépendances, il a fallu prévoir un pont pour accéder à Commarque ; mais au Moyen Âge ce pont était léger et escamotable.

Le donjon, sommé de mâchicoulis, se compose de deux bâtiments accolés quoique solidaires. Ils se distinguent, l'un du XIIe, par son caractère massif, l'autre du XIVe, par sa légèreté relative. Les murs épais des salles exiguës du premier bâtiment sont toutefois percés d'une fenêtre romane à colonnettes. D'autre part, le second bâtiment aux salles plus spacieuses a conservé à son sommet sa voûte d'origine et son escalier à vis qui mène à la terrasse.

D'autres constructions du XVe siècle (corps de logis, chapelle et enceinte) ne sont plus que ruines.

Château de **Commarque** *: vue aérienne.*

Réutilisation du donjon

Le fief féodal a donné son nom à l'un des quatre comtés qui composèrent le Périgord. C'est dire l'importance historique de la famille et de la forteresse de Commarque dans l'histoire de cette province. Mais l'histoire les avait séparés. En 1962, Hubert de Commarque qui menait déjà, depuis plusieurs années à partir de Sireuil, de multiples actions pédagogiques de rénovation et de défense de l'environnement du Périgord, reprit possession du château ancestral. Les planchers du donjon s'étaient effondrés, les étages supérieurs étaient inaccessibles : il restaura et rendit l'ensemble du château à la vie.

Aujourd'hui, auprès de l'Association pour l'Essor du Périgord noir (ESPER), centre permanent exemplaire d'initiation à l'environnement, s'est constituée l'Association Culturelle de Commarque : celle-ci prolonge l'entreprise au niveau universitaire, régional et international avec ses Rencontres d'Archéologie et d'Histoire orientées tant vers les recherches médiévales et la castellologie* que vers les grandes synthèses que l'attention à l'environnement permet d'élaborer aujourd'hui sur les séquences de la longue durée. Quoi de plus excitant qu'entre les Eyzies et Commarque, on puisse ainsi réfléchir à ce qui constitua par exemple, les grands flux de peuplement préhistoriques et historiques européens et qui, ayant atteint l'Atlantique, et faute de pouvoir aller plus loin, s'entremêlèrent sur les terroirs aquitains.

La coupure du paysage marqué par le donjon de Commarque a longtemps symbolisé la séparation entre les temps féodaux et les temps modernes. L'isolement entre le donjon et la grotte qui est à ses pieds pourrait symboliser aussi, la séparation qui existe depuis la naissance des sciences préhistoriques, entre celles-ci et les sciences historiques. L'usage actuel du château de Commarque tend aujourd'hui à exprimer sur le terrain, au cœur du terroir, un type de relation nouvelle et comme une sorte de pont entre toutes ces valeurs.

Le donjon de Commarque.

L'AVENTURE D'UN CHÂTEAU ROYAL : BLOIS

Une capitale imaginaire

Marcel Proust dit de Balzac qu'il eut *« l'illumination rétrospective »* de l'unité de son œuvre gigantesque. Lorsque Balzac publia, en 1842, son étude sur « Catherine de Médicis », a-t-il eu l'illumination rétrospective de l'histoire qui aurait pu être celle de Blois dans cette phrase étonnante *« Si François Ier eût assis Chambord (...) à la place où s'étendaient alors les parterres où Gaston d'Orléans mit son palais, jamais Versailles n'eût existé : Blois aurait été nécessairement la capitale de la France » ?*

Le plus imaginatif de nos romanciers dont on a dit cependant qu'il était encore davantage un historien, monte ainsi un échafaudage de suppositions qui prend en compte ce fait historique incontestable : de Charles VII aux derniers Valois, le centre de gravité du Royaume de France glissa des bords de la Seine aux bords de la Loire et aurait pu s'y fixer.

Ce risque supposé d'un Versailles qui aurait pu ne pas être, Versailles voulut le faire sans doute payer à Blois, aux approches de la Révolution.

Les abandons se poursuivent

En effet, pour faire des économies qu'exigeait l'état de ses finances, Louis XVI, plutôt que de réduire le train de Versailles, résolut de se débarrasser ou de démolir certains châteaux que ses prédécesseurs avaient bâtis à la gloire de la France et de sa dynastie. Ainsi disparurent La Muette, Madrid (à Neuilly) et d'autres devaient suivre : Vincennes, la Bastille et Blois. Celui-ci fut provisoirement épargné, car on dut y loger un régiment, le Royal Comtois.

Certes, la Révolution commit des déprédations à Blois, abattit notamment la statue équestre de Louis XII. Mais c'est sous l'Empire que le château fut, à nouveau, menacé de destruction totale par un préfet. Il en fut empêché par le Conseil des Bâtiments civils qui estima prudemment qu'on ne pouvait « *décider ainsi à la légère* » du sort d'un monument qu'il jugeait *« dans son genre »* intéressant et *« même lié à des souvenirs de notre histoire »* — que d'euphémismes ! On demanda donc un complément d'information...

En 1810, l'État se désintéressa pourtant de l'ancienne résidence royale et il la céda à la ville de Blois. Devenue propriétaire, celle-ci démolit bientôt un pavillon de l'aile de Gaston d'Orléans. C'était pourtant la partie du château que l'on prisait alors le plus, puisqu'on envisagea d'y installer la préfecture du Loir-et-Cher... à condition de démolir l'aile Louis-XII. Pour lors, l'administration militaire poursuivait ses déprédations, abattit en 1831 les cheminées Louis XII *« dont la saillie contrariait le placement des lits »* et défigura la chapelle de Gaston d'Orléans et sa galerie.

C'est en 1839 qu'on commença à se soucier de sauver et restaurer l'édifice. Les cris d'alarmes n'avaient pas manqué : dès 1825, ceux de Victor Hugo et ceux de Balzac, justement ému par *« la magnificence du château du roi chevalier »* (François Ier). Blois figura sur la première liste des Monuments Historiques et c'est finalement en 1848 que survint la désaffectation militaire de l'aile François-Ier. Mais, le revirement du goût aidant, Flaubert, en 1847, dénonçait, par contre, la *« bêtise de l'aile Gaston d'Orléans »* et le restaurateur désigné, Félix Duban, en aurait alors, lui-même, proposé la destruction afin de prolonger à sa façon l'aile François-Ier. Toujours est-il qu'il restaura celle-ci à partir de 1845 et celle de Louis XII à partir de 1846. Les Blésois et un autre préfet, Soubeyran, plus avisé que son prédécesseur, soucieux de sauver Blois définitivement, proposèrent, en 1861, le don de l'ensemble au Prince Impérial, ce qui était une façon de renouer avec le destin monarchique du château. La chute de l'Empire survint en 1870 et la restauration fut interrompue. Elle reprit en 1875 sous la direction de Jules de La Morandière, puis d'Anatole de Baudot qui dut corriger des erreurs techniques de Duban et pratiqua, pour la première fois, avant 1914, l'usage de poutres en béton armé invisibles dans la restauration des monuments.

L'aile Louis-XII, surtout son intérieur, porte sans doute la marque de l'esprit des restaurateurs du XIXe siècle, mais Blois n'en était pas moins sauvé lorsque des bombes déversées sur la ville en 1940 provoquèrent un incendie auquel le château échappa de peu. Il fut, par contre, assez gravement atteint par les combats de 1944, mais après la guerre une importante restauration fut menée à bien par l'architecte en chef Michel Raugard, avec le concours de Paul-Robert Houdin.

En somme, l'histoire des événements et des décisions dont Blois a été l'objet montre que sa pérennité sur les bords de la Loire tient du miracle. On invoque généralement les fluctuations du goût pour expliquer bien des sottises en tant que circonstances atténuantes. Mais ces fluctuations du goût ont toujours existé : elles sont même à l'origine du caractère tout à fait exceptionnel si significatif de cet ouvrage. Au moment où l'on a déjà pris une conscience précise de la notion de durée d'évolution et de permanence de la nation française et de la nécessité d'en préserver la mémoire, des intérêts médiocres en oblitèrent à ce point le sens et la puissance de ses symboles relève moins de l'idéologie que de l'épaisseur, que de l'inconscience pure et simple.

Cette aventure curieuse de la pensée collective est instructive. Elle souligne la légitimité de l'entreprise qui a été menée à bien, en fin de compte seulement au cours du XIXe siècle, mais dont les esprits les plus perspicaces, de Hugo à Balzac, avaient eu très tôt conscience dès le premier quart du XIXe.

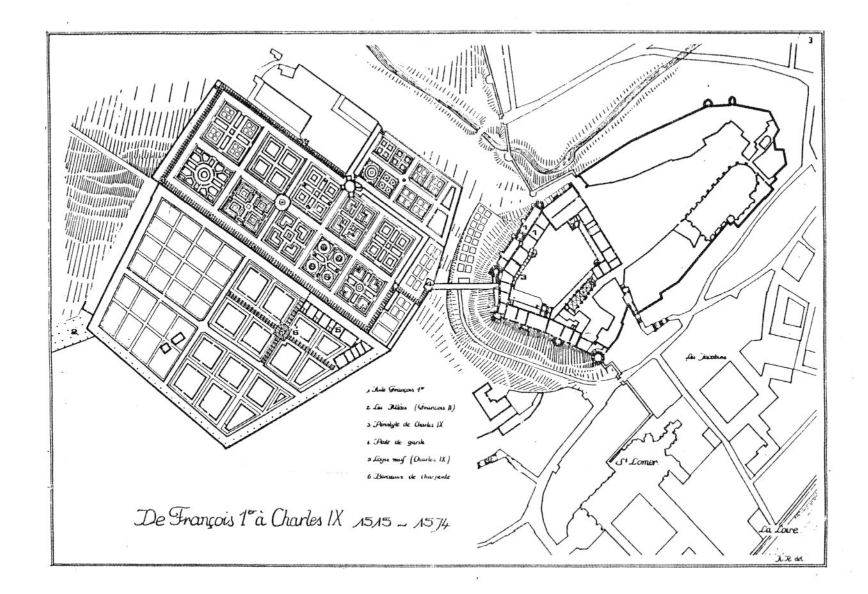

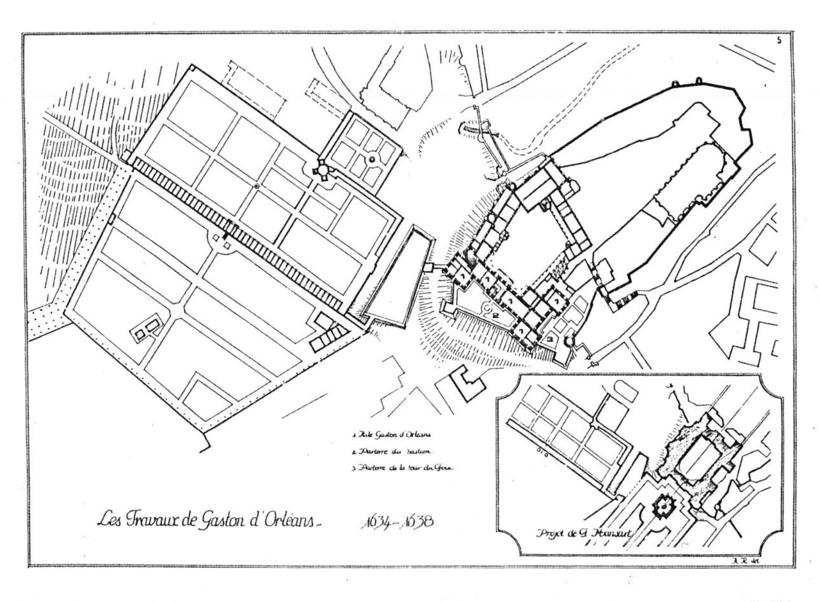

***Plan** du Château de **Blois** de François Ier et de Charles IX et plan des travaux de Gaston d'Orléans.*

Blois avant Blois

On ne peut conter ici, en détail, l'histoire de Blois, pas plus que des cathédrales de Chartres ou de Reims. Rappelons-en quelques faits saillants. Son promontoire était déjà occupé militairement du temps de Grégoire de Tours, peut-être même de Clovis, et des monnaies mérovingiennes portent l'inscription « Bleso Castro ». Les Normands incendièrent Blois en 854 et Thibaud le Tricheur et ses successeurs, aux Xe et XIe siècles, élevèrent leurs donjons à Blois comme à Chartres et à Chinon et leur puissance rivalisa longtemps avec la dynastie angevine fondée par Foulque Nerra.

Le château actuel n'est pas seulement, comme on l'a souvent dit, la plus étonnante anthologie de l'architecture française de la Renaissance à l'époque classique, car en fait, au centre de sa cour intérieure, on admire selon la direction du regard des bâtiments tous remarquables, élevés tour à tour aux XIIIe, XVe, XVIe et XVIIe siècles.

La grand'salle et l'enceinte

Du XIIIe siècle subsiste la grand'salle des comtes de Blois, qui n'est pas sans analogie avec celle du palais des rois de France (à la Conciergerie), mais seulement divisée en deux nefs et couverte d'un lambris de bois, et non voûtée en pierre. Remaniée sous Louis XII, elle doit son nom actuel de « Salle des États » aux États généraux qui y furent tenus en 1576 et en 1588. Le second apport du XIIIe siècle est constitué par les vestiges de l'enceinte féodale, notamment la tour de Foix. Au Moyen Âge, l'intérieur de l'enceinte était divisé en deux parties : la demeure seigneuriale ou donjon, occupant une partie du château actuel. L'avant-cour, ou basse-cour, séparait le château de la collégiale Saint-Sauveur, aujourd'hui disparue.

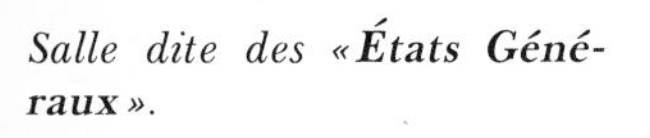

*Salle dite des «**États Généraux**».*

Le prince poète

Louis d'Orléans, frère de Charles VI, acquit le comté en 1391. Ce sont ses descendants, Louis XII et François Ier, qui, devenus rois, firent entrer Blois dans le domaine de la couronne de France. Le fils de Louis, Charles d'Orléans, dont les poèmes sont un des monuments les plus raffinés de la langue française, était longtemps resté captif des Anglais. C'est pendant sa captivité que se réunit, à Blois, autour de Jeanne d'Arc, l'armée qui allait libérer Orléans en 1429.

À son retour, Charles entreprend des travaux qui sont évoqués dans les textes en 1443, la date même de la fondation de l'Hôtel-Dieu de Beaune par Nicolas Rollin, chancelier du duc de Bourgogne, grand rival du duc d'Orléans. Mais Charles d'Orléans meurt en 1465, louis XI en 1483, et Charles VIII en 1498 accidentellement à Amboise ; le fils de Charles d'Orléans devient roi de France sous le nom de Louis XII. C'est un événement capital qui va faire de Blois, en plusieurs étapes, cette résidence princière fondamentale à la connaissance de l'histoire de l'architecture française.

Aile Louis XII.

Aile Louis XII

C'est l'année même de son avènement que Louis XII commence les travaux de l'aile qui porte son nom. En dépit de la présence de maîtres italiens en France depuis les chevauchées de Charles VII en Italie, l'œuvre des architectes de Louis XII reste typiquement française. L'usage de la brique, le grand toit à la française, les dispositions encore très médiévales de la façade extérieure centrée sur le portail et au-dessus de lui la grande niche flamboyante abritant la statue équestre du roi, enfin la simplicité relative de la façade intérieure élevée sur galerie, tout cela montre qu'à l'orée du XVIe siècle, la marque de la Renaissance et l'influence italienne ne sont pas encore tout à fait imposées. Elles marquent ici et là le décor, mais nullement le parti architectural. Et encore dans le décor, la référence à l'Italie, dont Louis XII a repris le chemin, y est, elle-même, plus littéraire que formelle.

Façade des Loges de François Ier.

Aile François Ier

C'est François Ier, devenu roi en 1515, qui a franchi le pas. Lui aussi, dès la première année de son règne, fait à son tour, mais momentanément, de Blois, sa résidence principale.

Les deux façades de l'aile François-Ier, sur cour avec son célèbre escalier, sur l'extérieur avec ses « loges », furent élevées en quelques neuf années et proclament le triomphe du style nouveau de la première Renaissance. Leur influence sur les chantiers de l'époque est immense.

Pourtant, les dispositions d'ensemble, si elles ne tiennent désormais plus aucun compte de la fonction défensive, mais exclusivement des agréments de la vie résidentielle, ne font que poursuivre une longue évolution qui reste proprement française. C'est au niveau de l'ornementation que la mutation est complète. Aussi l'attribution de cette aile est-elle aussi controversée que la précédente, allant de Dominique de Cortone à Jacques Sourdeau, sans méconnaître que le roi lui-même, passionné et très averti d'architecture, a pu contribuer à orienter les partis à prendre. Quoique doué d'une superbe unité, l'aile François-Ier ne fut pas édifiée sans poser le problème de la présence d'éléments voisins comme la salle des États ou celle des bâtiments que remplaça plus tard l'aile de Gaston d'Orléans. Il s'agissait toujours d'assumer les fonctions qui préexistaient mais avec la volonté d'exprimer un nouveau temps et un nouveau règne. À l'extérieur où s'adossait un mur d'enceinte les ouvertures étaient largement ménagées sur la cour. C'est pourquoi l'esprit des deux façades, quoiqu'en correspondance, est resté très différent.

Le parti conduisit finalement à masquer l'enceinte initiale et à dégager la construction afin de jouir de la vue sur les jardins et le paysage environnant. D'où l'idée de ces deux rangées de loges au-dessus des étages et le rythme des fenêtres et des échauguettes.

Relevé de Duban de la façade avant restauration.

Toutes ces innovations ne sont pas allées sans fantaisie qui paraissent surprenantes dans un parti d'une telle ampleur. L'asymétrie subsiste, les références à la tradition de la construction française aussi. La Fontaine ne s'y trompa pas, il se félicitait, en pleine époque classique, que l'irrégularité et le désordre contribuassent à la grandeur de Blois.

Cette opinion pourrait être méditée car elle est peut-être la clé de la perception de tout le château de Blois. Celui qui recherche l'esprit de système n'y trouve pas son compte, surtout s'il vient de Versailles. Mais s'il aime l'architecture, s'il lui plaît que l'architecture le surprenne, alors dans le détail et surtout dans l'ensemble d'un parti qui s'est accompli au cours du temps dans la plus grande maîtrise de l'art de bâtir, il se laisse entièrement séduire. Dans ce sens, Blois, y compris ses collages, est d'une modernité étonnante.

Si les références des architectes de Blois furent inconstantes, François Ier le fut davantage à l'égard de son château. À peine eut-il achevé son aile qu'il imagina Chambord. De retour de captivité il se rapprocha de Paris et vécut à Saint-Germain et à Fontainebleau. C'est Henri II qui retourna à Blois où on sait par un film célèbre autant que par les historiens qu'il y fit assassiner le duc de Guise. Il y a quelques années un gardien désignait aux touristes éberlués, le dallage taché de sang qui atteste l'holocauste royal !

Vue rapprochée des **Loges**.

Le projet d'Henri IV

C'est Henri IV qui faillit agrandir encore Blois ainsi que le révèlent les dessins conservés au musée de Stockholm. Son projet est stupéfiant d'ampleur. D'abord, il occupait le dernier côté du quadrilatère qui le serait par l'aile de Gaston d'Orléans, mais d'une façon infiniment plus ambitieuse. Non moins grandiose était le projet d'une vaste galerie sur le jardin bas du château et le débordant des deux côtés. Le tout ne détruisait pas les œuvres de ses prédécesseurs, mais leur donnait un cadre d'une ampleur qui en faisait effectivement un Versailles avant la lettre. Ce n'est que récemment qu'on découvrit ce projet. Balzac ne pouvait y faire référence. Mais sa rétrospective a pourtant croisé le vœu et le projet qu'Henri IV ne put mener à bien. Il en reste finalement peu de trace.

L'aile de Gaston d'Orléans.

L'aile de Gaston

Redevenu le domaine d'une nouvelle dynastie « d'Orléans » dont Gaston, en tant que frère de Louis XIII, porte à son tour le nom, le Blois que nous connaissons fut achevé selon la volonté de ce prince par François Mansart. En définitive, Blois n'a peut-être rien perdu à l'échec d'Henri IV.

Sans nous étendre sur l'œuvre de ce grand architecte qui symbolise la nouvelle tradition française du XVIIe siècle, soulignons que son dessein était bien différent de celui d'Henri IV : surtout en faisant face aux jardins au-delà des fossés et non face à la Loire.

Quoi qu'il en soit, l'aile Gaston-d'Orléans exprime aujourd'hui dans la cour intérieure une volonté de rupture par l'harmonie classique de son parti, beaucoup plus radicale que celle qui sépare l'esprit des ailes Louis-XII et François-Ier qui ont, somme toute, un certain air de famille... Il y a avec François Mansart plus que l'annonce d'un univers pleinement accompli à Versailles par Hardouin-Mansart. C'est l'esprit d'un enchaînement des formes si formel et si hiérarchisé qui, à partir d'un centre ou d'un axe, appelle tout l'espace visible à s'y conformer et à s'y subordonner.

Si François Mansart ne pouvait trouver son compte à Blois, c'est que la place était déjà savoureusement investie par des ouvrages antérieurs qui furent d'ailleurs, comme on l'a vu, menacés par la suite, mais ont finalement assez bien résisté. D'ailleurs, la façade sur cour de Gaston reste assez mouvementée pour s'accommoder de son rôle. Elle constitue certes un chapitre bien distinct de l'histoire de l'architecture mais, en somme, un heureux épilogue à la grande entreprise séculaire de la cour centrale de Blois.

Autre vue de **la même aile.**

Coupe de l'escalier *de Gaston d'Orléans.*

Plan du jardin par Du Cerceau.

Le château — la ville et le jardin du roi

La création de ce château royal sur une éminence réduite au cœur d'une ville a tenu au cours des siècles du paradoxe. Il a d'abord consacré la bipolarité de cet espace urbain tendu entre le pôle du quartier de la cathédrale et celui du château. Mais celui-ci a dévoré le quartier qu'il a suscité tandis que le second pôle n'a pas créé le même attrait que dans d'autres cités.

Par ailleurs, une résidence de cette nature, royale au surplus, ne se conçoit pas sans un large développement de jardins qui constitue le nécessaire prolongement de ses agréments. L'exiguïté de l'éminence contraint les architectes à le développer, à leur convenance, et tel qu'il apparaît par exemple dans les superbes dessins de Du Cerceau, au-delà des fossés occupés aujourd'hui par la « rue des Fossés-du-Château » et que franchissait une passerelle qui partait de l'extrémité de l'aile François-Ier à l'angle où la jouxtait l'aile de Gaston d'Orléans.

Si l'histoire n'eut pas raison du château, l'extension de la ville eut raison du superbe jardin du roi, cet espace des Lices qui, malgré sa dégradation continue, a été classé comme site en 1910 et a été dégagé et occupé par des serres et des barraquements.

Le château que Louis XVI était prêt à démolir constitue, bien entendu aujourd'hui, l'attraction capitale de la ville de Blois. Mais, s'il l'enrichit, il pose des problèmes très difficiles au stationnement des touristes pour la même raison qu'aux jardiniers de jadis : l'exiguïté de la butte. Il n'existe pas d'autre solution que d'aménager des parkings souterrains mais en préservant des nuisances de leurs issues à la fois les abords immédiats du château et l'espace des lices auquel on souhaite toujours un meilleur destin.

Le temps semble peut-être passé d'un nouveau destin pour le château de Blois qui, au lieu d'être supporté par la ville comme une gloire écrasante, lui donnerait de nouvelles chances. Il n'est pas un château de France à laquelle non seulement l'histoire de l'architecture ne soit si diversement présente, mais aussi l'histoire mouvementée de l'architecture en tant que patrimoine. Quel thème pour légitimer son animation et lui rendre la beauté d'un environnement qu'il n'a perdu, je l'augure, que provisoirement.

COUR ET JARDIN

La vocation défensive du château cédant peu à peu le pas à sa vocation d'ouvrage précieux et délectable, son environnement se trouve lui-même accaparé par cette nouvelle fonction. À la basse-cour* de refuge fait place le développement du jardin d'agrément qui n'exclut pas le potager (à Versailles même le potager du roi).

Le jardin bénéficie d'une immémoriale tradition symbolique. Étymologiquement c'est un enclos, une partie de la nature disciplinée et qui reste cernée, selon l'archétype du paradis terrestre : le **pardès** chaldéen, le **paradehi** sanscrit (**dehi** veut dire digne). Le jardin ne s'oppose pas moins à la cour tant dans l'architecture des châteaux et des hôtels particuliers classiques que dans leur métaphore théâtrale. L'immeuble aristocratique comme la comédie et la tragédie, se développe entre « cour et jardin ». Mais si la cour est toute minérale, le jardin est une architecture de terres et de végétaux. Du XVIe au XVIIe siècle, cet espace ludique s'enrichit sur base de symétrie de tous les développements qu'inspirent les lois de la perspective, une meilleure connaissance des modèles orientaux et de la science de l'horticulture, de la gestion des « bois plantés par les hommes », tandis que les forêts naturelles sont elles-mêmes « forées » et elles-mêmes gérées dans la recherche de la plus grande qualité. La rigueur du « jardin à la française » va de pair avec la richesse du décor : ornements des parterres, « bosquets », sculptures de plein air dont le destin voyageur des chevaux de Marly constitue une belle illustration et dont le programme, le plus souvent mythologique, conforte le symbolisme jardinier.

« La salle de bal » de Versailles.

Jardin et Château de Fontainebleau.

La conservation des jardins à la française est d'une grande nécessité patrimoniale, mais elle constitue une charge importante dont on n'a pas toujours mesuré l'ampleur. Elle exige aussi une compétence très spécialisée. Enfin, plus encore que celle des bâtiments, elle exige un entretien constant. La substance du jardin étant vivante, il va de soi qu'elle implique un renouvellement fréquent et parfois des remplacements massifs, pour que, par exemple, les futaies soient d'une même venue. De telles coupes stupéfient parfois, mais par des prévisions appropriées on peut en atténuer les effets.

Une partie du décor naturel des jardins est mobile : d'où la possibilité de présenter des orangers dans le nord de la France, consciencieusement abrités l'hiver dans les « orangeries ». L'un des meilleurs spécialistes français des jardins, Jean Feray, est aussi un expert du décor classique français. C'est un signe qu'il existe entre ces deux domaines artistiques un lien étroit qui va plus loin que le service d'une certaine société dont Versailles a constitué le pôle : des graphiques symboliques, la même approche hautement technique d'un certain idéal esthétique, peut être aussi derrière tant d'ostentation maîtrisée, la marque secrète d'une certaine fragilité, que l'on prend parfois à tort pour de la facilité.

Le jardin précieux est l'expression qui a été la première mise en cause par les temps nouveaux. Libérer la nature de ses carcans, comme toutes les idées libérales, fut inspirée en France par les Anglais. Le jardin anglais est bien aussi dans l'esprit de Rousseau et du préromantisme. Il affecte de ressembler à la nature. En fait il s'agit bien plus subtilement d'une nature toute composée, telle que les peintres eux-mêmes la figurent. Versailles inclut à Trianon dans son programme et Chantilly dans le sien le type même des parcs du XIXe siècle.

Tapisserie des Flandres du **XVIe siècle :** *« l'Ivrese de Noé. » (ancienne coll. galerie Chevalier).*

LES TAPISSERIES

Les Tapisseries

Si le vitrail difracte la lumière en la chargeant d'une intensité propre, à l'inverse la tapisserie tendue sur les murs absorbe la lumière reçue. Techniquement elle est constituée de l'entrecroisement de nappes de fils verticaux et horizontaux, en laine ou en lin et parfois en fil d'or ou d'argent.

Au-delà des antécédents chinois ou coptes (sans qu'il ne soit possible de compter parmi les « tapisseries » celle de la Reine Mathilde qui est une broderie racontant la conquête de l'Angleterre par le Duc normand), l'essor de la tapisserie médiévale est inséparable de la première métamorphose des châteaux. Il s'agit, littéralement et poétiquement, de chauffer les murs des châteaux forts, de se prémunir du froid par des cloisons ou par l'habillage du bâti des lits. Cet art prévaut d'abord à Arras au xve et au xvie siècle, il gagne Bruxelles, Bruges, Aubusson, mais dès le xive il produit sans doute son chef-d'œuvre incomparable, avec la célèbre tenture de « l'Apocalypse » conservée au château d'Angers grâce à un habile aménagement de Bernard Vitry (1955). Son éclairage doit être scientifiquement très surveillé car, s'il est excessif, les couleurs des tapisseries sont irrémédiablement perdues, ce qui explique que le soleil a contribué à désaccorder beaucoup d'entre elles.

Certaines tapisseries à sujets religieux étaient également tendues dans les grandes arcades des chœurs des églises. Mais à la fin du xvie siècle, l'imitation trop habile et trop servile de la peinture peut être considérée comme un déclin.

Il ne faut pas pour autant ignorer, qu'entre le xvie et le déclin du xixe siècle, se développe la tapisserie classique grâce à Louis XIV et à Colbert qui fondèrent les grandes manufactures : Gobelins, Beauvais, Aubusson. Ces tapisseries furent associées à la somptuosité du décor boisé et du mobilier.

À l'avènement de l'art moderne grâce à Jean Lurçat, installé à Aubusson, on renoue avec certains caractères de la tradition médiévale : nombre réduit de teintes, franchise du dessin, lisibilité des hachures.

LA MOTTE ET LE PONT DE FÈRE-EN-TARDENOIS
Jean Bullant et les châteaux d'Anne de Montmorency

La motte maçonnée de ***Fère*** *vue en contre plongée.*

Le château fort

Fère-en-Tardenois fut édifié comme Commarque et comme le premier donjon de Blois de Thibaud le Tricheur sur un éperon rocheux. Mais pour renforcer cette défense naturelle, Robert II de Dreux, vassal du comte de Champagne qui reçut de lui l'autorisation, en 1206, d'y construire cette forteresse, isola l'extrémité de l'éperon en creusant un profond fossé et lui donna l'aspect d'une puissante motte en forme de pyramide polygonale tronquée. Cette motte fut entièrement couverte de parement de pierre, de sorte qu'elle constitua un glacis inexpugnable. La plate-forme ainsi constituée fut cernée par un muret à petites tourelles et, en retrait, s'éleva le château lui-même, polygone à sept côtés flanqué de sept tours rondes. Si le plan carré roman du XIIe caractérise Commarque dans le sud de la France, la citadelle associée à l'hégémonie d'un grand féodal du nord, est, au début du XIIIe est d'une élaboration complexe qui associe ainsi plan polygonal de base et plan circulaire des tourelles, tout en remettant en honneur l'archaïque, mais efficace motte.

«Petit château» de Chantilly.

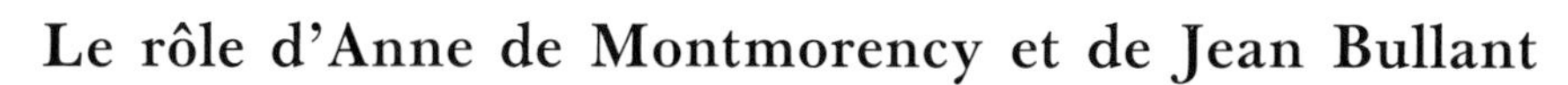

Le rôle d'Anne de Montmorency et de Jean Bullant

Après avoir changé de main par vente ou héritage, cette puissante forteresse échut à Louis d'Orléans, frère de Charles VI, comme ce fut encore le cas de Blois, et plus tard au duc d'Angoulême, le futur François Ier qui, à son accession au trône, en fit don, en 1525, à son futur connétable, le maréchal Anne de Montmorency, lorsque celui-ci épousa Anne de Savoie.

Anne de Montmorency peut, à l'exception de son maître, être considérée comme le plus grand bâtisseur de son temps. Sa passion du bâtiment s'étendait comme il se doit, pour un prince lettré de son époque, aux monuments de l'Antiquité. Nous avons signalé qu'en tant que gouverneur du Languedoc il promulgua le premier édit qui protégea juridiquement le patrimoine : en l'espèce les « antiquités » de Nîmes et notamment « la Maison Carrée ».

Il était né en 1493 à Chantilly, dans une forteresse à laquelle il substitua, vers 1560, cette merveille de « Petit Château » dû à Jean Bullant. Mais, dès 1535, sur l'emplacement d'une autre forteresse, il avait fait élever ce qu'on désigne aujourd'hui sous le nom de « Vieil Écouen » qu'il fit ensuite remanier par l'intervention essentielle du même Jean Bullant de 1556 à 1578, et qui fait de cette admirable demeure une clé de la connaissance de l'architecture de la Renaissance, ce qui justifia pleinement, qu'après avoir été le domaine de la Grande Chancellerie de la Légion d'honneur, après la restauration dirigée successivement par les architectes en chef Jean-Claude Rochette, Stym-Ropper, R. Vassus, ainsi que par l'archéologue A. Erlande-Brandenburg, son conservateur, Écouen devint le « Musée National de la Renaissance ».

On n'en finirait pas de citer les domaines où intervinrent, en France, les architectes d'Anne de Montmorency et particulièrement Jean Bullant. En Provence, à la Tour-d'Aigues, c'est un de ses familiers Jean-Louis-Nicolas de Boulier qui fit en sorte que son architecte s'inspirât aussi des travaux de Jean Bullant à Écouen. Mais au lieu de raser la demeure féodale, il en habilla soigneusement ses dispositions originelles de forteresse sur plan carré et donjon central, des prestiges de la Renaissance. Cela nous vaut un singulier héritage sur lequel nous allons revenir un peu plus loin à propos des problèmes posés par les restaurations.

Le pont-galerie

Quoi qu'il en soit, lorsque Anne de Montmorency devint propriétaire de Fère-la-forteresse, il entreprit de le remanier et de le rhabiller comme fit, plus tard, Boulier à la Tour-d'Aigues et il voulut lui donner une grande extension sur le plateau par-delà le fossé, à l'emplacement où se tenait la « basse cour »* du château dont il expulsa les paysans, et les relia non plus par une passerelle légère, mais par un pont-galerie propre à le franchir.

Les premiers travaux de reconstruction de Fère, déjà attribués à Jean Bullant, sont de 1528-1539. Ils précèdent donc les grands travaux d'Écouen contemporains de l'édification du pont-galerie (1555-1560). On peut donc considérer, à plus d'un titre, la Fère-en-Tardenois de la Renaissance, un peu comme le laboratoire d'Écouen qui orienta ensuite si fortement l'architecture française. Ajoutons qu'il semble aussi que le pont-galerie de Fère fut susceptible d'inspirer Philibert Delorme en quête de lancer lui-même un pont-galerie sur le Cher, à Chenonceaux, pour le plus grand plaisir de Diane de Poitiers.

Franchissant plus de soixante mètres, le pont de Fère repose sur de grosses piles rectangulaires décorées de hauts-reliefs représentant les aigles des armes de Montmorency. La galerie comporte deux étages. L'étage inférieur servant de passage et l'étage supérieur de galerie proprement dite. Celle-ci s'ouvre au niveau de la plate-forme de la motte et permet ainsi d'accéder à l'ancienne porte du château dûment remaniée.

Le pont-galerie n'est pas seulement un ouvrage d'une réussite plastique exception-

Château et pont-galerie de **Fère** *vus des jardins de l'autre côté de la butte.*

nelle dont l'écriture est à la fois aussi fantasque et aussi rigoureuse que certains ouvrages du même esprit qu'on remanie en Italie (Jean-Pierre Babelon cite à son propos la **strada coperta** des Visconti à Vigevance et le **corridoro** de Cosme de Médicis à Florence qui est d'ailleurs plus tardif : voici que Fère se mêlerait ainsi de donner des leçons à l'Italie elle-même. En fait, c'est aussi un ouvrage très audacieux et d'une parfaite maîtrise technique où l'équilibre des masses au sens plastique du terme, ne va pas sans se fonder sur l'équilibre des forces et des poids. Le temps de la Renaissance est, par excellence, celui où le métier d'architecte et d'ingénieur se confondent dans les mêmes soucis, enseignés par Vitruve, d'être utile, d'être solide et d'être beau. Ajoutons que les deux niveaux étaient surmontés d'une toiture dont la pente est parfaitement visible sur ses vestiges. Car hélas, après Anne, ses successeurs, occupés en Languedoc, délaissant Fère, Henri II de Montmorency paya sa rébellion contre Louis XIII et Richelieu de sa vie : il fut décapité au Capitole de Toulouse en 1632. Fère échut aux Condé et plus tard, au duc d'Orléans « Philippe-Égalité » qui, ruiné, fit démolir Fère en 1779 pour en vendre les matériaux. Il fallut attendre pour le sauver qu'il devint la propriété de Raymond de La Tramerie qui collabora avec le service des Monuments Historiques pour empêcher la disparition de Fère.

Pont-galerie.

Restauration légitime et restauration paradoxale. Les grandes énigmes des restaurations de châteaux

Sur la motte elle-même, le temps a fait son œuvre en déshabillant le château féodal de ses atours renaissance. C'est une rencontre étrange que celle de ce pont-galerie, morceau de choix mais préambule d'une somptueuse résidence, qui débouche sur cette ruine féodale et romantique à souhait. Sans aucun doute tous les tenons qui subsistent permettraient de restaurer la galerie jusqu'à lui rendre son toit. Par contre, le château fort ne saurait ni être complété, ni être rhabillé sans bien des risques de s'engager dans l'inauthenticité. La leçon de Fère doit être méditée. La restauration exige de discerner jusqu'à quel point ce qui subsiste permet de rendre un château à un usage qui nécessite un toit, mais aussi de proposer des réponses différentes selon la nature des lieux. L'architecture féodale en ruine est généralement privée de documents dessinés réellement crédibles pour servir de base à une restitution sûre. En revanche à partir de la Renaissance, non seulement les documents abondants et les marques des parties disparues sont généralement très parlantes, mais, en outre, les critères de symétrie et de répétitivité permettent de mieux assurer les pas du restaurateur, comme sur le pont-galerie de Fère, les pas du promeneur.

Comparaison avec la Tour-d'Aigues

Nous nous interrogeons beaucoup aujourd'hui par contre sur la légitimité de la restauration en cours de la Tour-d'Aigues, dont le tour qu'elle a pris avait inspiré des réserves de la part de la Commission des Monuments Historiques voilà quelques années.

La grande enceinte carrée féodale et ses tours d'angle, mais aussi son donjon central, avaient été revêtus comme le donjon de Fère d'un habillage Renaissance que le temps, en grande partie, a fait disparaître, mais dont il reste encore beaucoup d'éléments, notamment sur les tours d'angle, ses lucarnes, sans parler de son beau portail central. Mais le donjon éventré et depuis heureusement colmaté, pose un problème fondamental. Sa grande hauteur ne pouvait s'intégrer à un château désormais d'un esprit tout différent sans qu'elle fût apaisée par la disposition d'ailes symétriques qui l'intégrèrent dans un nouveau parti. Or, ces ailes ont totalement disparu et il ne saurait être question de les rétablir faute du moindre témoin précis. On est donc en présence, après rhabillage du donjon, d'un ensemble nécessairement bâtard se fondant sur l'existence assez paradoxale d'une œuvre à la Bullant verticale, qui ne connaît pas cet équilibre entre la verticale et l'horizontale qui mènera, à Versailles, au succès de celle-ci.

***Tour-d'Aigues :** Donjon féodal éventré sur lequel on peut voir les restes de placage du* XVIe *siècle.*

Tour d'angle et restes de la grande enceinte féodale percée de hautes fenêtres au XVIe siècle.

Portail du XVIe siècle *avec fronton et colonnes.*

BUSSY OU LES MILLE TOURS DU DIVERTISSEMENT

Roger de Bussy-Rabutin

Lorsque Louis XIV, tirant la leçon des turbulences de la Fronde, entreprit de combler d'honneur et de rentes la noblesse française à condition qu'elle vînt à Versailles participer au rituel de la Monarchie sans partager son pouvoir, la fonction des châteaux devint surtout l'asile des récalcitrants et l'exil des bannis.

Ce devint aussi une punition plus qu'une gloire d'aller vivre sur ses terres : ce fut le cas de Roger de Bussy-Rabutin. Cependant, d'autres, comme sa cousine, Mme de Sévigné, savaient faire alterner la vie de cour et la vie sur leurs domaines de la campagne. Mais c'est surtout au XVIIIe siècle que les attraits de la campagne furent dans l'air du temps des physiocrates* et de Rousseau, ce qui contribua à créer une nouvelle génération de châteaux évoluant de la folie baroque au néoclassicisme naissant. De 1666 à sa mort, l'auteur de « l'Histoire amoureuse des Gaules », après un séjour à la Bastille, passe l'essentiel de son temps à se morfondre dans son château, non sans en achever les travaux d'embellissement de ses prédécesseurs et à se venger, comme il le pouvait, des trahisons de la cour.

***Bussy-Rabutin** vu d'avion entre cour et jardin.*

Histoire d'un château de charme : l'échelle humaine

Contrairement à ce maître des lieux, tout visiteur d'aujourd'hui s'éprend du château de Bussy. Il y a quelques années les associations de propriétaires de belles demeures souhaitèrent que l'Administration française consacrât le concept de « propriété privée pour un service public » en faveur des châteaux ouverts au public par leurs détenteurs. Bussy qui appartient à l'État est plus approprié à une fonction privée, tant justement par ses proportions modestes et le site secret de son vallon, que par sa quiétude et son charme qui donne, au contraire, l'impression au visiteur de rêver qu'il en est l'habitant privilégié. C'est comme une propriété publique à fonction privée, ce qui oppose la visite de Bussy à tant de conquêtes massives de lieux en quête de « hit parade » ou de « ruban bleu ». Certains trésors d'art valent d'être fréquentés dans la discrétion qui s'est attachée à la notion mythique de trésor.

À Bussy, comme dans beaucoup de châteaux petits ou grands, c'est le temps et ses successives séquences qui en ont été les amoureux architectes.

Né au Moyen Âge, le bâtiment se compose encore, au début du XVIe siècle, d'un quadrilatère cantonné de quatre tours aux angles entourant un donjon central : le même plan que la Tour-d'Aigues en plus réduit.

La métamorphose

En 1520, son propriétaire Antoine de Rochefort, dit Chandio, de retour des guerres d'Italie où il fut le compagnon de Bayard, abat le mur qui ouvre sur le parc, comme cela s'est fait sur les bords de la Loire, à Chaumont, Ussé ou Luynes et sur d'autres châteaux forts. Il perce aussi des fenêtres dans les tours et les courtines, et la lumière et la vue du paysage y entrent à flot. Puis, sur chacun des côtés, est aménagée une galerie sur arcade dans le plus pur style François Ier de la première Renaissance française.

Quant à l'aménagement du corps central, il sera l'œuvre successive de sa descendance qui s'y ruinera et du père de Roger de Bussy-Rabutin dans le style Henri IV-Louis XIII. Sur la façade postérieure, le jardin est aménagé selon les règles classiques, tandis que demeure le tracé initial des fossés quadrangulaires baignant les murs selon le plan féodal initial. La cour dans laquelle trois styles se conjuguent s'ouvre sur le plus romantique des vallons boisés.

C'est à l'intérieur que Bussy-Rabutin s'exprime à sa façon dans l'aménagement d'un décor où s'étalent sa rancœur et sa vanité, mais toujours avec esprit et fantaisie. Voici d'abord le « salon des grands hommes de guerre » où sont portraiturés soixante personnages parmi lesquels ne sont oubliés ni Duguesclin, ni Bussy en personne, mais où le grand Turenne, qu'il détestait, n'y figure sur le côté qu'avec le commentaire d'avoir été « le souverain de Sedan par sa femme ».

Dans sa chambre, Bussy avait voulu reprendre par nostalgie un écho de Versailles. Trois tableaux de Mignard y représentent notamment Mme de Sévigné et sa fille et s'y trouvent plus de vingt autres portraits de femmes. La « Tour dorée » y est somptueuse ; y figurent les effigies des « Grands » : Louis XIII et Louis XIV, Richelieu et Mazarin, Anne d'Autriche et Condé. Comme celui-ci contribua particulièrement à sa disgrâce, on peut augurer que cet aménagement fut très tardif, quand le pardon du roi apaisa le dépit du maître de céans, qui s'y plaça en empereur romain encadré des plus belles femmes de son temps placées là, indiscrètement, comme autant de ses conquêtes. De leurs faveurs, elles sont remerciées avec une insolence extrême par des inscriptions appropriées : la comtesse d'Olonne « moins fameuse par sa beauté que par l'usage qu'elle en fit » ; Mme de Monglas, « plus légère que le vent », sans parler de celle qui est qualifiée de « la plus aimable et la plus infidèle des femmes ».

De cette tour, une galerie conduisant à la suivante est ornée des portraits des rois depuis Hugues Capet : Bussy leur tient encore compagnie avec les membres des familles de Bourbon et des dynasties de Bourgogne. La chapelle occupe la tour sud. Il n'y a pas de doute que Mme de Sévigné avait, à propos de tout ce programme, pu écrire à son cousin qu'il y avait dans son château « des choses fort amusantes qu'on ne trouve pas ailleurs ».

Quoi qu'il en soit, tout ce décor de Bussy est disposé dans un style décoratif fait de séries de portraits et de panneaux de boiseries qui font plus songer au temps de Louis XIII qu'au style Louis XIV. Visiblement, Bussy, si vaniteux, semble courir après sa jeunesse en fuite. Ce n'est ni le grand guerrier qu'il s'est dit être, ni l'amateur d'art de cette avant-garde

Vue sur cour : ailes **François Ier** *et* **Henri IV — Louis XIII.**

qui inspire son renouvellement par le snobisme éclairé. Qu'en fut-il donc de la réalité de sa carrière de grand séducteur ? Un point sur lequel l'« Histoire amoureuse des Gaules » et le décor du château sont concordants est celui de la légèreté des mœurs d'une cour sur laquelle Mme de Maintenon n'avait pas encore mis le holà, mais aussi la mesquinerie de la médiocrité des attitudes. La raison de la disgrâce de Bussy avait tenu, d'ailleurs, au fait assez sordide que Condé avait fait circuler sous le nom de Bussy une « France galante » où le roi, lui-même, était mis en cause.

En définitive, le château aussi vaut mieux pour sa beauté que pour l'usage que le propriétaire en fit. Pour ceux qui ne réduisent pas l'histoire aux secrets d'alcôve et à leur révélation et s'en lassent vite, ce qui ne lasse pas à Bussy, c'est cette juste mesure entre l'espace architectural et la convivialité de ses styles successifs et son cadre naturel. En esprit, l'inspiration d'une Renaissance qui fait un aussi bon usage du passé et du futur des jeux de formes, y règne dans un équilibre aussi raffiné que celui auquel ferait songer la fête au château du grand Meaulnes.

C'est pourquoi lorsque, pendant trente ans, Bussy a été un des lieux les plus régulièrement animés par les prestiges du théâtre et de la musique du festival des Nuits de Bourgogne : Corneille, Molière, Marivaux, et même la Marion Delorme de Victor Hugo, une héroïne contemporaine de Bussy et tant d'autres, y ont eu leurs nuits de gloire alternant avec la musique baroque et Mozart ; que les accents en soient ou délicats ou sérieux, il y a toujours un accord magique entre eux et telle expression architecturale que livre la cour de Bussy. L'acoustique y est, par ailleurs, parfaite. Elle accorde jusqu'à ses arbres et à ses eaux dormantes à la musique de Debussy. Celui-ci n'est-il pas né à Montbard tout proche et son ascendance ne viendrait-elle pas de ce terroir ?

Quelle est la nécessité des châteaux, à la fin du XXe siècle, que sera-t-elle au XXIe siècle ? D'aimer et de comprendre, comme à Blois, ce que nous livraient des pages décisives de l'architecture mondiale juxtaposées dans la lumière de l'histoire.

D'autres châteaux, tels que Bussy, n'ont pas cette grandeur mais quelque chose d'aussi bon : la dimension humaine.

Si nous avons lié Bussy à Blois, c'est que les mêmes temps qui ont façonné à point nommé les diversités et les consanguinités de l'art en France, ont pu s'exprimer à volonté sur le mode majeur et sur le mode mineur. Les séquences de Blois sont successives et impératives et l'intégrité des « grands siècles » a pratiquement effacé le Blois antérieur. À Bussy, un homme, en fin de compte assez médiocre, nous lègue, parce que son temps ne l'était point, l'héritage d'un Moyen Âge qui a perpétué ses volumes architecturaux, mais que la suite des temps a su embellir des prestiges d'une des plus nécessaires passions humaines : le goût du divertissement.

Buste de Vauban *par Coysevox.*

VAUBAN : le Pré carré français

VAUBAN : LE PRÉ CARRÉ FRANÇAIS

Vauban appela « pré carré du roi » la disposition des places fortes couvrant la frontière nord du royaume, pour compenser la faiblesse de ses défenses naturelles.

Cette expression rurale a fait fortune et désigne couramment tout le système défensif de la France vaubanienne et métaphoriquement c'est partout la façon qu'a chacun de préserver son territoire. Mode d'expression d'un paysan qui borne son champ : par des sûretés sur des lignes stables qui résistent aux assauts, mais aussi dissuadent d'être soi-même aventureux ou agressif. Louis XIV ne suivit pas toujours cette pratique : l'attaque de la Hollande et l'affreux sac du Palatinat ont terni sa gloire.

Mais ce sont les limites de la France jalonnées par Vauban, fondées sur la stratégie du « pré carré » à l'inverse du caprice des anciennes chevauchées féodales et des conquêtes interchangeables, c'est ce souci de la continuité et de la convexité des frontières de l'État, renforçant celle de l'Alsace à Neufbrisach, celle des Alpes à Montdauphin qui, finalement, épargna à la France pendant cent ans, d'être un champ de bataille.

C'est ce même « pré carré » qui, à quelques adjonctions près qui ne furent pas acquises par fait de guerre, définit encore les limites du territoire français.

Cette composition géométrique là n'allait pas historiquement de soi, même si elle fut complémentairement le fait du centralisme royal et versaillais que prolongea le centralisme républicain et parisien.

Jusqu'à Vauban, elle restait fragile. Au Moyen Âge, un grand ouest intégré à l'Angleterre, une Bourgogne lotharingienne autonome auraient pu l'emporter sans parler des résurgences nourries par de réelles diversités originelles encore présentes aujourd'hui.

Aujourd'hui les circonstances donnent curieusement de l'actualité à toute l'œuvre, non seulement technique et stratégique de l'ingénieux Vauban, mais à toute sa pensée réformatrice et à son sens « national » des « travaux publics » tandis que la France entre dans l'entité européenne avec le vœu et espérons-le, la volonté de ne pas spirituellement s'y dissoudre.

Les écrits et les actes de Vauban touchant l'agriculture, la gestion des forêts, la lutte contre la misère (le « sous-développement » intérieur), la fiscalité, les communications, l'estime esthétique des visiteurs étrangers sensibles à la qualité de l'architecture de nos « portes », le rôle de Paris, et bien entendu, la fonction des places fortes, la nécessité de verser la sueur pour épargner le sang, voilà bien, en plein XVIIe siècle, l'esquisse d'un « thésaurus », sinon d'un trésor des plus utiles pensées d'un honnête homme et du plus grand des hommes d'action. Un homme étrangement « moderne » à ceci près qu'il n'épouserait pas aujourd'hui, de notre propre modernité, les exaltations et les déraisons suicidaires. Il savait trop ce que signifiait de planter un arbre dans le Morvan et de rendre à la fois belles et productives les forêts royales en développant la faculté naturelle de leur propre renouvellement.

Nul ne peut disconvenir que le château de Versailles est le trésor d'art du XVIIe siècle par excellence. Il n'est pas inutile de le souligner une fois encore. Le trésor du XVIIe siècle français c'est bien par des correspondances évidentes Le Nôtre et Racine, Lebrun et Hardouin-Mansart. Mais de notre point de vue, est aussi important l'ingénieur des places fortes qui nous livre un ensemble de volumes de terre et de pierres qui constituent aujourd'hui encore d'admirables compositions plastiques exemplaires de l'organisation de l'espace quoique caduques du point de vue de la stratégie.

On convient selon le degré de perfectionnement dans lequel il a poussé son art de distinguer trois « Systèmes » dans l'œuvre de Vauban. Rien ne lui était pourtant aussi étranger que l'esprit du système. Quand il reprend l'aménagement de la fortification d'une ville, il sait tenir compte de l'acquis, même féodal, si opposé que soit l'ancienne structure verticale des défenses médiévales et celle horizontale dont il a hérité des ingénieurs italiens du XVIe siècle et de ses prédécesseurs français du début du XVIIe siècle. Quand il s'agit, comme à Neufbrisach, de créer une place forte de toutes pièces alors il n'est rien qui ne soit « planifié » dans ces modèles cernés de courtines et de glacis étoilés et de villes en damier organisées autour de la place d'armes.

On voit là le talent de l'urbaniste : faire son

profit de deux leçons opposées que les Italiens lui avaient séparément enseignées : la première leçon, c'est celle de la pensée utopique qui s'exprime à la Renaissance par des plans de villes imaginaires dans la foulée de la réinvention de l'univers et d'une Antiquité rêvée et soudain réhabilitée par le génie de l'Art. La seconde leçon est la nécessité de l'efficacité des praticiens qui ont renouvelé la défense de l'Italie du Nord menacée par tant d'ambitions croisées. Vauban, leur héritier, ne cesse d'inventer jour après jour, détail après détail ; ce qui fait qu'il est aussi habile à prendre une place qu'à la défendre, qu'il invente le tir à ricochet, mais aussi la casemate. Le don de l'observation inspirait toutes ses inventions. À force de thésauriser ces petites inventions, il constella la France de structures utiles à la défense qui étaient, certes, avant lui, dans l'air du temps, mais auxquelles il donna le sens d'un nouvel équipement architectural.

Fossés de la place forte de ***Montdauphin.***

Spécificités architecturales

Comme toutes les architectures militaires, celle de l'époque classique est fondée sur la primauté de la fonction efficace. Pour inopérante qu'elle soit aujourd'hui, cette efficacité héritée du calcul et de l'expérience demeure plastiquement présente. Tout agencement de bastions, de fossés, de glacis, peut s'expliquer par les nécessités de la résistance aux assiégeants de même que la disposition des points fortifiés sur l'ensemble d'une frontière se réfère à une stratégie générale. Se prémunir contre le tir d'artillerie destructeur, masquer le défenseur par le défilement et obliger l'assaillant à se démasquer, toutes ces nécessités fondées sur les deux lois physiques de l'optique et du jet soumis à la pensanteur sont à la base de cette architecture de terrassement et de maçonnerie qui s'impose à nous moins par le pittoresque que par l'ajustement calculé et équilibré des masses et des espaces. Les surfaces maçonnées sont généralement lisses, de préférence obliques, la lumière et l'ombre y sont tranchées dans une abstraction primordiale qui en fait la « modernité », ce qui explique, en quelque sorte, sa redécouverte.

En tout état de cause, comme on pourrait le dire aussi de l'art cistercien, cette froideur n'est qu'apparente. La dramaturgie d'un siège à l'époque classique n'est pas seulement réglée par la balistique. Il y entre l'exigence d'une représentation, non seulement par l'office de l'art, mais se référant à tout le jeu structural des comportements des hommes de l'ère classique, comme l'a si bien montré Michel Foucault. Devant ces sièges, Louis XIV, déplaçant avec lui la cour, se fait le témoin des exploits du dieu Mars ou plutôt l'acteur jouant le rôle du dieu Mars : la prise de la ville est le rituel et triomphal dénouement d'une tragédie réglée pour ce spectateur-acteur.

Mais aussi la guerre de siège est une réalité, les hommes y meurent et sur la pierre du bastion coule le sang. Ainsi, tous ces dispositifs de passages, d'escarpes, d'escaliers et de ponts d'accès qui conditionnaient l'animation de la forteresse ont pour objet de ruser avec la mort. Le visiteur d'aujourd'hui les saisit comme le contrepoint indispensable des grands volumes.

***Saint-Martin de Ré**: Fossés immergés.*

L'architecture de défense en danger

Il faut entendre toujours qu'au conflit disparu entre assaillants et défenseurs dont cette architecture est la traduction intemporelle, se substitue pour nous un autre conflit qui est né avec la construction et demeure toujours actuel : c'est celui qui oppose à la nature une œuvre de l'homme manifestement destinée à la dompter. Et il faut entendre ici la nature dans son acception la plus large, et d'abord la présence des éléments primordiaux. Au pied de Saint-Martin-de-Ré, c'est l'océan emprisonné dans un ouvrage portuaire d'une grande pureté classique.

C'est au château d'Oléron qu'aujourd'hui le conflit entre la nature et l'architecture atteint les dimensions d'un vaste opéra romantique, d'abord par l'ampleur de l'établissement, son caractère multiforme, ses champs et ses contre-champs, la diversité de ses dispositifs. La visite, en dépit de la logique des intentions des bâtisseurs, nous est une succession de coups de théâtre, de « scènes » imprévues. En second lieu, la nature agressée est repassée ici à l'offensive. Car l'ensemble de l'ouvrage est en état de péril : la végétation envahit le système, les racines font éclater la maçonnerie, des brèches s'élargissent de jour en jour, les terres coulent et croulent. Arrêter la débâcle devient une nécessité de survie.

Sous la poussée des terres ou la résurgence du végétal, ce phénomène de dislocation menace à vrai dire tout le patrimoine de l'architecture militaire classique. On pourrait presque dire que cette situation lui est endémique, et qu'elle fait partie de ses caractéristiques internes en raison de sa structure, mais qu'elle aggrave l'attitude différenciée que nous avons à l'égard des diverses catégories du patrimoine.

Or, l'attention de sa conservation était de tous les instants lorsque la défense du territoire reposait en grande partie sur le bon état des forts. De sorte que ces architectures ont longtemps été bien entretenues. Certes, il arrivait qu'on les actualisât si le besoin militaire l'exigeait ou bien qu'on rasât certains ouvrages s'ils sortaient des nécessités stratégiques. Mais la transmission de ce qui demeurait était assurée. Depuis qu'elles ne sont plus entretenues par les ingénieurs et les soldats du génie qui les ont eux-mêmes édifiés, le statut juridique de ces forteresses est particulièrement incertain. La plupart du temps déclassées au titre militaire, elles ne relèvent généralement que de propriétaires assez résignés. Et d'ailleurs, comme les maçonneries sont de structure relativement simple, on a le sentiment que l'on peut, sans perdre l'authenticité, différer une restauration au profit d'interventions sur des monuments plus délicats.

Il arrive que des propriétaires particuliers ou des communes s'attachent avec passion à certains sauvetages. Mais, en général, ils n'entrevoient guère un usage précis de tels ouvrages. L'ampleur des fortifications, leur pureté abstraite elle-même, sont peu appropriées à leur « personnalisation ».

Ainsi la situation de ce patrimoine militaire est particulièrement alarmante. Bien des gens ne s'y résignent pas dans la région du Nord-Pas-de-Calais où des chantiers de jeunes bénévoles ont fait du bon travail piloté par le service des Monuments Historiques. Sur le « front des Alpes » une vaste entreprise initiée par l'État et la Région a démarré en faveur de Montdauphin. La commune est-elle en état d'assurer le relais ? Ailleurs, des programmes de conservation et d'affectation se manifestent, notamment à Blaye, Colmars-les-Alpes, Belle-Île-en-Mer.

Place forte de ***Neufbrisach*** *: fossés.*

Colmar-les-Alpes la jolie cité féodale est défendue par deux forts extérieurs. Ici le Fort de France.

*Vue des maisons à pignons de la Grand'Place d'****Arras****.*

Un trésor d'art : le musée des Plans-Reliefs des Invalides

Après de multiples péripéties, l'État a décidé de sortir le musée des Plans-Reliefs de sa léthargie. L'instrument pédagogique qui est la clé de la résurrection de l'architecture vaubanienne sera bientôt en place. En lui-même, ce musée est un trésor d'art par excellence. Il tient son existence à une double tradition : d'une part aux « cabinets des merveilles » des princes, ceux-ci affectaient de posséder les représentations réduites et ouvragées avec préciosité des forts, des places, des villes dont ils étaient les détenteurs. Mais lorsque Louis XIV et Louvois accédèrent au vœu de Vauban de constituer, à partir de 1668, une collection royale des Plans-Reliefs des places fortes du royaume, il s'agissait de se doter d'instruments propres à apprendre à construire des places fortes sur le terrain et à les défendre et à les prendre.

Pendant longtemps aucune représentation cartographique ne réussit à avoir la valeur pédagogique de tels instruments qui ne cessèrent pour autant de rester des œuvres d'art.

La collection s'amplifia, les maquettes furent modifiées parfois au gré des travaux. Tour à tour elles constituaient le projet et le portrait des ouvrages en vraie grandeur.

Lorsque la cartographie progressa au point d'être tout aussi précise et d'un maniement plus aisé que les plans-reliefs, on put penser que c'était une technique révolue. Finalement, il n'en fut rien. Au-delà des leçons de stratégie, le soin qui avait présidé à leur confection jusqu'au plus petit détail des plantations, des pavages des rues ou des toits des maisons, avait créé un instrument encyclopédique et synthétique qui fait encore aujourd'hui notre ravissement. Le plan-relief à l'aube de l'ère industrielle devenait un élément de représentation concrète exceptionnel de caractère géographique et encyclopédique.

La renaissance du musée des Plans-Reliefs de Vauban doit augurer d'un programme de sauvetage global de l'architecture vaubanienne sur le terrain.

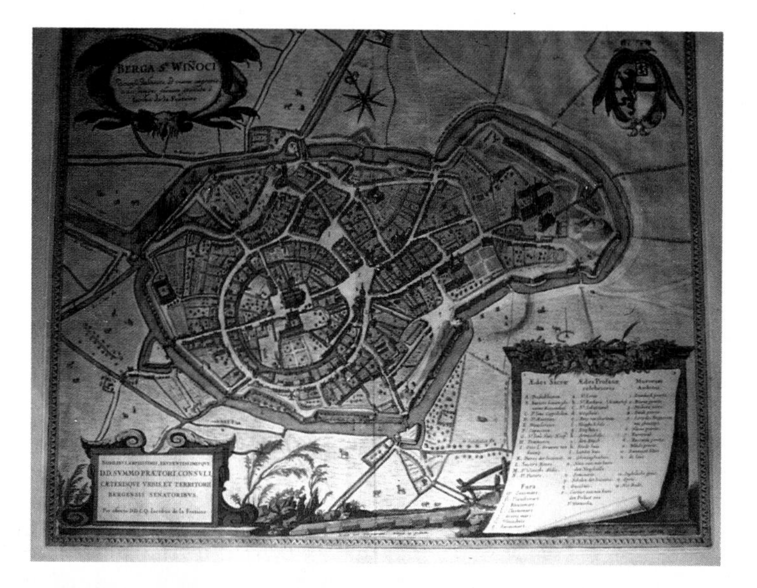

Plans relief de Bergues et de Gravelines. *(Musée des Plans Relief) et* **plan de la ville de Neufbrisach.**

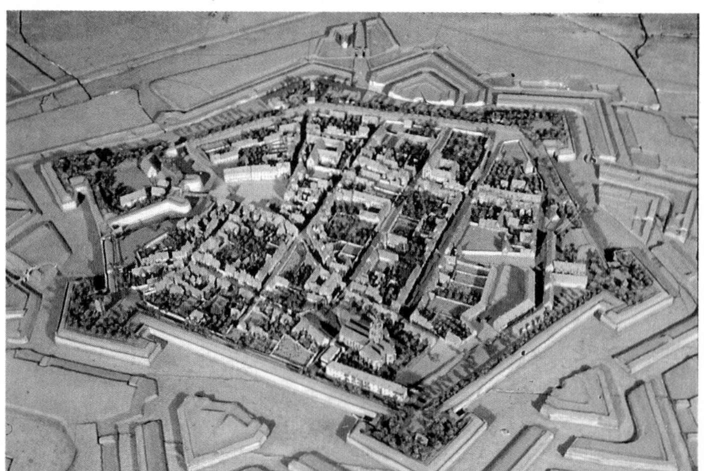

TRÉSORS D'ART

DÉTRUITS ET RESSUSCITÉS

TRÉSORS D'ART DÉTRUITS ET RESSUSCITÉS

Les dommages

Beffroi d'Arras.

En tous temps, la guerre, ce fléau de l'humanité que Jean de Patmos désigne parmi les quatre Cavaliers de l'Apocalypse, n'a cessé de priver les hommes d'une part des trésors d'art qui sont le fruit de leur imagination créatrice, l'objet de leur délectation et l'expression concrète et collective de leur spiritualité.

Les deux guerres mondiales ont été singulièrement funestes au patrimoine français : celle de 1914-1918 a ravagé le nord et l'est de la France ; quant aux dommages de celle de 1939-1945, ils se sont étendus sur tout le territoire, tant en raison des combats que des bombardements aériens, mais la région la plus éprouvée a été l'une des plus riches en trésors d'arts, la Normandie, où s'est déroulée la phase décisive du conflit sur le front occidental.

Le spectacle tragique présenté, par deux fois en trente ans, par tant de monuments écrasés ou éventrés a suscité des mouvements de solidarité nationale dont l'État a assumé la lourde charge, et jamais les moyens consacrés aux Monuments Historiques n'ont été aussi élevés que dans les deux périodes d'après-guerre. Vu l'état des monuments sinistrés, il était tentant de les raser, mais à cette extrémité ni les populations concernées ni le service des Monuments Historiques n'entendaient se résigner. Ainsi les monuments qui avaient conservé assez de vestiges pour être restaurés fidèlement ont été sauvés. Très rares sont ceux qui ont tout de même disparu à jamais. Malgré cet effort exceptionnel, aujourd'hui les plaies ne sont pas encore toutes pansées.

Autre difficulté : la vétusté et la pollution — cet autre type de guerre livrée insidieusement contre le patrimoine — en temps de paix sont plus agressives sur des maçonneries découvertes et désarticulées par les bombes ou fragilisées par le feu, comme celles de la cathédrale de Reims.

Les réparations

Les dommages de guerre ne posent pas, en général, les problèmes théoriques de la restitution dans les mêmes termes que celles de la vétusté d'une ruine ancienne qu'on voudrait intégralement réhabiliter au prix de reconstitutions aléatoires. Celles-ci sont, trop souvent, un défi à la vérité et à l'authenticité sans lesquelles le patrimoine dément sa vocation.

Après un sinistre récent, guerre ou séisme, les éléments constitutifs d'une architecture, même émiettés, sont sur place et en général récupérables et s'il faut, pour des raisons de stabilité, renouveler une part des maçonneries, il en va parfois de même dans le cas de la restauration d'un édifice encore complet et encore debout, restauration qui, sans innover, permet de conjurer certaines menaces dues à la vétusté.

Cependant, en matière de dommages de guerre, la situation critique est celle des éléments sculptés ou peints dont l'expression est unique et porte la singularité du ciseau ou du pinceau de l'artiste inspiré, qui les a marqués de son génie propre et de celui de son temps. À ce niveau, la copie est toujours quelque chose de risqué.

L'ampleur des chantiers des dommages de guerre a contribué à faire évoluer les critères et les techniques de la restauration en général. Dans le nombre considérable des églises de l'Aisne et de la Marne restaurées après 1919, on distingue, d'une part celles qui sont des reconstitutions intégrales assez froides, qui sont pratiquement des reconstructions, qu'une documentation plus ou moins précise a inspiré sans cependant en transmettre la vérité poétique profonde et, d'autre part, on admire toujours certains ouvrages qui furent eux-mêmes sévèrement blessés, mais dont on a au maximum utilisé les vestiges et eu le souci d'en maintenir l'expression sensible.

Les places d'Arras et la Première Guerre mondiale

Ce fut le cas, entre les deux guerres, de la restauration de l'ensemble des maisons flamandes à arcades et pignon sur rue de la Grand-Place et de la Petite-Place d'Arras.

Cette opération fut menée par l'architecte en chef des Monuments Historiques, Pierre Paquet. Dans le passé, toute reprise de maçonnerie ancienne exigeait sa dépose et son remontage. Avec cette méthode, la plupart des pierres encore saines n'étaient pas récupérées et l'on cherchait à reconstruire des maçonneries homogènes. Aujourd'hui, depuis l'introduction de technologies modernes (poutrages ou ceinture de béton armé invisible, injection de ciment, etc.) on conforte autant que possible des maçonneries, même branlantes, sans les déposer.

Cependant, dans le cas d'Arras, la puissance des explosions avait causé des effondrements et des désorganisations telles qu'il fallait malgré tout déposer la plupart des vestiges, mais Pierre Paquet veilla à réutiliser, autant qu'il fut possible, tous les matériaux anciens. Le béton armé ne fut utilisé, lui-même, que pour consolider les plafonds des arcades.

Les maisons qui composent ces deux places voisines séparées par l'hôtel de ville datant de 1502 et son beffroi lui-même reconstitué après la guerre, sont, pour la plupart, du XVIIe siècle et elles affectent une disposition ordonnancée intermédiaire entre l'esprit baroque et l'esprit classique. Certaines façades sont répétitives tant par l'organisation des fenêtres que par le dessin des pignons aux ailerons d'ailleurs typiquement baroques. Mais beaucoup de maisons se différenciaient ainsi les unes des autres par leurs hauteurs, leurs matériaux : la brique, matériau flamand traditionnel étant parfois associée à la pierre.

Il y a à peine vingt ans une restauration supplémentaire fut imposée par l'État, de deux pignons qui après dépose ont laissé apparaître les amorces d'un pignon antérieurement unique qui devait alors surmonter une maison équivalente, par sa largeur, à deux maisons du XVIIe siècle, cette ordonnance étant composée de maisons de deux ou trois séries verticales de fenêtres. Ce pignon unique conjecturé fut alors reconstitué en dépit du fait qu'on ignorait sa forme précise. J'estime que cette opération aurait dû être évitée puisqu'on a remplacé un état existant et voulus, par l'ordonnance globale, par un état antérieur vraisemblable, mais problématique dans le détail. Ceci étant, le résultat est savoureux et l'exécution habile.

Cartes postales anciennes montrant **la place et le beffroi en ruine**.
La place d'Arras de nuit **après reconstruction.**

Les églises normandes et la Seconde Guerre mondiale

L'art normand et la Normandie martyre

Pendant les annnées qui suivirent la Seconde Guerre mondiale, d'importants crédits des Monuments Historiques furent consacrés, en Normandie, à la restauration d'églises du plus grand intérêt architectural en raison de l'importance de cette région dans les développements historiques successifs de l'art roman (en l'occurrence, anglo-normand) et de l'art gothique naissant. La largeur exceptionnelle des nefs romanes de Normandie, couvertes de plafonds de bois, dans la mesure où cette largeur était excessive pour être franchie par la lourde voûte romane en berceau, a beaucoup, et très tôt, contribué au développement de la formule gothique sur croisée d'ogive dans toute l'Europe.

Mais nous avons choisi d'illustrer surtout la Normandie à propos de son martyre. Nous devons souligner, au passage, combien cette région a toujours été à l'avant-garde, dès le début du XIXe siècle, de la science archéologique et de l'exigence du respect de l'authenticité par les restaurateurs.

Rouen : *la tour Saint-Romain « évidée » et sans flèche.*

La tour Saint-Romain restaurée, *une charpente de béton a remplacé l'ancienne.*

La cathédrale de Rouen

Avec le recul du temps, le double exploit réalisé par les spécialistes français en Normandie se situe certainement à Rouen, tant pour la renaissance de la ville que de ses monuments.

Le 19 avril 1944, le bas-côté nord de la cathédrale, superbe monument construit essentiellement du XIIe au XVIe siècle, fut écrasé par les bombes et beaucoup d'autres monuments furent aussi sévèrement touchés, ainsi que de nombreux autres édifices rouennais.

Le 1er juin, un incendie ravagea plusieurs quartiers et détruisit d'autres parties de la cathédrale. En fait, c'est quasiment l'ensemble de celle-ci qui a été ébranlé. L'architecte en chef, Albert Chauvel, assisté de ses collaborateurs Franchette et Grégoire, et le chef d'entreprise Georges Lanfry et ses compagnons surent assurer cette restauration si difficile, autant grâce à leur haute compétence que grâce à leur courage par la rapidité de leur intervention et alors que le sinistre faisait encore rage et que les vestiges menaçaient de s'effrondrer. D'extraordinaires reprises en sous-œuvre, grâce à des puissantes batteries de verrins, furent réalisées et ont permis de sauver la cathédrale dans son authenticité séculaire.

Il n'empêche que de pareils événements sont gros de conséquences ultérieures. Les édifices ainsi secoués sont comme des organismes vivants dont l'immunité naturelle est affaiblie. La restauration de cette cathédrale, comme celle de Reims, et dans une moindre mesure de la plupart des monuments, est une version moderne des travaux de Sisyphe.

Mais si on compare leur situation à celle de bâtiments récents qui ont à peine vingt ou trente ans d'âge, la comparaison se retourne en leur faveur. Les bâtisseurs de cathédrales avaient le sens de l'investissement dans la longue durée.

La façade de la ***Cathédrale de Rouen et ses pare-gravats.***

La Cathédrale au milieu des ruines.

Une flèche insolite

Vers 1970, il a fallu entourer les façades de la cathédrale de Rouen de pare-gravats pour récupérer les pierres sculptées qui chutaient et menaçaient la sécurité publique. Le successeur d'Albert Chauvel, Y.-M. Froidevaux, a dû aussi faire face à la restauration de la grandiose flèche en fonte, dont l'architecte Alavoine couronna en 1822 la tour centrale jusqu'à une hauteur de 151 mètres, en remplacement d'une petite flèche gothique en charpente détruite par la foudre. Si disproportionnée qu'elle fût, cette flèche est entrée, aujourd'hui, dans le paysage rouennais : il n'était guère concevable de la supprimer, alors même qu'elle menaçait de s'abattre et de renouveler les désastres de 1944. Une structure interne d'acier, savamment calculée, a assumé la rigidité d'un ouvrage qui avait pour vocation d'être autoportant et dont désormais la fonte du XIXe, fissurée, n'a plus qu'une valeur décorative.

C'est là un exemple qui montre avec quelle souplesse d'adaptation aux circonstances doit être interprétée la règle d'or de la restauration qui consiste à ne rien inventer de mensonger. Dès qu'un ouvrage est consacré par sa qualité patrimoniale (attestée notamment par sa durée et parfois même notre accoutumance), on doit faire en sorte qu'il soit perpétué. Dans ce cas particulier, cette flèche de fonte, à l'origine autoportante, était en outre une grande première technique. On en a gardé le souvenir matériel et visuel comptant sur notre propre technologie moderne pour en perpétuer la stabilité.

La flèche d'Alavoine *est entrée dans le paysage rouennais.*
Montée des ***poutrelles d'acier*** *et soudure des poutrelles.*

Lessay

Dans l'ensemble des travaux de l'après-guerre en Normandie, il me paraît opportun de mettre encore en lumière deux autres opérations d'Yves-Marie Froidevaux dont les choix théoriques de restauration peuvent paraître contradictoires. Nous allons expliquer en quoi. Il s'agit des églises de Lessay et de Saint-Lô.

Lessay a été restaurée à partir d'un état de destruction consternant, mais les vestiges de ses pans de murs subsistants ou trouvés dans ses décombres, ont permis le travail soigné et sensible qui fut mené à bonne fin.

L'église abbatiale de Lessay appartient à l'ensemble des édifices anglo-normands élevés par le duc Guillaume à la suite de sa conquête de l'Angleterre, ou plutôt par des nobles normands apparentés à la famille du Conquérant. Œuvre magistrale de la fin du XIe siècle, sa simplicité et sa pureté exemplaires ne sauraient dissimuler la complexité des problèmes archéologiques qu'elle a soulevés.

Les deux campagnes des travaux du XIe siècle de l'élévation de la nef se situant juste avant et juste après l'apparition de la voûte gothique en Normandie, on a là l'exemple, en quelque sorte méridien, d'une œuvre d'esprit roman couverte ensuite d'une voûte d'ogive, mais dont une première partie de l'élévation n'a pu prévoir cette innovation et dont l'autre, à l'avance, en a tenu compte. Cette différence se manifeste dès le sol dans la forme des supports des voûtes. S'il fallait choisir au monde un édifice dont la construction répercute avec la plus subtile intelligence l'évolution de la pensée artistique et technique, on pourrait choisir Lessay. C'est pourquoi à la fois *unicum** et prototype, Lessay ne pouvait pas passer par les profits et pertes de la guerre. Sa restauration s'imposait. Mais le restaurateur fut confronté, cependant, à un autre problème : une partie de cette voûte originelle établie dans la foulée du XIIe siècle fut endommagée par la guerre de Cent Ans et restaurée alors dans l'esprit flamboyant. Fallait-il reconstituer cette coupure ou non ? C'est au second parti auquel se tint Y.-M. Froidevaux pour des raisons d'harmonie générale et il emporta l'accord de la Commission supérieure des Monuments Historiques dans les années 50 dans la mesure où cela rendait plus évident le respect du changement de parti opéré au cours de la construction originelle.

Il est probable qu'aujourd'hui la Commission demanderait le respect total des acquis de l'histoire. Reste que la sensibilité et la vérité de la restauration, indépendamment de ce choix quasiment philosophique, sont exemplaires. Mais la discussion autour de cette opération reste d'actualité.

Lessay : *Élévation de la nef, vue vers le chœur.*

Saint-Lô

***Saint-Lô :** vue de l'extérieur.*

La collégiale Notre-Dame de Saint-Lô est une œuvre toute différente d'esprit que Lessay. Sa nef du XVe et son chœur du XVIe, désaxé par rapport à sa nef, en faisaient une œuvre certes aimable, mais assez imprévue, dont la façade très ornée avait été encadrée par deux tours sommées de clochers très élevés dont on pouvait partager, sans doute, le sentiment d'Y.-M. Froidevaux qu'elles étaient assez disproportionnées. Toujours est-il que cette impression subjective n'aurait pas justifié de renoncer à restaurer l'édifice après le bombardement sévère qu'il subit en 1944 et qui le priva de sa façade et de sa tourelle.

Comme à Lessay, la volonté des habitants, les besoins du culte, l'ampleur des vestiges subsistants justifièrent pleinement de combler les brèches des murs de la nef et du chœur et de les recouvrir à l'identique. Par contre, le parti adopté pour la façade consista à avouer les effets du désastre en renonçant à une reconstitution assez aléatoire des deux tiers de cet imposant ensemble de la façade. Dans ces conditions, la tour nord ne fut pas remontée, mais seulement sa base consolidée et la partie centrale de la façade de la nef totalement disparue fut remplacée par un mur de schiste très uni qui souligne « l'arrachement » des vestiges conservés, notamment l'amorce du portail nord de style flamboyant.

Cette restauration, plus que trentenaire, est aujourd'hui d'une étonnante modernité. Elle donne son plein sens aux termes de la Charte de Venise les plus ambigus et qui concernent « la marque de notre temps ».

À Saint-Lô, cette « marque » est anticipatrice au point que ce « temps » d'hier est encore le nôtre en 1990. Voilà qui laisse apparaître que le talent peut conférer à une bonne restauration une valeur d'intemporalité qui met en doute, à juste titre, une idéologie qui voudrait que les restaurations soient délibérément soumises au caprice des modes les plus passagères.

Certes, le temps influence nos manières de penser, de sentir, de créer et même de restaurer. Ne varions pas, pour autant, de logique et de rigueur par fantaisie, mais avançons les solutions en fonction des cas d'espèce.

POLLUTION : la destruction sournoise

SCULPTURES EN PÉRIL

La lutte contre la pollution du traitement *in situ* à la dépose

Le principe de la conservation *in situ*

Toute œuvre sculptée ou peinte conçue comme une parure ou destinée à exprimer la signification profonde d'un monument d'architecture a vocation d'être maintenue *in situ* dans sa situation originelle.

Un monument qui en est privé n'est plus exactement lui-même. Il perd une partie de son être et aussi quelque chose de sa composition générale. Isolée de son support architectural, l'œuvre sculptée ou peinte elle-même, dans ce cas, perd sa fonction pour devenir alors un objet.

Mais, par l'effet du temps, beaucoup de monuments et quasiment tous les monuments antiques ont subi de sévères amputations qui concernent, en particulier, leur décor ; le plus fragile, le décor peint, a souvent disparu ; quant au décor sculpté, sa relative autonomie structurelle, sa moindre stabilité par rapport aux éléments portants des bâtiments l'ont davantage exposé que les maçonneries à l'instabilité, au vandalisme délibéré, au rapt qui peut être motivé par l'admiration ou le lucre, ou simplement à la commodité d'utiliser, pour une nouvelle construction, une pierre déjà taillée. On s'accommode ainsi, par force, d'œuvres du passé incomplètes tant architecturalement que décorativement. Les musées recueillent alors les fragments que le hasard a dispersés et que certains champs de fouille révèlent.

Lorsque le concept de patrimoine imposa juridiquement et financièrement, au niveau d'un État responsable, la conservation de l'architecture ancienne, sa problématique a pris un sens nouveau à l'égard, non des ruines, mais des monuments couverts, complets et assurant une fonction vivante. Les monuments qui ont ainsi survécu, jusqu'ici, avec leur décor en état sont les plus significatifs.

Une pièce manquante peut même être appelée à retrouver sa place initiale. C'est ainsi que, voilà trente ans, nous avons pu nous réjouir d'une heureuse trouvaille de l'Abbé Grivot : la tête du Christ du tympan de sa cathédrale d'Autun, chef-d'œuvre de la sculpture romane bourguignonne dû au sculpteur du XIIe siècle, nommé Gislebertus. Daniel Grivot prit une échelle et ajusta la tête sur le corps décapité : elle s'ajustait et aucune discussion n'était possible quant à la légitimité de ce geste réparateur de plusieurs siècles d'offense à l'égard de l'œuvre, offense à laquelle on s'était accoutumé.

Cependant, l'amputation de la statuaire antique peut, parfois, se poser en termes différents. La **Victoire de Samothrace** sans tête, la **Vénus de Milo** sans bras, sont devenues institutionnelles. Elles perdraient peut-être de leur magie moderne si — conjecture improbable —, la tête de l'une, les bras de l'autres, étaient retrouvés et leur conféraient une expression ou une posture plus communes. Privées de leurs fonctions religieuse et architecturale, ces œuvres d'art sont, par contre, plus significatives par certains de leurs effets plastiques sur lesquels l'attention se concentre : effet du vent dans la tunique de l'une, et féminité paisible de l'autre. Enfin, peut-être, l'amputation intègre-t-elle, dans la perception, ce sentiment de la barbarie qui en est la cause.

Toutes différentes de nature sont ces dégradations violentes, comme les brisures dues aux chutes, aux guerres, aux révolutions et la progressive érosion due au temps ou à la maladie de la pierre. La prise de conscience de la valeur patrimoniale d'une œuvre implique alors une conservation active permettant d'entraver les modes de dégradation. La dégradation violente est celle du vandale. Le remède est dans l'éducation des hommes. L'érosion peut être stoppée par des actions physico-chimiques appropriées. Elle peut être causée ou aggravée par la pollution. Les pollueurs sont les nouveaux vandales.

Les causes de la dégradation

Certes, l'usure des pierres, les maladies de la pierre ne sont pas nées d'hier. La Bible déjà en décrit les symptômes. Les amputations séculaires que nous venons d'évoquer, les reprises, les substitutions dont témoigne l'histoire de certains monuments ont pour cause la dégradation de la pierre. D'autre part la nature sait aussi organiser des catastrophes auxquelles l'homme n'est pour rien,

***Tympan de la Cathédrale Saint-Lazare d'Autun**, la tête du Christ a retrouvé sa place.*

et l'homme d'autrefois n'était pas infaillible. Il a pu lui-même être la cause de pollutions artificielles comme l'homme d'aujourd'hui.

Il reste que le nombre, l'intensité, la rapidité ravageuse de ces attaques du patrimoine, en particulier des ouvrages d'architecture et de sculpture de pierre se sont considérablement accrues depuis que l'industrie s'est développée sans considération des déchets qu'elle déverse dans l'atmosphère et les eaux de la planète. Nous avons déjà suivi les effets de ces phénomènes sur les vitraux. Nous avons indiqué quelle bataille ultime il avait fallu livrer pour que ce trésor d'art constitué par les vitraux français ne soit pas irréversiblement et entièrement perdu. Depuis quelques années un combat du même ordre est mené pour sauver la sculpture de plein air en France et dans toute l'Europe. La pierre utilisée, tant dans le décor sculpté que dans l'édification des murs, est un matériau qui, à la différence du verre, a toutes les apparences de la solidité. Si l'on se fie à l'exemple de l'Égypte, il paraît être capable de défier le temps. Or l'Égypte est l'exception qui confirme la règle. Car, précisément, l'architecture pharaonique a non seulement été constituée de matériaux exceptionnels et a été conçue dans l'idée d'affronter l'éternité, mais en outre, elle a bénéficié d'un climat d'une sécheresse absolue.

Dans les pays humides l'eau du sol circule dans la pierre des édifices en raison de sa structure poreuse et de sa capillarité, et l'eau de pluie fouette les surfaces. Si l'eau est chargée de sels et en particulier de sels de soufre, elle peut avoir des effets très destabilisateurs de la composition de la pierre faite en grande partie de carbonate de chaux. L'humidité peut également entraîner des agents polluants accumulés à la surface du sol, les faire monter dans la pierre grâce à sa capillarité et, sous certaines conditions, l'apparition de sels insolubles au sein de la pierre peut la faire éclater. Une pierre gorgée d'eau soumise au grand froid peut aussi éclater sous l'effet du gel.

Il ne s'agit là que de quelques données générales de phénomènes en réalité très complexes, souvent bio-chimiques, car, comme dans le cas du vitrail, les micro-organismes peuvent y jouer un rôle déterminant. Le caractère dévastateur de ces phénomènes varie aussi selon la nature de la pierre considérée, selon l'orientation des surfaces exposées, selon le mouvement du vent parfois tourbillonnaire, selon les conditions originelles de la mise en œuvre des pierres et suivant les rapports qu'entretient telle ou telle pierre avec son voisinage. Une opposition entre deux types de pierre dans le même appareil peut susciter des phénomènes d'interface très pernicieux comme une décomposition électrolytique. D'autre part, l'analyse moderne a fait apparaître le bienfondé de certaines pratiques purement empiriques d'anciens bâtisseurs que le XVIIIe siècle et surtout au XIXe siècle avaient négligées. Par exemple dans de nombreux édifices anciens les pierres des parties inférieures des murs ont un grain plus serré que celle des parties hautes. De sorte que non seulement celles-ci pèsent moins, mais celles-là tendent à mieux bloquer l'humidité du sol.

La mise en œuvre des matériaux était autrefois plus précautionneuse en ce qui concerne le choix des lits de pierre, la façon de la poser, le temps de séchage après extraction.

Le sol pollué et bouleversé

Les agressions de la pollution moderne sont essentiellement atmosphériques mais empruntent le véhicule de l'eau. Beaucoup de phénomènes agressifs ont aussi pour origine directe ou indirecte le changement de statut physique du sol : les travaux urbains et ruraux modernes modifient le niveau des nappes phréatiques, rendent imperméable la surface du sol, ce qui provoque des affouillements au pied des murs. Les déchets organiques s'accumulent parfois dans le voisinage des monuments et les traitements biochimiques des terres peuvent avoir aussi des effets néfastes.

Calcin et patine

La diversité de ces facteurs a entraîné différents symptômes qui ont fait distinguer différentes formes d'attaque. Il n'y a donc pas « la maladie » mais « des maladies de la pierre ». L'effritement, la desquamation, l'apparition de végétation en surface ou de coulures résultent de maux dont le processus est parfois engagé déjà depuis longtemps. Sur une pierre saine se forme initialement une sorte de croûte protectrice, la **calcin*** qui donne dans le meilleur des cas, cet effet de patine* plus ou moins dorée. Mais la constitution de cette patine peut être perturbée par les agents pollueurs. Les fumées, les poussières s'agglutinent sous forme de crasse et au-dessus du calcin, la pierre s'altère, devient pulvérulente sans qu'on y ait pris garde et la croûte protectrice se détache alors sur de grandes surfaces.

La recherche des remèdes

Devant ces offensives multiples la science et la technologie moderne ont associé leurs efforts aux remèdes traditionnels. Il ne s'agit pas d'exclure les uns au profit des autres mais de les utiliser de façon complémentaire. En fait, si les agressions étaient autrefois moins nombreuses, la gamme des remèdes était moins étendue et la thérapie ancienne n'était pas, en général, une « médecine douce » mais faisait appel à la « chirurgie » : on procédait à l'ablation de la partie endommagée et on la refaisait à neuf. Ce que nous avons dit à propos des vitraux est généralisable. Toutefois ce qui n'était pas indispensable à la clôture des édifices n'était pas toujours remplacé.

Aujourd'hui, il s'agit d'abord d'être plus au fait des phénomènes, et cette analyse concerne tout aussi bien les sculptures isolées ou décoratives que les murs moulurés et notamment leurs parties supérieures dont les avancées protègent le plan du mur mais sont, elles-mêmes, particulièrement exposées. Il faut donc d'abord situer de façon précise le parcours éventuel de l'eau dans la maçonnerie, savoir pourquoi cette eau déclenche les dégradations à tel endroit plutôt qu'à tel autre. Quand on est au fait de cette situation on peut prendre des dispositions thérapeutiques pour arrêter la cause du mal. Mais ce n'est pas toujours suffisant. Pendant des années les effets d'une cause ancienne peuvent continuer à se manifester, et on doit avoir recours à des procédés curatifs ou reconstitutifs. C'est pourquoi les procédés sont très variés et doivent combiner le recours aux moyens courants de rejointement, de lavage, d'injection de ciment quand des murs se sont disloqués avec de nouveaux moyens biochimiques beaucoup plus sophistiqués comme l'imprégnation de durcisseurs, d'hydrofuges, etc.

Travail pluridisciplinaire

Dans le recours à ces procédés il est très important que l'on puisse s'assurer qu'après un mieux provisoire, par exemple grâce à l'usage d'un durcisseur, le remède ne soit pas, à la longue, pire que le mal. C'est pourquoi le CEBTP (Centre d'Études du Bâtiment et des Travaux Publics), dirigé par Marc Mamillan, Président du Comité International de la pierre de l'Icomos, a recours à des simulations accélérées des phénomènes naturels sur des murs expérimentaux de différents matériaux.

Le laboratoire de Champs a pour vocation de synthétiser ainsi les recherches pointues de laboratoires très spécialisés de ce type, ou dont l'objectif est voisin comme le Service de microbiologie du sol de l'Institut Pasteur ou le Centre de recherches des études océanographiques, en les appropriant au cas d'espèce et aux situations particulières des Monuments. L'autre aspect de sa tâche est pratique et consiste à conseiller dans ce domaine particulier les responsables des chantiers des immeubles et des objets classés. La pratique scientifique moderne associe ainsi architectes, historiens d'art, ingénieurs : une quatrième catégorie d'intervenant est celle des sculpteurs (sculpteurs-mouleurs, sculpteurs-restaurateurs), qui, loin de se trouver exclus du processus par la pratique des nouvelles technologies trouvent au contraire un regain de responsabilité. En effet, il faut agir dans ce domaine sans aucun systématisme. On ne peut ignorer la pratique concrète du matériau en tant qu'œuvre d'art

Façade de Notre-Dame-la-Grande de Poitiers.

même si ce n'est pas pour réinventer entièrement des pièces. De même, le montage partiel peut être le recours approprié à certaines situations notamment quand les éléments brisés d'une pièce précieuse peuvent être mis en place sans être exposés à de nouvelles dégradations.

Une cause universelle

Toute cette technologie a permis dans certains cas d'arrêter le mal. Mais nous ne sommes pas au bout de nos peines tant que les causes de la pollution demeurent. Comme elle lèse les intérêts généraux de l'humanité, la qualité de la nature et la qualité de la vie, le recul de la pollution dont pourra un jour bénéficier le patrimoine artistique de l'humanité est lié à la volonté des hommes de tous les pays du monde de l'imposer avec une détermination suffisante par des choix appropriés de conception de la vie et de la société elle-même. Pour le présent, le combat qui se livre autour du patrimoine architectural reste difficile. La protection est loin d'être à la hauteur du mal, malgré tous les efforts déployés. Ici ou là, certains résultats sont probants. Ailleurs une recherche en entraîne une autre sans que des processus graves soient radicalement stoppés.

Stratégie alternative

La stratégie adoptée se joue donc autour de l'alternative : traitement **in situ** ou résignation de la dépose de l'œuvre récupérée par un musée. Autre alternative entre l'éventuel moulage ou l'éventuelle copie en pierre pour compenser un manque après dépose, à moins que l'absence d'un décor monumental ne soit assumé sur un édifice en fonction comme il l'est généralement sur une ruine.

Ayant déjà traité de la gestion des ruines, nous allons illustrer cette stratégie générale par deux exemples marquants : le problème du portail de Moissac (Midi-Pyrénées) et la solution adoptée pour les Chevaux de Marly à Paris. Ce débat nous conduira à nous interroger sur la question de la récupération muséographique de l'architecture monumentale à l'occasion de deux cas atypiques : les ruines du Toussaint d'Angers (Pays de la Loire) et les vestiges du cloître de Notre-Dame-Vaux de Chalons-sur-Marne (Champagne).

Un cas difficile : Moissac

Rappelons d'abord l'importance et la beauté de l'objet de l'enjeu, le Portail de Moissac : l'ampleur de son programme iconographique, son organisation spatiale et la qualité intrinsèque de sa sculpture languedocienne qui a atteint, avec la sculpture bourguignonne, le sommet de l'art roman.

Moissac est une abbaye bénédictine dont une chronique du XVe siècle fait état de l'histoire mais comporte de notables erreurs ; toutefois elle situe à juste titre sa construction du XIe au XIIe siècle.

L'évangélisation de l'Aquitaine avait été relativement tardive et il semble que les bâtiments élevés à Moissac avant l'arrivée des Sarrazins, au VIIIe siècle, n'aient pas plus résisté, que les suivants ne résistèrent aux Hongrois puis aux Normands... Les moines de Moissac ne furent pas plus heureux avec les seigneurs du voisinage qui pillèrent l'abbaye tout au long du Xe siècle ; en 1030, la voûte de la nouvelle abbatiale s'effondra.

Portail latéral *de l'Abbaye de Moissac.*

Mais saint Odilon, second abbé de Cluny, de passage dans la région, affilia Moissac à son Ordre, dont le réseau allait devenir la plus importante organisation chrétienne du Moyen Âge. De l'édifice contemporain de Conques, que construisit, au XIe siècle, l'abbé Durand, le premier abbé clunysien de Moissac, également archevêque de Toulouse, ne restent cependant aujourd'hui que des substructions.

C'est donc seulement vers 1140 qu'on édifia la tour carrée qui existe encore, et que furent sculptés le Tympan du célèbre portail latéral sud et les chapiteaux du cloître réédifié d'ailleurs après l'incendie qui, en 1188, ravagea à la fois la ville et l'abbaye. La guerre de Cent ans, à son tour, accabla l'édifice. Et l'église fut finalement reconstruite en style gothique au XVe siècle.

Mais son état était tel, au XVIIIe siècle, qu'en 1767 le roi autorisa l'abbé à démolir une grande partie des édifices abbatiaux. À la vente des Biens Nationaux, ce qui en restait ne trouva pas d'acquéreur. Et c'est le projet de chemin de fer, prévoyant la destruction de l'église, qui, au milieu du XIXe siècle, entraîna son classement comme monument historique et ainsi, paradoxalement, la sauva.

La représentation de l'Apocalypse

Le Tympan du portail roman illustre la vision de l'Apocalypse. *« Je vis au même instant un trône dressé dans le ciel et quelqu'un assis sur ce trône. Celui qui était assis paraissant pareil à une pierre de jaspe et de sardoine, et l'arc-en-ciel était alentour. Autour, il y avait vingt-quatre sièges, et sur les sièges, vingt-quatre vieillards (...) vêtus de vêtements blancs avec, sur leurs têtes, des couronnes d'or. Du trône sortaient des éclairs, des voix, des tonnerres et sept torches de feu qui sont les Esprits de Dieu. Devant une mer de cristal, il y avait des animaux pleins d'yeux devant et derrière. Le premier animal était semblable à un lion, le deuxième à un veau, le troisième avait le visage d'un homme et le quatrième était semblable à un aigle qui vole »* (Apocalypse IV, 2-7).

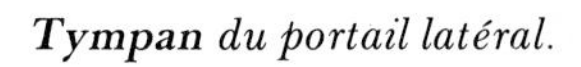

Tympan *du portail latéral.*

C'est le Christ-Roi et Juge qui bénit de la main droite et dont la main gauche repose sur le livre fermé. Les animaux cités qu'accompagnent deux longues figures d'anges à phylactères*, symbolisent les quatre Évangiles. Les vingt-quatre vieillards, aux têtes penchées, tendent tous le regard vers Dieu et manifestent l'étonnement à cette soudaine apparition. Ils se réjouissent au son de leurs instruments de musique céleste, tandis que les coupes qu'ils brandissent sont celles de l'ambroisie : la Parole de Dieu et l'Eucharistie sont l'ambroisie des croyants, est-il dit, et dans la Bible, la coupe symbolise la destinée humaine, débordante de la bénédiction recueillie comme du feu de châtiment. Ainsi, l'iconographie médiévale de la vision apocalyptique se mue en Jugement Dernier.

Le style du tympan

Le commentaire de l'Apocalypse par le moine Beatus, mort en 798 en Espagne, était déjà illustré, au xe siècle, par une enluminure de Saint-Sever montrant les vieillards tendant leurs coupes vers l'image divine, comme à Moissac. Mais la composition de ce tympan est plutôt inspirée d'ouvrages d'ivoire, tellement la structure en est serrée. En tout cas, elle appartient bien en propre à ce style roman languedocien, inauguré à la porte Miegeville de Saint-Sernin à Toulouse, mais poussé, ici, à la perfection, avec une vigueur et en même temps une souplesse qui n'appartiennent qu'à elle. Au-dessus du tympan, le linteau est décoré de rosaces encadrées d'animaux fantastiques. Il prend appui sur le trumeau, autre morceau admirable de vigueur qui allie une composition rigoureuse à l'interprétation figurative de trois couples de lions, dont les corps s'entrecroisent en X. Là, le rapprochement avec des ivoires cordouans, inspirés eux-mêmes de modèles byzantins, s'impose particulièrement. Mais sur les faces latérales de ce trumeau, apparaissent encore deux longues figures d'apôtres. Quant aux faces des piedroits, elles portent, de part et d'autre, les figures de Pierre et d'Isaïe, dont la facture est différente. Enfin des ressauts de colonnettes et d'archivoltes encadrent le tout.

La composition générale

Mais ce portail est disposé au fond d'un porche dont les murs latéraux sont eux-mêmes décorés. Chacun d'eux se décompose en une partie supérieure rectangulaire et une partie inférieure décomposée verticalement en deux arcades jumelées, reposant sur trois colonnes, et horizontalement en deux registres de scènes. Six registres sont ainsi consacrés à droite à la vie de la Vierge, à gauche à la Parabole du mauvais riche.

Nous ne pouvons entrer ici dans les débats relatifs aux intentions iconographiques qui ont mis ces deux thèmes en parallèle, en introduction à la contemplation du Divin. Mais la présence de la Vie de la Vierge auprès de la vision de l'Apocalypse intégrant ultérieurement le Jugement Dernier est constante dans l'iconographie des grands portails du Moyen Âge.

Cloître

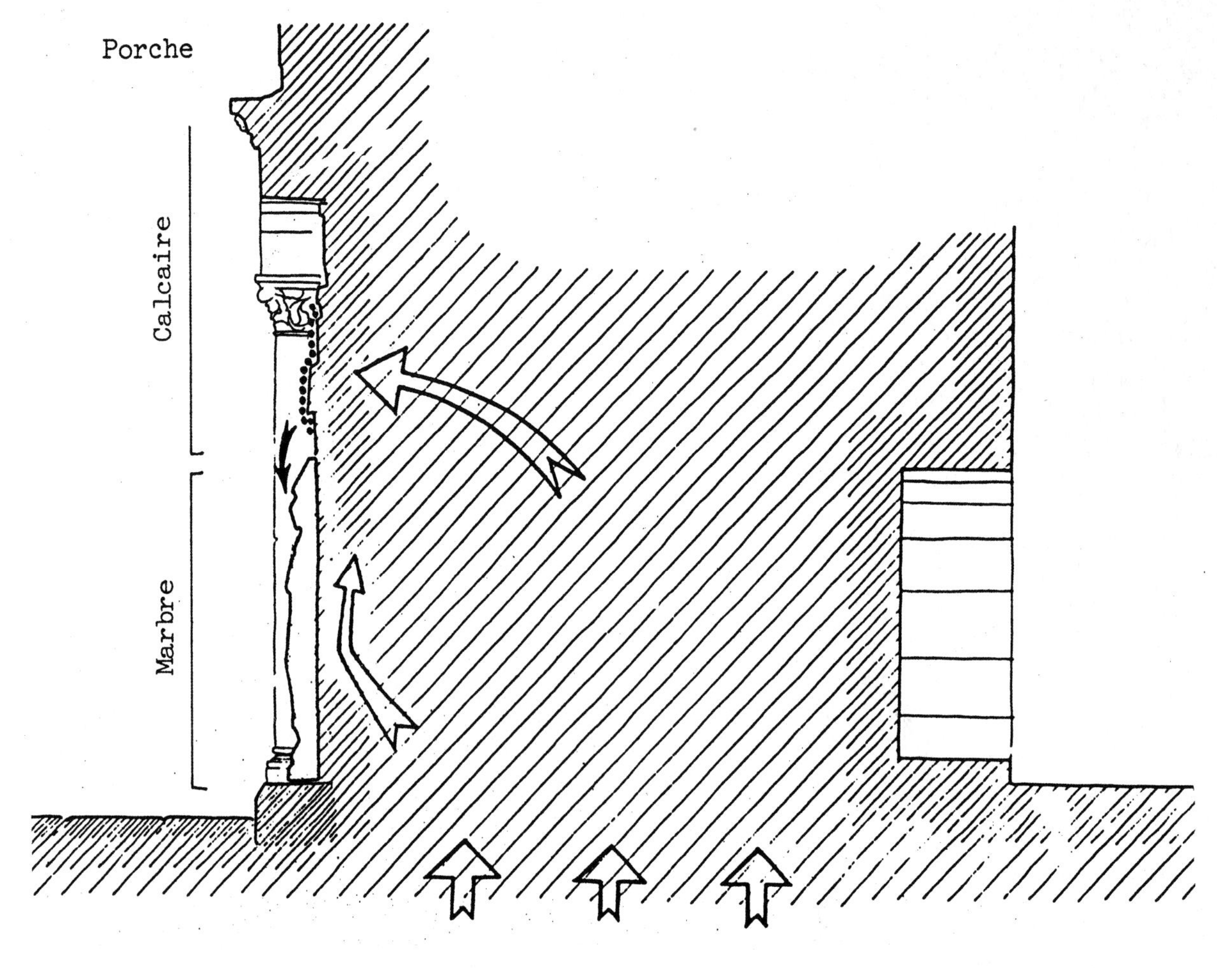

Schéma montrant comment les eaux de la nappe phréatique située à 1,50 m. sous le narthex remontent dans les murs. (Croquis B, Voinchet.)

Les **vieillards** *de l'Apocalypse du tympan de Moissac regardent le Christ.*

Un autre débat concerne le décalage de datations, conjecturé par l'évolution du style des différentes parties de ce porche (tympan : dernier tiers du XIe siècle ; panneaux latéraux : vers 1140 ; saint Pierre et Isaïe : vers 1180). Ce qui est singulier, c'est l'usage de deux matériaux différents dans un porche où domine certes le calcaire, tandis que le linteau du tympan et les scènes inférieures latérales sont en marbre.

Les périls

Nous en venons maintenant à l'affaire essentielle qui, depuis quinze ans, concerne la santé de ce porche. Le péril est apparu sous forme de petits cratères blancs sur le tympan et des desquamations de plus en plus considérables sur les parties hautes des panneaux latéraux, entraînant des effets seconds sur les marbres des parties inférieures.

En tant que directeur du Centre de recherche des monuments historiques de Chaillot, j'ai eu l'occasion de faire procéder à la mesure photogrammétrique de ces dégradations. La photogrammétrie, qui permet la restitution graphique et la mesure des reliefs par juxtaposition de photographie binoculaires (à la façon dont l'usage de nos deux yeux nous donnent eux-mêmes le sentiment du relief) était ainsi appliquée à l'échelle microscopique. La comparaison de vues prises seulement à quelques mois de distance suffisait pour enregistrer une progression du mal sur les parties latérales. Le danger était donc certain et nouveau, car si une érosion du XVIIIe ou du XIXe siècle est perceptible, elle n'a pu se manifester au rythme actuel ; tout l'ensemble des modèles aurait depuis longtemps disparu.

Jean Taralon, son laboratoire et l'architecte B. Voinchet constatèrent la complexité du problème car plusieurs causes, dans un cas pareil, peuvent se conjuguer. Et elles ont été prises, successivement ou simultanément en considération. Certes, depuis peu, une percolation d'eau de pluie se manifestait sur le mur surplombant le portail. Il y fut mis fin et l'on peut s'étonner qu'il ait échappé au contrôle de routine. Mais il fallut chercher au-delà. L'hypothèse selon laquelle la nappe phréatique avait été modifiée par les travaux anciens du canal latéral de la Garonne au XVIIIe siècle et par ceux du chemin de fer au XIXe, fut ensuite confirmée : les sondages

Mai 1972 et mai 1973 ***progression du mal.***

révélèrent une cote dangereuse de la nappe phréatique. Or, pour tout ce qui concerne la pétrologie et la structure de la pierre (et plus généralement la géologie), le phénomène d'**hystérésis**, c'est-à-dire le décalage dans le temps entre cause d'effet est fréquent, et cela ne facilite ni la recherche ni la thérapeutique. Dans le cas particulier, le laboratoire mit en évidence la pénétration de l'humidité dans les murs. Mais, sans écarter les effets dus à la pluie, il put détecter la circulation de l'eau du sol à travers la pierre. Et c'est ainsi que, les panneaux latéraux inférieurs en marbre étant assez durs pour ne pas être imprégnés par l'eau de l'intérieur, cette eau ainsi emprisonnée remonte au-dessus d'eux par capillarité et dépose ensuite des sels qui font éclater la pierre sous forme de desquamation. Par voie de conséquence, les poussières ainsi chargées de sel sont véhiculées en surface par la pluie, et le marbre des parties inférieures est à son tour attaqué.

Les remèdes

Pour stopper les remontées capillaires, il fut alors décidé d'évider la base du contrefort du porche et de passer une feuille en plomb entre le sol et le bâtiment. Ce fut une opération considérable car les murs concernés ont cinq mètres d'épaisseur. Il fallut évider ces murs et doubler la plaque de plomb de béton. Tout ceci fut opéré dans l'objectif d'éviter la dépose dans la mesure où, en raison de l'incorporation de l'ouvrage sculpté dans la maçonnerie et la façon dont les greffes successives ont été opérées, l'opération de dépose peut présenter elle-même des dangers. D'autre part, la dépose ne pourrait être que partielle et on se résoudrait mal à décomposer l'œuvre en éléments dont les uns resteraient inévitablement **in situ** comme le tympan, et d'autres seraient placées dans un musée. Il faudrait pour le moins que celles-ci soient remplacées sur place par des copies, ces copies pouvant d'ailleurs être réalisées à partir d'un état meilleur que l'état actuel puisque l'on en possède le moulage ancien (musée des Monuments Français du Palais de Chaillot).

Les travaux patients et prudents se poursuivent à Moissac, sans que le phénomène soit encore entièrement maîtrisé. Outre l'évolution de la nappe phréatique, le niveau du sol de la ville de Moissac elle-même semble en cause. L'étude de Moissac a cependant fait avancer une recherche générale dont beaucoup d'autres monuments bénéficient. Elle a mis en évidence la distinction entre deux types d'attaque (le piquetage par petits cratères et la desquamation due à l'éclatement des pores de la roche à cause des dépôts de sel). Également elle a révélé les effets conjugués des attaques internes et externes.

Un choix obligé de déposer Marly

Un précédent : Chartres, copie ou moulage

Quatre statues colonne du portail royal de Chartres dont la **reine de Saba.**

La progression de la dégradation *de la tête de la reine de Saba.*

Des situations analogues à celles de Moissac existent dans différents points du territoire français. Lorsqu'il y a plus de vingt ans, on constata l'érosion de certaines statues-colonnes du fameux Portail Royal de la cathédrale de Chartres, on se résigna à faire tailler la copie de deux d'entre elles, dont la Reine de Saba, et on mit à l'abri les originaux. Lorsque je pris, en 1969, la responsabilité du Centre de recherche de Chaillot, le choix de la pierre avait déjà été fait et le travail du sculpteur était presque achevé. Celui-ci l'a réalisé avec beaucoup de soin et d'adresse de sorte que l'effet est satisfaisant.

Le problème des carrières

Cependant les textures de la pierre des copies sont différentes de la pierre originale. C'est en général ce qu'on doit éviter, sans que ce soit toujours aisé, à cause de l'épuisement de certaines carrières ou de certains lits de carrière. Or, de toute façon, les restaurations exigent de réexploiter des carrières anciennes abandonnées et d'éviter l'usage industriel de certaines d'entre elles, car les modes d'exploitation actuels par explosif opèrent des brisures dans les lits. La conservation du patrimoine nécessite dont une politique de protection des carrières anciennes.

Le problème du moulage

Il y a vingt ans, on répugnait à remplacer certaines pièces qu'on ne pouvait conserver **in situ** par des moulages. Par ailleurs, mouler une œuvre qui se délite est difficile, et si la dégradation est très avancée, il n'est plus significatif de mouler un moignon de statue dont le modelé a disparu.

Par contre, avec les progrès récents faits dans le domaine des matériaux de synthèse, le moulage peut présenter aujourd'hui, dans de nombreux cas, des avantages supérieurs à la copie taillée. C'est cette solution qui a été choisie pour les « Chevaux de Marly ».

Les chevaux de Marly à l'entrée des Champs-Élysées.

Marly-sur-Concorde

Tous les Parisiens, tous les visiteurs de Paris, connaissent les « Chevaux de Marly ». Ce sont quatre groupes de sculptures, les uns dus à Coysevox en 1702 (La **Renommée** et **Mercure**), les autres dus à Coustou en 1745 (l'**Amérique** et l'**Afrique**) qui eurent, à l'instar des « Chevaux de Saint-Marc de Venise », l'humeur particulièrement voyageuse...

En 1702, Coysevox installe ses groupes dans le parc du Château de Marly mais, dès 1719, la **Renommée** et **Mercure** sont placés à Paris à l'entrée de la terrasse des Tuileries. Pour les remplacer, Coustou sculpte, en 1739, l'**Amérique** et l'**Afrique**.

Mais, en 1794, le Comité de Salut Public, sur l'avis de David, les retire eux aussi de Marly, et les place à l'entrée des Champs-Élysées. Désormais, après avoir occupé successivement le même emplacement à Marly, ces quatre groupes, en vis-à-vis autour de la place de la Concorde, balisent la traversée de cette place par le grand axe est-ouest de Paris. Au XIXe siècle, avec l'Obélisque de Louxor, à l'emplacement central de l'ancienne statue de Louis XV et d'une effigie provisoire de la Liberté, face à la guillotine pendant la Révolution, étaient disposées les statues des villes de France tout autour de la place encadrée par la Seine et les palais de Gabriel du XVIIIe siècle (hôtel Crillon et ministère de la Marine — ancien Garde-Meuble). Les quatre groupes de Marly se trouvent ainsi intégrés au plus fameux espace urbain du monde et ils avaient bien droit au repos. Pourtant ils n'étaient pas au bout de leur peine.

Les agressions

En 1980, l'architecte en chef G. Duval, Jean Taralon et l'ingénieur de Champs P. Jaton, alertent la Commission supérieure des Monuments historiques et sont appelés à demander des mesures conservatoires concernant l'**Afrique** et l'**Amérique**, et bientôt tout l'ensemble. Une érosion très importante a attaqué le marbre, et substitué à son poli l'aspect d'une pierre calcaire. L'acidité de l'air est directement en cause. Mais également des taches noirâtres sulfatées s'étendent sous les parties cachées que la pluie ne lessive pas.

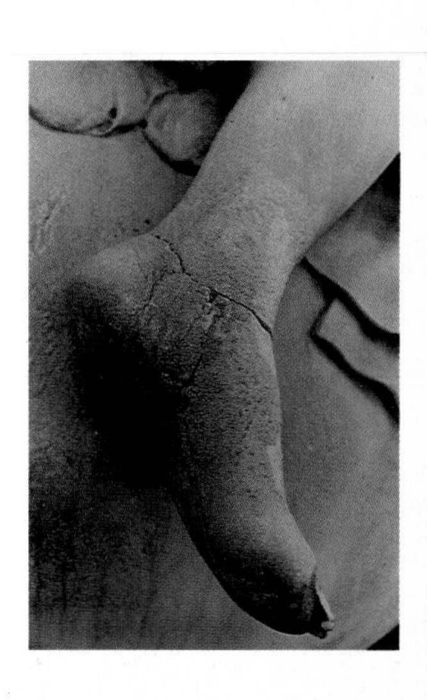

***Pied de La Renommée** (de Coysevox). Son état était tel que la dépose était inévitable. Après repose* in situ *le phénomène de dégradation se serait reproduit sous l'effet des vibrations et de la corrosion.*

Enfin, et c'est le plus grave, sachant que chaque groupe est taillé dans la masse d'un bloc unique, ce qui est une belle prouesse technique, des fissures qui deviennent d'irrémédiables cassures parcourent progressivement chaque ensemble. Il va de soi que les trépidations de la circulation sont directement en cause, et que, concernant les groupes de Coustou, le martelage des chars militaires, à chaque 14 Juillet, n'arrange pas les choses. Que dire de l'idée qui a gagné certains esprits de faire des Champs-Élysées et de la Concorde le lieu d'un Grand Prix de Formule 1 : ce défi à la vocation de la ville, heureusement, n'est plus de saison... Mais demeure un incroyable trafic polluant ensemble les organismes biologiques et les monuments. De 1981 à 1982, lavage, purge des salissures, traitement du lichen, brochage et goujonnage, bouchage des fissures par des résines et recours aux hydrofuges furent autant d'opérations qui étaient des préalables nécessaires. Quelle que soit la solution définitive retenue, leur efficacité contre de nouvelles agressions se limitait à cinq ans, à moins de réinventer un Paris pour les hommes et qui ne fût plus celui des voitures. Il fallut donc bien que la Commission Supérieure des Monuments historiques, qui n'a cessé depuis des années d'apprécier les différentes options propres à sauvegarder la sculpture monumentale en France et d'orienter les choix, fût invitée par la direction du Patrimoine à se prononcer et dans ce cas précis, elle opta en faveur de la solution de copies moulées en poudre de marbre et de résine. Elle recommanda également que les protections hivernales indispensables pour protéger ce genre d'ouvrages et leurs copies elles-mêmes soient de plus longue durée. L'opération fut menée avec un grand succès par le sculpteur-mouleur Michel Bourbon.

Les moulages sont désormais en place, et les pièces authentiques seront recueillies dans la cour du Louvre qui fut celle du Ministère des Finances et où l'on réunira les plus belles pièces de sculptures classiques après l'avoir couverte dans le cadre de l'opération du Grand Louvre.

Moulages et fabrication des copies des deux groupes des chevaux de Marly : *La Renommée et le Mercure de Coysevox.*

A. Cheval de Cousto en préparation de moulage ; mise en place du plan de joint de terre.

B. « La Renommée ». Le plan de joint en terre est mis en place pour la bonne fermeture et le repérage des éléments du moule.

C. Pose des silicones sur l'original préalablement préparé : consolidation et agent de démoulage. Les couleurs différentes correspondent à une chronologie indispensable au démoulage qui ne créera ainsi ni pression ni contrainte néfaste à l'original emprisonné.

D. Le « Mercure » recouvert aux 2/3 de ces silicones.

A

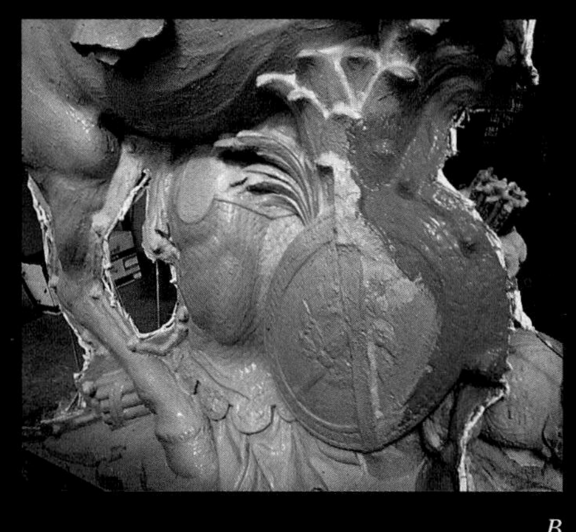

B

C

D

E

F

G

E. « La Renommée » recouverte de son silicone et de sa chape en stratifié/fibre de verre. Les évents apparaissent prêts à leur fonction pour la coulée de la matière. Ainsi parée, on pourrait la prendre pour une sculpture moderne.*

F. Le moule en cours de remontage. Les évents multiples sont distribués selon une technique employée en fonderie.

G. Mise sous vapeur des groupes « La Renommée » et du « Mercure » de Coysevox pour le blanchiment des chaux, le durcissement de la matière et la mise au ton définitif.

H. Épreuve sortant de l'atelier de vapeur. Première exposition au soleil.

I. L'état du matériau en janvier 1989 après quatre années d'existence, est pleinement satisfaisant.

H

I

Les chevaux de l'Hôtel des Invalides

Dans la cour d'honneur de l'Hôtel des Invalides à Paris, ce groupe sculpté était tombé et s'était émietté. Le puzzle a été reconstitué en intégrant les morceaux originaux dans cette restauration qui est un « morceau de référence ». Cette opération due à Michel Boubon aux Invalides sous la responsabilité de l'Architecte en Chef, J. C. Rochette, constitue une nouvelle approche de la restauration des sculptures inaugurée à la cathédrale de Reims sous la direction d'Yves Boiret. Elle consiste à ne plus opposer systématiquement le procédé de moulage et le procédé de copie, et à récupérer le maximum d'éléments anciens, si fragmentaires soient-ils, au moyen de procédés de collage appropriés. Grâce à la reconnaissance des processus de vieillissement, l'homogénéité de l'évolution de la teinte que donnera le temps à la sculpture traitée, semble assurée.

Morceaux du groupe Sud-ouest des ***chevaux des Invalides*** *tombés dans la cour d'honneur.*

Le groupe restauré *malgré le peu qui en restait et remis en place sur la toiture.*

Cathédrale de Reims.

MONUMENTS ET MUSÉES

MONUMENTS ET MUSÉES

Trésors de l'architecture de Champagne

La Champagne médiévale

Reims, Châlons-sur-Marne et Troyes constituent les centres éminents de l'art champenois qui, à travers les siècles, se diffusa dans cette province à bien des égards jumelle de l'Ile-de-France et qui fut dotée d'une rare puissance féodale polarisée par les Comtes de Champagne et le siège archiépiscopal de Reims dont le titulaire sacrait le roi. Le raffinement de l'art champenois tant roman que gothique suscite par sa grâce un émerveillement particulier et symbolise bien dans l'histoire de l'Occident la marque de la civilisation française.

Reims, ville du sacre

Dans ce contexte, la prééminence de Reims tient d'abord historiquement au fait que son évêque saint Rémi baptisa Clovis et convertit les Francs au christianisme. Ses successeurs jouèrent un rôle décisif dans l'accès des Capétiens à la Monarchie héréditaire consacrée par cette tradition du Sacre de Reims et qui par exemple, grâce à Jeanne-d'Arc, légitima Charles VII. Lorsque, au début de la Première Guerre mondiale la cathédrale de Reims fut bombardée et incendiée, elle était depuis des siècles le symbole de la continuité de la nation française. S'y ajouta littéralement l'auréole de son martyre. Reste que la maîtrise des effets de ce drame n'a cessé depuis soixante-cinq ans de poser problème : la conservation et la restauration de cette expression parmi les plus heureuses du génie humain traduit bien un enjeu déterminant de la sauvegarde du patrimoine mondial tout entier : la survie et l'intégrité de cet édifice-là sont ainsi liées à l'identité d'un peuple. Et au-delà des méfaits de cette lutte qui affaiblit irréversiblement l'Europe et sa civilisation au début du XXe siècle, subit aujourd'hui particulièrement les méfaits de la pollution le patrimoine architectural qui a été fragilisé. Le problème est donc posé à Reims en des termes fondamentaux. Le combat pour la survie de cette cathédrale (et qui est maintenant bien engagée) n'a que trop tardé et, à l'instar de celui qui est mené autour du Parthénon, c'est un de ceux dont la postérité appréciera l'issue afin de juger nos générations.

De Reims à Châlons et à Troyes

Nous verrons par ailleurs combien, à Reims, la cathédrale est inséparable de son Palais archiépiscopal devenu, en quelque sorte, sa « maison de l'œuvre » car il a recueilli les pièces de sa foisonnante sculpture qui n'ont pu être maintenues sur l'édifice. Et on y trouve aussi les instruments et les ornements des sacres royaux qui ont survécu à la Révolution. Cet édifice est donc devenu littéralement le **trésor de la cathédrale** et ainsi le trésor d'un trésor d'art insigne de la France.

Mais on ne peut séparer non plus la cathédrale de Reims du chef-d'œuvre de l'art roman champenois qui porte le nom de saint Rémi lui-même et fut édifié sur son tombeau. Et de même que la cathédrale a eu pour exutoire de son histoire le Palais du Tau, Saint-Rémi a trouvé dans ses bâtiments conventuels l'occasion d'y exprimer son histoire architecturale ; une histoire particulièrement significative quand on songe à l'heureux mariage stylistique qui a présidé à la réalisation de Saint-Rémi, associant à ses murs romans, son couronnement de voûtes gothiques, sans parler de certains achèvements classiques.

Châlons-sur-Marne possède elle-même sa cathédrale. Mais parmi ses édifices les plus remarquables, nous nous attarderons sur le plus ancien d'entre eux ; l'abbaye de **Notre-Dame-en-Vaux** nous offre en effet l'exemple d'une résurrection qui serait comme une mémoire revenue à un amnésique. Il s'agit de l'aventure archéologique de son cloître roman. Exhumée des murs de bâtiments plus récents sa sculpture a été présentée ces dernières années sans l'artifice d'une reconstitution douteuse mais en relation avec son aire originelle. Voilà qui illustre d'une façon particulièrement efficace la notion de trésor perdu et retrouvé.

La troisième capitale champenoise, Troyes, prolonge l'essor de son art gothique en Champagne à partir de sa propre cathédrale de style rayonnant et concourt au développement tardif du gothique flamboyant dans tout le sud de la Champagne.

Vue aérienne de la cathédrale après l'incendie de 1914, le toit s'est effondré.

Depuis les importants vestiges romains de Durocortorum (ancienne ville gauloise des Remes devenue Reims), jusqu'aux superbes halles de 1930 de cette ville, halles qui furent récemment classées parmi les monuments historiques pour échapper à la démolition, la Champagne présente une remarquable continuité de trésors d'architecture. Nous nous bornerons à commenter les trois opérations de sauvegarde et de mise en valeur particulièrement révélatrices déjà citées de la cathédrale et de Saint-Rémi de Reims et celle de Notre-Dame-en-Vaux de Châlons.

Heurs et malheurs champenois

Auparavant prolongeons nos observations sur l'ensemble des trésors architecturaux de la Champagne. Si l'on s'interroge sur la richesse monumentale particulière des « écoles » artistiques de Champagne en particulier au Moyen Âge, on peut souligner leurs relations avec la prospérité d'une province dont la production lainière et la situation de carrefour commercial entre pays du Nord et Italie, Île-de-France et ouverture vers la Rhénanie firent la prospérité des célèbres **Foires de Champagne**. En a pris le relais, le prestige des vins de Champagne. Mais, depuis la bataille des Champs Catalauniques (près de Châlons) où furent arrêtés les Huns, jusqu'à Valmy et jusqu'aux célèbres batailles de la Marne, sans parler des ultimes campagnes napoléoniennes, la Champagne fut aussi le passage obligé des invasions et le lieu des ultimes succès défensifs des Français. Terre labourée par les conflits les plus graves de l'histoire européenne, beaucoup de ses trésors architecturaux en ont subi des dommages irréparables et beaucoup d'autres édifices du département de la Marne ont été reconstruits après la Première Guerre mondiale, et d'ailleurs, en général, avec beaucoup d'habileté. Par ailleurs, bien antérieurement, d'innombrables églises du futur département de l'Aube ont pâti d'un phénomène moins accidentel : le déclin historique qui a marqué la France et la Champagne entre 1350 et 1450 s'est traduit par la régression de l'activité rurale et manufacturière et la chute de la démographie. Ensuite la Champagne s'est redressée rapidement ainsi qu'en témoignent les vieux quartiers actuels de la ville de Troyes et le nombre considérable d'églises de style flamboyant des pays troyens et barrois.

Trésors de l'architecture champenoise

À Troyes même, ce développement économique nous vaut l'un des plus beaux ensembles de France de maisons de bois à double ou triple colombages. Ces bâtiments d'habitation, en fait très résistants malgré des procédés de construction qui paraissent précaires, s'étaient peu à peu, faute d'entretien, endommagés au cours du XIXe et du début du XXe siècle. Certains ont été remis en état au cœur de la ville, mais il reste encore beaucoup à faire dans le cadre des dispositions de l'ensemble des travaux du « Secteur sauvegardé » dont l'étude a été confiée il y a une vingtaine d'années à Michel Marot.

Quant aux très nombreuses églises de Troyes, elles ont fait l'objet d'un plan concerté de restauration systématique que j'avais mis au point il y a une trentaine d'années avec l'appui de la ville et du Conseil Général. Nous avions mis en œuvre un plan analogue de travaux de restauration systématique à l'égard de ces nombreuses églises des pays barrois et troyens qu'ont suivi les architectes Jacques Laurent et Morisseau et que poursuit aujourd'hui Jean-Michel Musso. L'état lamentable dans lequel, vers 1956, nous avions trouvé ces édifices tenait à de multiples causes convergentes : instabilité du sol crayeux affouillé par les eaux, friabilité de cette pierre lorsqu'elle est en œuvre et aussi conception architecturale de la fin du XVe siècle comportant une ouverture des baies considérable et des appuis très restreints. Enfin un déclin démographique et économique redoublé, et un siècle de négligence que trente ans d'activité résolue n'ont pas encore totalement compensée.

Statue d'un oiseau côté nord de la haute nef, refait selon la méthode traditionnelle et encagé derrière les échafaudages.

Le cloître de Notre-Dame-en-Vaux de Châlons-sur-Marne

Découverte de **colonnettes du cloître ayant servi de moellons** *pour construire un mur.*

L'église

Telle qu'elle se présente aujourd'hui, l'église de Notre-Dame-en-Vaux comporte trois parties. L'église : les deux tours du chevet, ayant vraisemblablement appartenu à une église romane du XIe et qui furent modifiées au XIIe en s'inspirant de la cathédrale Saint-Étienne ; la nef et le transept du milieu du XIIe, et enfin le chevet et ses chapelles de la fin du même siècle. En dépit de cette complexité, cet édifice paraît aussi présenter une unité de style roman champenois bien caractérisé dans la nef par une élévation de quatre étages superposés (grandes arcades, baies géminées de la tribune, baies géminées du niveau des combles de la tribune et grandes fenêtres hautes éclairant directement le vaisseau), tout cela sous l'inspiration vraisemblable de l'abbatiale de Saint-Rémi de Reims que nous évoquerons plus loin. Ce qui nous intéresse ici, c'est le sort du cloître de Notre-Dame-en-Vaux — ainsi dénommé parce que cette paroisse se situait hors les murs au confluent de deux petites rivières et de leurs vallées.

Le Cloître des plaideurs...

Le cloître jouxtant cette église dépendait au Moyen Âge d'une communauté de six chanoines dont les démêlés avec le chapitre de l'évêché puis avec le curé de la paroisse ne cessaient de défrayer la chronique et nécessitèrent souvent, au-delà de l'évêque de Châlons, l'arbitrage de l'archevêque de Reims voire du Pape. Ces chanoines étaient enviés car ils disposaient de revenus liés à la réputation miraculeuse du pèlerinage de Notre-Dame-en-Vaux et ils consacrèrent, au XIIe siècle, leurs prébendes à l'édification de leur cloître. Cependant, ils paraissaient peu disposés à se soumettre aux contraintes de la vie communautaire : ni dortoir ni réfectoire n'accompagnant cette construction. En outre, les paroissiens et les visiteurs n'accédaient guère à ce cloître : aucune description de Châlons par le récit des voyageurs ne le mentionne malgré son intérêt exceptionnel. Au XVIIIe, l'attrait du gain de ces bons chanoines semble les avoir conduit à spéculer et

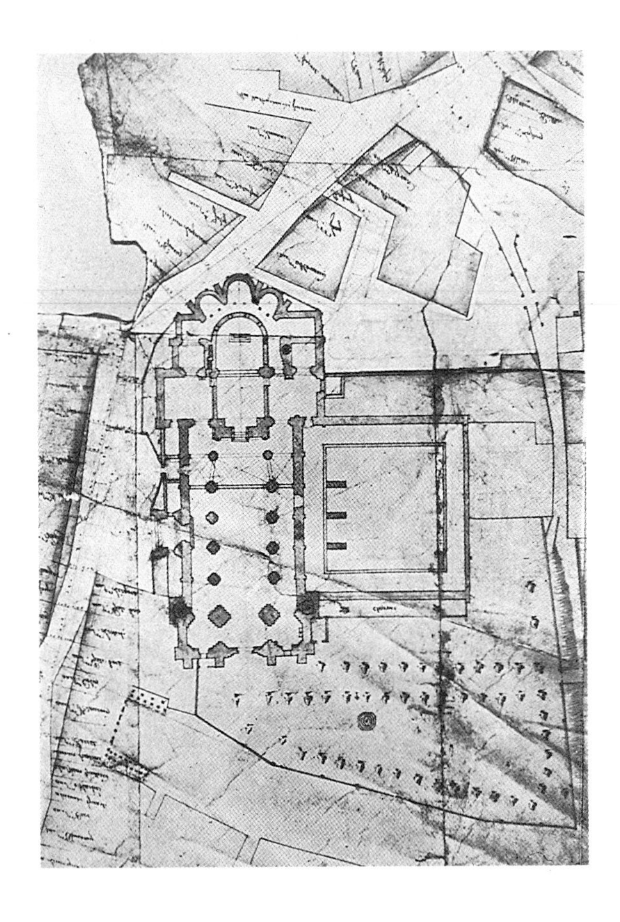

Plan ancien *de l'église et de l'ancien cloître.*

à être ruinés par la faillite de Law (1720). La propre ruine du cloître était elle-même proche, car il exigeait lui-même une prompte restauration. Mais chaque partie prenante entendait en rejeter la charge sur l'autre jusqu'à ce que l'évêque rendît un jugement à la Salomon, à ceci près qu'il fut doublement funeste à l'enfant...

Ayant en charge la galerie voisine de l'église, la paroisse finit par la démolir, mais non sans la brader : on en perdit toutes les pièces sauf deux statues-colonnes aujourd'hui aux Musées de Cleveland (Ohio) et d'Anvers. Quant aux trois autres galeries, elles furent, dès 1750, délibérément démolies et leurs sculptures servirent de moellons pour bâtir de multiples bâtisses élevées dans le jardin paroissial voisin divisé en multiples lots.

Une œuvre obstinée et un choix de doctrine

Telle était la situation lorsque l'archéologue Léon Pressouyre tenta, à partir de 1960, de rendre au patrimoine national cette œuvre majeure. Sa compétence et son obstination triomphèrent de bien des obstacles et je me souviens de la stupéfaction que suscitèrent à Paris les premières découvertes présentes en 1969 à l'Exposition sur l'Art Gothique. Épaufrées, brisées, mutilées, l'essentiel des chapiteaux et des statues-colonnes composant l'iconographie des trois galeries subsistantes a pu être récupéré. Dès lors que fallait-il faire ? L. Pressouyre a exposé à la Commission supérieure pourquoi il proposait d'éviter une reconstruction du cloître, et pourquoi les architectes Paul Pillet, Michel André et lui-même adoptèrent le parti de conserver ces vestiges dans un musée approprié jouxtant l'espace réhabilité de l'ancien cloître, afin que notre pensée puisse en concevoir le développement originel. Ce choix est de sagesse. Il constitue une illustration de la doctrine des monuments historiques cautionnée par la Charte de Venise qui doit éviter les reconstitutions aléatoires. Il y avait aussi l'exigence d'une bonne conservation de pièces que leur état pouvait exposer en plein air à une détérioration rapide. En approuvant ce choix, je ne cautionne nullement ici une préférence systématique en faveur de la solution muséographique contre la conservation *in situ*. Au contraire, celle-ci doit rester la règle quand la sculpture est encore en place ou quand on peut la replacer sans l'exposer à la dégradation. Mais lorsque le support architectural fait défaut et qu'aucun document précis n'étaie sa reconstitution (ce qui est ici le cas), il est raisonnable d'y renoncer. Quand l'architecture subsiste mais dans un état de ruine, le choix préalable s'impose entre le maintien à l'état de conservation de la ruine et la restauration globale avant de trancher le sort de la statuaire. Et celle-ci ne sera remise en place que si l'architecture est capable de la préserver des agents extérieurs et que si elle est elle-même dans un état de conservation qui ne l'expose pas à une détérioration rapide. Faute de quoi, moulages ou copies peuvent être envisagés à titre de substitut.

Dans la présentation du cloître de Notre-Dame-en-Vaux, plutôt que de remonter les trois galeries subsistantes d'une seule venue sur leur emplacement d'origine, on a donc présenté les sculptures en s'efforçant néanmoins d'évoquer la structure générale en remontant quatre arcades. On y a intégré cinq colonnes alternativement simples et doubles, sculptées et lisses, avec leurs bases et leurs chapiteaux. S'y trouvent intégrées des statues-colonnes de Prophètes, parmi lesquelles on reconnaît Daniel. À côté de cet ensemble figurent les éléments constitutifs de piliers quintuples et d'autres statues de Prophètes et des séries de chapiteaux. C'est ainsi que se reconstitue la cohérence de séries iconographiques sans risque d'erreur. Enfin, les chapiteaux historiés sur tous leurs côtés, notamment ceux qui représentaient la Vie du

Colonne double.

Fouilles du cloître.

Statues-colonne.

Christ et constituent le couronnement de colonnes quintuples sont exposés au centre. Le thème des Vierges Sages et des Vierges Folles, celui de la Psychomachie*, les figures de l'Ancien Testament préfigurant le Christ, composent le reste de l'iconographie de cet ensemble. Ainsi présenté, celui-ci peut être scruté de près mais être aussi replacé par la pensée dans sa vocation architecturale. En effet le plan exact du cloître reste marqué au sol par les soubassements de ses colonnes. Dans cet ensemble architectural datant de 1170-1180, L. Pressouyre distingue l'œuvre d'au moins cinq artistes différents selon la souplesse plus ou moins accusée de la taille, la plus ou moins forte intégration des corps des statues aux colonnes d'appui. Certains visages ont une expression particulièrement pénétrante. Si certains chapiteaux sont décoratifs et d'une facture rigide, d'autres, où se mêlent oiseaux et végétaux, sont d'une facture libre et souple. Les personnalités de différents maîtres-sculpteurs se sont ainsi affirmées dans cet ensemble, et L. Pressouyre peut parler d'un « Maître des Noces de Cana » et de ses suaves figures, d'un « Maître de Saint-Paul » et d'un « Maître de Daniel » épris d'une certaine véhémence. Enfin, certains éléments appellent la comparaison avec les sculptures de l'église Notre-Dame-en-Vaux elle-même, en particulier du portail, et permettent d'établir aussi d'autres rapprochements avec la sculpture champenoise en général et notamment celle de Saint-Rémi que nous allons évoquer maintenant.

On peut s'interroger sur les raisons de l'oubli qui a recouvert pendant deux siècles une pareille mine d'œuvres d'art. Des découvertes fortuites avaient cependant fait apparaître quelques éléments depuis 1935. La clé du mystère existait dans les archives du procès de 1759. Sur le plan historique, ce procès, apparemment bien anecdotique, reste au cœur du débat. L'évolution du goût ne suffit pas à expliquer totalement de tels actes de vandalisme commis avec bonne conscience.

De l'archéologie médiévale

L Pressouyre a inauguré une nouvelle approche des trésors français à plusieurs titres, car il reste aussi que l'archéologie active et non pas seulement contemplative a été longtemps en France une activité propre des antiquisants. Après la guerre des crédits propres à fouiller des lieux aussi illustres que les vestiges de Cluny ou le sous-sol de Saint-Denis ne pouvaient trouver de rubrique appropriée au budget de l'État. Ce sont les Américains Conant et Crosby qui s'en chargèrent, du reste avec brio. Certes on ne peut imputer de travaux de fouille sur les crédits des restaurations quand ils sont insuffisants pour permettre seulement aux monuments de survivre. Mais il est heureux que l'école de l'archéologie française qui fut si féconde au Moyen-Orient ou en Grèce, eut enfin les moyens de faire des découvertes au-delà de l'Antiquité romaine en France même.

Série d'arcs et de colonnes doubles présentés dans le **musée**.

Saint-Rémi de Reims : abbatiale et abbaye

L'architecture

L'église de Saint-Rémi de Reims est une des plus remarquables églises de France : par son ancienneté, sa valeur symbolique et son ampleur. Commencée par l'abbé Airard dès 1007, et dédicacée par le Pape Léon IX en 1049, elle fut élevée sur le tombeau du Saint dont elle porte le patronyme et qui, en baptisant Clovis, fut à l'origine de la conversion des Francs au christianisme et, par conséquent, de la vocation catholique de la monarchie française. Elle comporte treize travées de nef, un carré du transept, trois travées de chœur et une rotonde de l'abside, ainsi que deux bas-côtés et une suite de chapelles latérales au nord accompagnant une nef d'une largeur inaccoutumée, couverte jadis par un plafond ; elle était en effet trop large pour être couverte par une voûte en berceau et le fut ultérieurement par des croisées d'ogives gothiques. En fait, c'est presque toute la nef du XIe siècle qui a été en quelque sorte dédoublée par des structures nouvelles au niveau des supports des voûtes, des colonnes gothiques étant ainsi adossées aux piles romanes originelles. Mais pour autant à l'extérieur, le système quoique conforté par des dispositifs gothiques garde une grande sobriété et laisse apparaître en de nombreux endroits, les structures romanes originelles.

Cependant, entre 1162 et 1181, l'abbé Pierre de Celle modifia l'entrée occidentale, démolit le porche et fit élever à sa place une façade et une double travée entièrement gothiques. De même, il abattit le chœur roman et les absidioles du transept et reconstruisit un chevet à déambulatoire et chapelles rayonnantes. C'est son successeur, l'abbé Simon (1181-1192), qui couronna enfin nef et transept de voûtes. Quant aux façades sud et nord du transept, elles ont été reconstruites aux XVIe et XVIIe siècles.

Saint-Rémi de Reims : déambulatoire.

Les vitraux

Saint-Rémi a conservé des verrières du milieu du XIIe siècle, dont certains éléments ont pu appartenir originellement, selon L. Grodecki, à des fenêtres du XIe siècle : figures des Rois de l'Ancien Testament et de Rois Francs qui s'apparentent à d'autres vitraux de la tribune du chœur manifestement remployées. Parmi les vitraux du XIIe siècle, on admire particulièrement la Crucifixion de la fenêtre d'axe de la tribune, et deux figures voisines de l'Annonciation. Au chœur, la restauration récente nous a valu l'introduction de vitraux abstraits de Charles Marcq. Mais la vocation de cette église, qui conserve les reliques de l'apôtre des Francs et la sainte ampoule du Saint Chrême des sacres royaux, est bien exprimée par l'iconographie générale de ses vitraux anciens.

Tête de Lothaire.

L'abbatiale sert de musée.

La sculpture à l'abbaye

Saint-Rémi possède enfin l'un des plus beaux ensemble de pierres sculptées de l'époque romane, mais faute, pour l'essentiel, de se manifester dans l'église elle-même où la plupart des chapiteaux d'ailleurs intéressants, sont gothiques, on les découvre dans les bâtiments abbatiaux.

Ceux-ci, extérieurement, paraissent avoir été entièrement reconstruits aux XVIIe et XVIIIe siècles. Mais s'y trouve encore intégrée l'ancienne salle capitulaire du XIIIe siècle néanmoins remontée au XVIIIe pour être de plain-pied avec le nouveau cloître. Voilà un exemple qui montre bien que l'on n'était pas forcément fermé à la contemplation des œuvres du Moyen Âge à l'époque classique. Soufflot, qui admirait tant Notre-Dame de Paris, en témoigne et, avant lui, le Duc de Saint-Simon dans le récit qu'il fait de la conversion de l'une de ses amies devant un portail de cette cathédrale... Tout le monde n'était donc pas aussi insensible que les chanoines de Châlons aux œuvres de leurs devanciers...

À Saint-Rémi, nous tenons un admirable exemple tant dans l'ancien couvent que dans l'église de la convivialité des œuvres des siècles successifs. Ainsi les chapiteaux des arcatures du XIIIe siècle que nous venons d'évoquer sont-ils du XIIe siècle. D'un monument funéraire du XIIe siècle, consacré aux princes carolingiens, subsistent enfin diverses pièces d'une étonnante pureté et l'une des plus belles têtes romanes qui soit, celle de Lothaire, avec sa polychromie originale.

À la suite de Deneux, dont les travaux suivirent la Première Guerre mondiale, c'est, ces dernières années, l'architecte en chef Robert Vassas qui, avec le concours de Michel André, a assuré la restauration de Saint-Rémi. Il s'agit là d'une restauration des plus sensibles de notre époque. Quant à l'aménagement du musée, il se poursuit aujourd'hui.

Une « école champenoise »

Avec le cloître de Châlons et sa résurrection, avec l'achèvement du Musée aménagé dans les bâtiments abbatiaux de Saint-Rémi de Châlons, nous possédons les témoignages de l'une des meilleurs écoles de la sculpture romane : la sculpture champenoise. On y admire à la fois sa force, sa vigueur et cette souplesse linéaire dont le gothique champenois exploitera la veine en donnant par sa statuaire un sens quasi floral aux courbes du corps humain. Châlons et Reims témoignent aussi que les trésors les plus précieux peuvent être faits de pierres dans lesquelles des hommes ont su investir leur émotion et nous la communiquer. Mais la province champenoise nous est enfin précieuse du point de vue de la considération que les gens du XXe siècle ont porté à leur patrimoine. Voilà deux exemples édifiants de la constitution de trésors patrimoniaux réalisés sous nos yeux.

Quel dommage que ces yeux-là soient parfois blessés par les inconséquences d'inexplicables paradoxes. Alors même qu'une visite de la nef et du Musée de Saint-Rémi, devrait constituer une irrésistible pédagogie, comment les abords de Saint-Rémi ont-ils pu être traités de telle sorte qu'on croirait se trouver soudain transporté à Avoriaz, alors même que la loi sur les Monuments historiques permet d'en protéger les abords et de veiller à leur cohérence...

Destructions dues au bombardement de 1914 : statues décapitées et voute effondrée.

Martyres de la cathédrale de Reims

La résurrection d'une œuvre au-delà de sa destruction par la guerre : 1914-1945

Pas plus qu'il ne nous a été possible, dans le cadre qui nous a été imparti de décrire, même brièvement, l'univers que constitue la cathédrale de Chartre — dont nous nous sommes bornés à évoquer la situation de ses admirables verrières —, pas plus nous ne pouvons entreprendre de décrire ici la cathédrale de Reims. Rodin la plaçait si haut qu'après le désastre de son incendie, en 1914, il voulait qu'on n'y touchât point, et qu'elle meure ainsi de ses blessures, tellement toute tentative de résurrection pouvait lui paraître indigne d'elle. Il se mêlait à de tels scrupules un sentiment d'indignation patriotique. On prétendit qu'il convenait qu'en restant en ruine, l'œuvre séculaire témoigne dans l'avenir, de la barbarie ennemie en face d'une copie toute neuve reconstruite à ses côtés dans toute sa splendeur. En fait, la copie n'aurait pu, et de loin, égaler l'original, et il n'était pas imaginable de conserver un édifice calciné sans y toucher. De telles idées ne reposaient pas sur la considération de la réalité de l'édifice, et n'aboutirent qu'à faire perdre un peu de temps. Mais la restauration a été néanmoins accomplie entre les deux guerres, sous la direction d'un grand expert, Henri Deneux. Il y avait fort à faire devant 8 000 m² de couverture calcinée, les voûtes effondrées, les façades criblées d'impacts et cent treize statues gravement mutilées. Pour la charpente, Deneux usa d'un procédé nouveau. Dans une région où les forêts avaient été elles-mêmes détruites par la guerre, il eût fallu disposer de 125 m³ de bois pour reconstituer la copie de la charpente originale. Il donna la préférence à une charpente en béton et, plus tard, réédita l'opération dans le hall des Salines Royales d'Arc et Senans. Nous en parlerons plus loin.

Beaucoup d'hésitations

En 1938 seulement, la cathédrale put être rendue au culte. Mais beaucoup de parties n'avaient bénéficié que de travaux d'attente provisoire. En 1945, lorsque fut signé l'armistice de la Seconde Guerre mondiale, précisément à Reims, l'immense programme de la restauration de la sculpture gothique de la cathédrale restait à entreprendre, mais l'érosion et la maladie de la pierre y étaient à l'œuvre plus que sur n'importe quel monument français. Or, cet ensemble sculpté est par la qualité et le nombre des pièces, d'une valeur exceptionnelle : on peut dire qu'il constitue le plus grand musée de sculpture de plein-air du monde et bien entendu, chacune de ces sculptures n'est significative que si son « épiderme » est sauvegardé.

L'ange de l'Annonciation : **« Le sourire de Reims ».**

1945-1980

Après 1945, les hésitations de ceux qui avaient à trouver une solution étaient compréhensibles. Les effets de la vétusté, du coup de chaleur de l'incendie, des impacts de balles étaient considérables. Mais quel parti adopter ? On constatait bien que chaque remède comportait des inconvénients. Fallait-il déposer les pièces authentiques subsistantes et ne pas les remplacer, ou les remplacer par des copies de pierre ou des moulages, ou des œuvres différentes, quoique inspirées par la tradition ? Il est évident qu'un édifice de cette nature, littéralement couvert de sculptures, perd de son rayonnement s'il en est systématiquement privé. Mais les essais de reconstitution faits au cours des années 50 ne furent pas tous heureux. Dans le galbe du portail central, on dut néanmoins se résoudre à placer une honnête copie du sculpteur Saupique, représentant le Couronnement de la Vierge, tandis que l'original mutilé fut déposé au Palais archiépiscopal du Tau.

Cette initiative entraîna la décision consistant à consacrer cet édifice à devenir le musée de la cathédrale, et à recueillir ainsi toutes les statues qui ne pouvaient être maintenues sur place. Mais, tandis que les décisions et les crédits tardaient, le temps poursuivait son œuvre. Fragilisées par le feu, sous l'effet de la pluie, en l'absence des protections que les dispositions architecturales originelles avaient ménagées, des statues presque intactes en 1914, ont fondu et sont devenues des moignons qu'il est devenu parfois dérisoire de mouler. En fait l'érosion était déjà à l'œuvre depuis plusieurs siècles et des restaurations maladroites d'autrefois, des réfections qui n'ont pas tenu, des erreurs dans la redistribution des pièces au XVIIIe siècle, ont contribué aussi à aggraver les périls. L'évidence s'est finalement imposée dans les années 70 qu'il fallait reprendre la restauration générale. Si Reims avait bénéficié des effets des loi-programmes des années 60 et 70, ce ne fut pas dans les proportions nécessitées par l'état réel de l'édifice.

Néanmoins, ce sont encore ces dernières années que les effets de la pollution se sont fait le plus sentir. La pulvérulence gagne partout : elle est due aux pluies acides, au chauffage urbain, aux fumées industrielles, aux gaz d'échappement des véhicules. Ce qui menace la vie de l'univers, menace l'univers de l'art.

Pendant plus de dix ans, un vaste échafaudage a couvert la face nord, sans que l'on pût, faute d'argent suffisant, mener de front la réparation des trois façades, et l'architecte responsable de l'époque, Bernard Vitry, ne bénéficia pas pendant longtemps des moyens de changer ce rythme. Lorsque, en 1975, je

La façade *en contre-plongée.*

fus chargé de coordonner la programmation nationale, j'estimai que la cathédrale de Reims était la priorité des priorités nationales. Les crédits gérés par le Directeur du Patrimoine à partir de 1978, Christian Pattyn, s'accrurent, mais la menace d'effondrement qui pesa un moment sur la Cathédrale de Strasbourg impliquée dans le même budget, dut par la suite atténuer ce nouvel élan. En 1984, dans la presse, le nouvel architecte en chef, Yves Boiret, et moi-même, tirâmes la sonnette d'alarme. Aujourd'hui la nouvelle loi-programme a enfin accéléré à nouveau les opérations. Il avait fallu en arriver, il y a peu, à interdire l'approche de l'édifice, à cause des chutes de pierres quasi quotidiennes : quelle étrange manne tombée du ciel que celle d'une sculpture sans prix, qui vient s'écraser au sol...

Un nouveau départ

Telle fut la situation que l'architecte en chef est en train de redresser progressivement. Autour d'Yves Boiret, a été constitué un groupe de spécialistes, qui suit l'orientation particulière de chaque intervention et permet ainsi de lui donner des réponses rapides et circonstanciées en fonction de chaque situation. Ce qui frappe en effet dans un cas semblable, c'est la complexité du problème, et il n'existe pas de réponse systématique à la dégradation de toutes les sculptures. Elle varie selon l'endroit et selon la façon dont le mal se manifeste. Ce mal touche inégalement les pierres qui sont de provenances diverses, et les attaques varient aussi selon la morphologie de chaque statue, son exposition, la façon dont elle est protégée, et dont elle a été attaquée à l'origine, soit par l'effet du bombardement et de l'incendie de 1914, soit par le temps. Aujourd'hui, on a enfin dépassé le temps de l'indécision qu'expliquait le choix entre plusieurs mauvaises solutions globales. C'est d'abord que les matériaux de substitution sont beaucoup mieux appropriés aujourd'hui, ainsi que les méthodes d'estampage. La pierre reconstituée permet de réaliser des moulages au grain semblable à celui de la pierre elle-même, et qui ont, sur la copie en pierre, l'avantage de l'exactitude absolue. Bien sûr, le maintien de l'œuvre authentique *in situ*, est fonction de l'état et de la sécurité de l'œuvre. Le remplacement est notamment indispensable lorsque l'élément, lui-même porteur, est devenu fragile.

Orienté par Yves Boiret et d'Isabelle Pallot-Frossard, le sculpteur Michel Bourbon a entrepris avec succès des moulages en matériau synthétique et des recollages partiels qui

Certains ***dais*** *qui abritent les statues du portail de Reims demandaient une restauration complète. Par moulage et réinsertion des débris récupérés, Michel Bourbon a réussi à leur rendre leur aspect initial.*

Steinhel, le déplacement de celui-ci ne m'a pas paru justifié.

Le Palais du Tau et son trésor

Le Palais épiscopal du Tau, construit sur les plans de Robert de Cotte, mais qui possède des vestiges plus anciens, notamment du XVe siècle, fait donc office aujourd'hui d'hospice qui recueille les sculptures invalides de la Cathédrale. Sa visite est complémentaire de la visite de celle-ci. Mais, en outre, le Palais a recueilli le trésor de la cathédrale associé à l'histoire du Sacre des Rois de France. Parmi les objets précieux qu'il possède, on doit citer le « Talisman de Charlemagne », bijou en forme d'ampoule et conservant, selon la tradition, une relique de la Vraie Croix qui aurait remplacé des cheveux de la Vierge. Selon la même tradition, Charlemagne le portait à son cou lorsque l'empereur Otton III exhuma son corps en l'an 1000. Il déposa au Trésor d'Aix-la-Chapelle le talisman qui y resta jusqu'au jour où cette ville l'offrit à l'impératrice des Français, Joséphine.

Le calice, dit de Saint-Rémi, qui date en réalité du XIIe siècle a servi à la communion des Rois de France. Trois reliquaires l'accompagnent : celui de la Sainte-Épine, ouvrage très précieux constitué d'un cristal fatimide du XIe siècle porté par une moulure d'or, de perles et de rubis — et sommé par un ange tenant la couronne d'épine. Les deux autres reliquaires sont celui de la nef de Sainte-Ursule et celui de la Résurrection qui fut donné à Henri II.

L'aménagement de ce trésor est l'œuvre de l'inspecteur des Monuments historiques, Jean Feray. C'est l'architecte Bernard Vitry et lui-même qui conçurent l'aménagement de l'ensemble du Palais, et la présentation de l'ensemble des statues déposées.

Le trésor royal de Reims est d'autant plus précieux que les deux autres trésors royaux, celui de Saint-Denis et celui de la Sainte-Chapelle ont disparu à la Révolution, leurs pièces ayant été détruites ou dispersées. La plupart des pièces les plus anciennes du Sacre ont subi le même sort car, après le Sacre à Reims, elles étaient traditionnellement ramenées à Saint-Denis.

Le Sacre de Charles X a été le dernier sacre royal de Reims. Si Louis XVIII ne s'est pas décidé à se faire sacrer à Reims comme ses prédécesseurs, il a, par contre, été enseveli à Saint-Denis, selon la pompe royale traditionnelle, en 1824. Les ornements de cette cérémonie ont été recueillis dans une chapelle dont la présentation a été réalisée par Jean Feray.

***Les reparations plus anciennes** des dais, exécutées selon les méthodes traditionnelles **se remarquent** par la tonalité différente de la pierre mais les restaurations les plus récentes devraient conserver à l'épreuve du temps le ton exact de la pierre d'origine.*

permettent d'utiliser au mieux chaque morceau authentique subsistant.

La révision systématique de la cathédrale, mise sous échafaudage avec des moyens enfin appropriés à l'entreprise, révèle les différents degrés d'urgence des interventions et, au cours de l'opération, l'approche scientifique qui est systématiquement menée, apporte encore des révélations sur un monument que d'aucuns croyaient parfaitement connaître. C'est ainsi que la restauration du portail central vient de révéler sous des couches de crasse, sa polychromie ancienne.

Malgré des manques essentiels, comparativement à Chartres ou à Bourges (et notamment la rose sud, au XVIe siècle, détruite en 1914 car on avait négligé de la déposer), les vitraux de Reims sont également importants. Face à des manques l'art contemporain s'y est manifesté il y a une vingtaine d'années, mais selon une certaine disparité. Ainsi, quoique je juge en soi le vitrail récent de Chagall bien supérieur au vitrail archéologique de

UN PARI MUSÉOGRAPHIQUE AUDACIEUX À L'ABBATIALE DE TOUSSAINT

Certains monuments désaffectés sont parfois utilisés comme salle d'exposition temporaire. Ainsi cette église romane Saint-Philibert de Dijon, où j'ai eu l'occasion de présenter la sculpture bourguignonne. Au centre, le superbe saint Jean-Baptiste de Rouvres-en-Plaine. (14e siècle)

Galerie David d'Angers

À Angers, la question du rapport philosophique entre musée et monument historique ne s'est pas posée en termes de récupération de vestiges architecturaux dispersés ou en péril dont il convient d'assurer la sécurité dans un immeuble conçu à cette fin.

Le mariage auquel il a été récemment procédé ici est, en quelque sorte, inverse. C'est celui d'une collection muséographique ; en l'espèce le fonds des modèles de plâtre de David d'Angers (1768-1856) dont la salle du Musée des Beaux-Arts qui les avait accueillis jusque-là était vouée à une autre destination et qui vient au secours d'une ruine architecturale en deshérence.

Cette ruine, c'est celle du Toussaint, une ancienne abbatiale construite vers 1240 et dont les voûtes s'étaient effondrées en 1815 et que le temps ne cessait de dégrader, avec ses bâtiments abbatiaux qu'un bombardement, en 1944, acheva de mettre à mal.

Cette église abbatiale n'est pas d'un intérêt négligeable. Sa nef unique, à ciel ouvert, est le vestige d'une des cinq grandes abbayes angevines. Malgré l'adjonction inappropriée d'un chœur éclairé d'une rosace qui, au XVIIIe, se donne des airs d'un gothique sans grâce, il reste dans cette ruine, malgré leur disparition, quelque chose de l'esprit audacieux, sinon téméraire, des voûtes de style angevin, dit Plantagenet*. Rien pour autant qui appelle quelque affinité avec l'œuvre de David d'Angers...

Le mariage est donc de raison et de pure convenance, mais prend pour justification formelle un romantisme partagé : celui de la ruine parmi les arbres et celui de ce néo-classique converti par l'histoire et la vitalité de ses modèles contemporains. C'est bien tardivement que Toussaint a séduit la Commission des Monuments Historiques qui ne l'a fait classer qu'en 1902. Cependant, en 1980, la ruine romantique continue de se dégrader lentement, ainsi que la collection lapidaire qu'elle a accueillie.

C'est le moment où il faut prendre un parti pour assurer sa conservation. À mon avis, il ne saurait être celle d'une artificielle reconstitution. Surgit alors l'occasion d'une réaffectation préservant sa qualité de vestige architectural selon le projet que formule l'architecte en chef, Pierre Prunet, avec le concours de la Conservatrice du Musée d'Angers, Viviane Huchard.

Il s'agit de couvrir simplement l'espace concerné par une vaste verrière à l'emplacement et épousant la forme même de la couverture originelle et de faire ainsi, de la nef, une sorte de jardin couvert agrémenté des plâtres de David d'Angers comme les parcs et jardins le sont par la sculpture de plein air.

En outre, l'entreprise ne s'est pas limitée à l'aménagement intérieur. Les abords de Toussaint ont été réaménagés et la nature doit y reprendre ses droits au sein d'un vaste espace culturel et muséographique d'Angers dont la rénovation de Toussaint ne constitue que la première étape.

Pour ma part, j'ai soutenu ce projet dans la mesure où il rompait avec trop de reconstitutions excessives et où, par contre, il respectait l'esprit de la ruine. Il m'apparaît, après exécution, que le principe choisi en reste tout à fait fondé. Ce qui pouvait paraître le plus risqué était l'effet extérieur de la toiture. Or, tout en avouant franchement sa matière, sa proportion est d'une justesse qui la rend parfaitement crédible.

Si, le rajeunissement de la maçonnerie semble aujourd'hui un peu excessif, il est clair que P. Prunet a souhaité qu'il en soit ainsi pour que les murs soient, eux-mêmes, accordés à la franchise du toit. Le temps se chargera d'atténuer cette rigueur afin que la ruine romantique, qui faisait partie des motifs du projet, garde toute sa crédibilité.

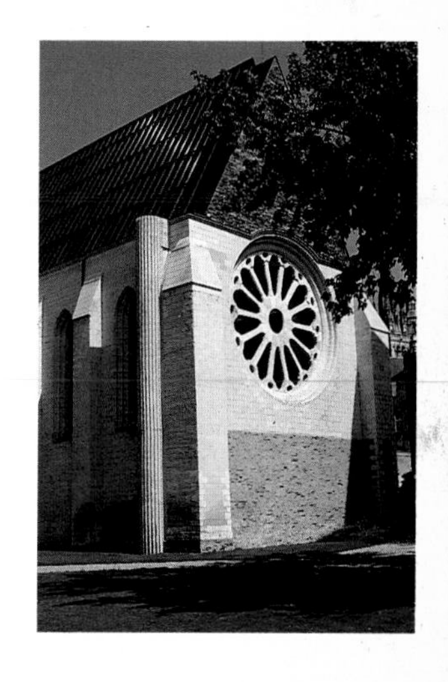

***Vue de la* Rose XVIIIe siècle de l'église de Toussaint d'Angers.**

***Enfilade de la nef,** murs de pierre, toit de verre, vers la fenêtre gothique.*

Le problème des musées dans les monuments

Reste que, dans l'ensemble des récentes réalisations de musées dans les monuments historiques, les programmes imposent généralement des contraintes et des densités excessives vis-à-vis du cadre architectural.

Tant d'exemples célèbres ou moins connus ne nous présentent délibérément ou non, qu'affrontement entre la muséographie et le contenant architectural, que j'en viens à redouter parfois l'affectation muséographique qui m'a paru longtemps providentiel. Ce ne sont, ici et là, que cimaises oblitérant les structures, que subdivisions masquant les lignes originelles. Bref, au lieu de faire dialoguer l'architecture et les objets qu'elle recueille, on introduit systématiquement, aujourd'hui trop souvent une voix supplémentaire dans ce duo, une voix tyrannique qui couvre les deux autres, et se veut l'expression d'un art en soi avec tout l'esprit provocateur qu'implique, aujourd'hui, l'usage de ce mot. C'est pourquoi, dans ce contexte, il était important de tenter l'expérience d'Angers, envisagée sur des bases différentes, même si la densité du programme a un peu contraint ses réalisateurs à s'écarter tant soit peu de ce rêve de jardin couvert qui pourrait peut-être devenir, un jour, plus tangible, sans trop de modification de fond.

Décidément, ce Toussaint a bien des mérites à l'égard de la réflexion fondamentale. Il ne pose pas seulement en termes clairs la problématique de la ruine, mais aussi celle de la muséographie.

Au XIXe siècle, une certaine génération de musées — génération prémuséologique —, a exprimé dans l'accumulation et le bric-à-brac de sa manifestation publique, l'accès goulu de la bourgeoisie à la richesse artistique. Le XXe siècle a progressivement répudié cet appétit pantagruélique en lui substituant l'ascétisme obligé des cliniques.

Mais la pédagogie et l'érudition ont réintroduit subrepticement, dans ce vide disponible, le quantitatif: celui du bon ordre plutôt que celui de la fantaisie. Où situer la délectation dans ces nouveaux dédales encyclopédiques et totalisateurs ?

On pense que les immenses chefs-d'œuvre de la peinture et la sculpture n'ont que faire de ce dilemme. Ils écrasent tout et, de toute façon, on ne voit qu'eux. On ne voit l'alentour que lorsqu'il est né avec eux selon la règle d'or du maintien, autant que possible, de l'œuvre *in situ* : ainsi, je fais le vœu de voir un jour le polyptyque de Beaune réintégrer sa chapelle.

Vue extérieure de l'entrée.

Cloître.

Détail de la poutraison de métal. La pyramide de Peï au Louvre, est postérieure de plusieurs années de cette audacieuse couverture de verre. La similitude n'est en fait qu'apparente sur le plan doctrinal. La réalisation d'Angers répond à une nécessité fonctionnelle et à une intention d'insertion, ; la pyramide surtout à la recherche d'un effet.

***Arc-et-Senans** : vue du pavillon du directeur.*

Pour le reste, les mariages heureux de l'architecture ancienne et des collections muséographiques demeurent à l'ordre du jour dans la perspective suivante : renoncer désormais à tout *a priori*. Traiter les situations au cas par cas. Inventer une muséographie propre à chacune d'entre elles. Limiter le programme aux données intrinsèques de l'œuvre d'accueil. Dans un monument historique-musée, n'oublions jamais ceci : dans tous les sens du mot, le premier « objet » de la muséographie, c'est le monument lui-même. Un jour que le regretté Pierre Quoniam, Inspecteur Général des Musées faisait visiter les substructions du Louvre de Philippe-Auguste aux autorités de l'UNESCO, il les présenta en disant, qu'en qualité d'ancien Directeur du Louvre, il se réjouissait particulièrement de l'entrée de ce donjon dans les collections du plus grand Musée du monde. Je n'avais, pour ma part, jamais considéré sous ce jour ce donjon fondateur de la puissance capétienne, six siècles avant que la Révolution ne fasse du Louvre le Muséum de la Nation Française. Mais, la malice de Pierre Quoniam était justifiée dans la mesure où l'aménagement cryptique des vestiges de ce donjon sous la Cour Carrée, était, elle-même, sans défaut et destinée à faire saisir la monumentalité de l'architecture.

ARC ET SENANS : la ville idéale

Vue d'avion de la ville.

LA SALINE ROYALE D'ARC-ET-SENANS

Un paradoxe surmonté

Ce monument, longtemps méconnu, est un trésor majeur de l'architecture française : il figure d'ailleurs au patrimoine mondial où il est encore le seul à illustrer le patrimoine industriel, mais aussi l'architecture visionnaire — dite utopiste — du XVIIIe siècle, le tout exprimé à travers la manifestation du plan pan-optique*.

Quant à l'aventure du patrimoine au XXe siècle la Saline témoigne d'une déshérence insensée : d'abord un abandon stupéfiant, un acte de vandalisme d'une stupidité non moins monumentale que son objet ; puis, grâce à l'acharnement que nous avons mis, sans compter la patience et les moyens qu'il a fallu réunir, le cours du temps a changé : après dix-sept propositions d'affectations, les unes que j'avais tentées, les autres que j'avais conjurées pour que le remède ne soit pas pire que le mal, l'usage actuel d'Arc-et-Senans est venu à partir des années 70 accomplir cette conversion providentielle : d'un lieu qui risquait de mourir il a été fait par notre « Fondation Claude-Nicolas-Ledoux » ce « Centre de Recherche sur le Futur » d'une animation et d'une vitalité exemplaires, toutes conformes à l'esprit visionnaire qui a précisément animé son bâtisseur.

L'histoire qui ne manque pas de sel

La saline de Chaux, du nom de la forêt voisine, ou saline d'Arc-et-Senans du nom du village au centre duquel elle s'élève, non loin de Dole, en Franche-Comté, a été édifiée par Claude-Nicolas Ledoux de 1775 à 1779 en tant qu'usine de traitement du sel gemme extrait d'une mine voisine à quelques lieues : la saline de Salin. Le choix du lieu était déjà par lui-même « moderne », non pas la mine elle-même, mais la forêt de Chaux fournissant le bois propre au traitement par chauffage des eaux-mères. Une canalisation de bois surveillée militairement reliait le lieu de la matière première au lieu de la source énergétique. Le sel gemme est une de ces matières premières — comme du reste le sel marin — qui n'a jamais laissé le pouvoir indifférent, étant traditionnellement essentiel à la conservation des viandes. D'où, au XVIIIe siècle, son importance fiscale avec l'institution de la gabelle, d'où le caractère royal des salines, d'où enfin le fait que la protection de la favorite du roi, Mme du Barry, vaut à son architecte de devenir Inspecteur Général des Salines Royales.

À ce jour, Ledoux, né en 1736, d'origine champenoise, mais boursier à Paris au collège de Beauvais, avait déjà quelque renom. Ayant tiré un bon parti des leçons de Jean-François Blondel, sans avoir achevé ses études d'architecture, il s'était fait connaître par la martiale décoration du **café Militaire** à l'angle de la rue Saint-Honoré et de l'actuelle rue de Valois. Il avait travaillé à l'entretien — et à l'embellissement — des cathédrales d'Auxerre et de Sens, comme quoi tout se tient. Surtout il avait construit l'hôtel d'Hallwyl, quelques ravissantes maisons des champs à Eaubonne, l'hôtel de « la Guimard », danseuse à l'Opéra, et pour Mme du Barry : Louvecienne (1771), belvédère au-dessus de la plaine de Marly, havre discret et exquis de son intimité, et les écuries de son hôtel de Versailles, en 1772, aujourd'hui la caserne de Noailles. Mme du Barry fait approuver alors par Louis XV, juste avant sa mort, le projet de la saline de Chaux dont la cour s'esbaudit: quel scandale ! « *Des colonnes pour une usine !...* »

Conçue d'abord sur un plan carré puis finalement sur un demi-cercle, avant qu'on envisage un cercle entier, les fonctions de cette usine sont rigoureusement réparties : le pavillon du directeur avec son péristyle* à colonnes doriques baguées de cubes, en son centre ; sur le diamètre, les halls des ateliers principaux de chauffe ; sur la circonférence, les pratiques techniques de service appropriés : maréchalerie, forges, etc.

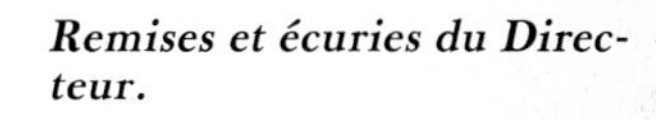
Remises et écuries du Directeur.

Pavillon du Directeur.

La ville idéale

Autour de cette matrice de l'ère industrielle, en 1804, dans son ouvrage *l'Architecture considérée sous le rapport de l'art, des mœurs et de la législation*, Ledoux conçoit une ville idéale. Dans l'esprit utopique à laquelle ne fait défaut aucun des bâtiments nécessaires à la réjouissance et l'éducation des vertueux citoyens : ni un superbe théâtre qui sera effectivement construit à Besançon (qui malheureusement n'a pas été restauré après sa destruction par un incendie en 1958), ni cette « maison de plaisir » où l'étalage complaisant du vice est assez spectaculaire pour inspirer son horreur à la jeunesse et ainsi la conduire à la vertu par la purgation cathartique...

De ce rêve, qui ne s'est pas concrétisé architecturalement, nous reste ce qui était l'essentiel : l'architecture de la saline elle-même. Apologie de l'industrie « mère des civilisations », c'est aussi le manifeste philosophique conçu sur une épure propre à accomplir sur terre l'ordre cosmique : le plan panoptique est un plan solaire. La saline est une cité solaire. Stylistiquement elle est chargée de toute une symbolique : entrée rocheuse au sens initiatique qui nous reporte aux déesses chtoniennes*, mais qui nous rappelle le sens de la richesse minière ; inspiration libre des ordres des temples grecs, sans pour autant qu'à la saline soient négligées les contraintes du climat jurassien, avec les grands pans de la toiture de petite tuile. Quant à la magistrale beauté de l'appareil des murs, à l'organisation palladienne* des façades latérales des ateliers, tout cela n'est plus le simple service d'un décor. S'il y a « prophétie » dans les salines, plus que d'une société rousseauiste — à y regarder de près, il en prend le contrepied — c'est la prévision d'une architecture où prévaut l'organisation tridimensionnelle de l'espace — et qui en dépit d'intermèdes effectivement « rétrogrades », va de lui-même à Le Corbusier et au Bauhaus*.

Des deux ***plans de Ledoux*** *seul celui en demi-cercle a été réalisé.*

Hall et charpentes. *La charpente d'un des deux halls a été refaite en béton par M. Denoux après sa réussite de la charpente de la cathédrale de Reims. En elle même c'est une œuvre magistrale du XXe siècle.*

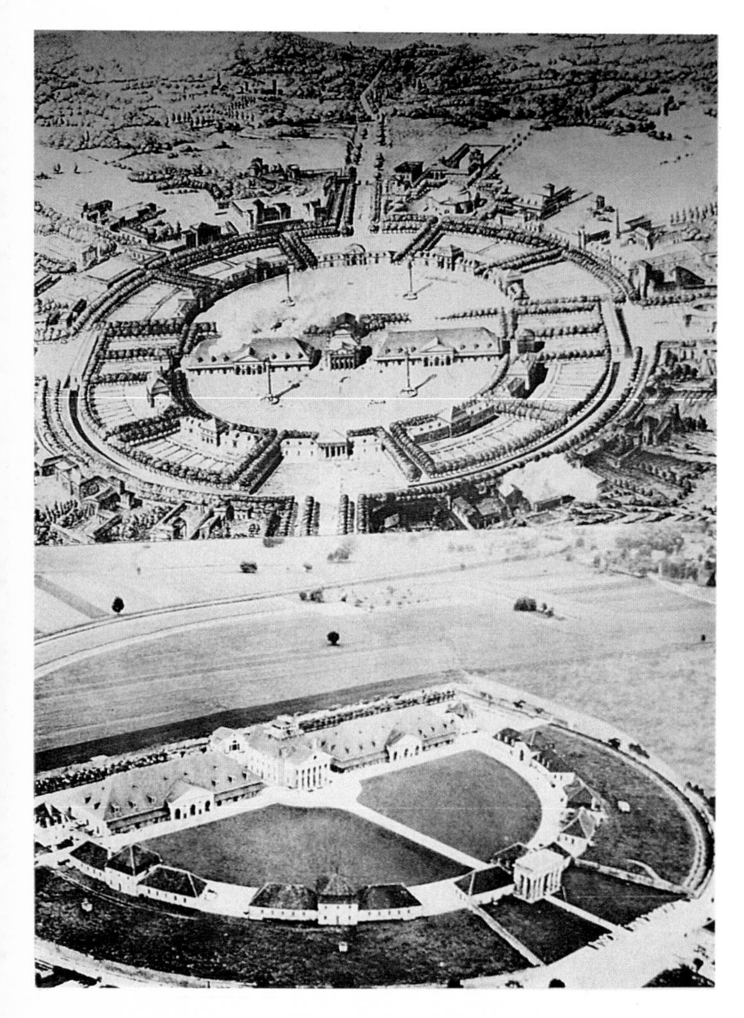

Vue aérienne. **L'ensemble des Salines est riche de symbole :** *plan circulaire évoquant le cosmos, entrée en rocailles rappelant l'antre de la terre et reliefs représentant le dégagement du sel.*

Le succès de la volonté

*Détail des **colonnes** dont la vue oblique est saisissante.*

Mon objectif ayant été parmi d'autres de sauver les Salines dès que j'eus quelque responsabilité en Franche-Comté, nous fûmes quelques-uns à rêver à son avenir : on ne parviendrait à l'entretenir, vu son ampleur, que si on lui trouvait une affectation nouvelle : haras national dont les chevaux auraient constitué le vivant contrepoint du char d'Apollon, accomplissant leur marche cosmique au cœur de la cité solaire ; université européenne ?... Je dus des années me limiter à y faire jouer annuellement Antigone par Silvia Monfort, l'Oreste des « Mouches » de Sartre par Samy Frey... jusqu'au jour où Serge Antoine et moi avons pensé à attirer les futurologues dans la ville « futuriste » de Ledoux. Ainsi est né le Centre du Futur dont S. Antoine pilote l'orientation toujours renouvelée avec le succès que l'on sait. Avec la pratique de l'architecte en chef des Monuments Historiques G. Jouven, la restauration a concilié le respect des lieux et l'affectation de centre de rencontre modèle : des fêtes populaires, d'où la conquête du ciel n'est pas absente (les journées de montgolfières) avec des réunions de réflexion sur tous les domaines possibles de la prospective (énergie, écologie, architecture, patrimoine, informatique). La liaison avec les instances locales et surtout départementales ont toujours été cultivées. Le Conseil général du Doubs, d'ailleurs propriétaire des Salines, a toujours su encourager les initiatives de la fondation à laquelle n'a pas manqué non plus les appuis des entreprises nationales ou privées qui ont compris le service que sa contribution pouvait apporter à la réflexion sur notre avenir afin d'avoir une chance de mieux le maîtriser.

*Vue d'une « **berne** » bâtiment de traitement du sel.*

***Opéra** de Paris la nuit.*

AU PLAISIR DE L'ART : l'Opéra de Paris

Au plaisir de l'art : L'OPÉRA DE PARIS

Cet impossible XIXe siècle

Nul ne peut disconvenir que la France fut saignée à blanc par la Révolution et l'Empire : c'est le cas de le dire puisqu'elle se retrouva, en 1815... royaliste !

Elle s'était aussi épuisée dans les rêves exactement inverses : la Révolution fécondait le concept universel des droits de l'homme, le Premier Empire suscitait d'autres États-Nations qu'une ambition dominatrice avait cru pouvoir enchaîner à lui.

Tohu-Bohu, Gog et Magog, la France bourgeoise du XIXe siècle, après ce géantissime intermède, rêve menu et campe sur ses trésors dispersés, sinon évanouis. La monarchie de Charles X a forcément tout oublié pour n'avoir, à ce point, rien appris. La « Restauration » détruit, ou laisse détruire plus de monuments historiques que n'en avaient saccagés les « sans-culottes ». C'est un signe.

Emboîtements de l'Opéra avec ses dômes vu depuis la rue Auber.

Mais les poètes romantiques réveillent les Français et leur nostalgie se meut en chant élégiaque et bientôt, torrentiel. Chateaubriand, qui fustige la modernité identifiée à la médiocrité d'un bureau d'octroi, invente lui-même ce trésor qu'on appelle la plus belle langue de la littérature française et il imagine l'usage du mot « patrimoine » pour désigner toutes les grandes œuvres et toutes les grandes pensées universelles. Victor Hugo prend la tête du mouvement de la sauvegarde des monuments du Moyen Âge. Grâce à Guizot, Mérimée va gérer au mieux les premiers travaux de cette entreprise à laquelle le roi des Français, Louis-Philippe, plus avisé que le dernier roi de France, donne sa chance, au nom de la réconciliation de ses compatriotes avec toutes leurs gloires passées et récentes d'où qu'elles viennent.

On essaie donc de comprendre les monuments du passé eux-mêmes, et avec dévotion, de les sauver de la ruine qui les menace.

Avec le recul on voit que l'entreprise, pourtant modeste de leur sauvegarde, fut le grand message architectural de ce temps-là.

Outre les restaurateurs, les bâtisseurs existaient aussi ; ils avaient beaucoup d'ambition et de commandes ; ils ont énormément bâti. Certains concrétisent ou achèvent avec bonheur les grandes intentions architecturales du Premier Empire : témoin l'arc de triomphe de l'Étoile.

Cependant, au XXe siècle, jusqu'à une date récente, on a systématiquement dédaigné la plupart des œuvres propres du milieu du XIXe. C'est que peut-être, on a du mal, tant les architectes étaient férus d'historicité, à distinguer certaines de leurs créations de leurs approximatives et traîtresses restaurations. Ils ont entendu vivre du capital des siècles passés en en percevant sans vergogne les rentes. Ils n'y ont pas tous réussi devant la postérité. Cependant ils ont techniquement bien travaillé, perfectionné la stéréotomie, utilisé de nouvelles pratiques de construction qui ont, toutefois, mis longtemps à se manifester dans l'expression même de l'architecture. À l'égard du patrimoine ils ont manié ce paradoxe incroyable de nier sa diversité intime en érigeant en règle, l'unité de style à l'égard du monument qu'avait façonné l'histoire, tandis qu'ils installaient délibérément et artificiellement, cette contiguïté des différents vocabulaires historiques dans leurs propres œuvres. C'est ce qu'on a appelé avec beaucoup de bienveillance : **l'éclectisme**.

L'amour des objets

La société décrite, en grand visionnaire et avec tant de cruauté par Balzac, dans le courant de la première moitié du siècle, est celle qui va s'épanouir sous le Second Empire. Société aussi « mélangée » qu'une façade éclectique, elle aura simultanément besoin de considération et de pouvoir, de satisfaction goulue de ses sens mêlée à bien des indifférences à la souffrance humaine.

Faute d'exprimer des dispositions aussi diverses par l'architecture qui a toujours besoin d'un accord intime et profond entre le détail et l'ensemble, les parties et le parti, l'incontestable besoin d'invention qui a traversé cette époque s'exprime à merveille, en deçà et au-delà de l'architecture : dans l'objet et dans l'urbanisme.

En deçà : il n'est que de visiter le musée d'Orsay pour mesurer à quel point le XIXe siècle fut celui des objets d'art aussi luxueux qu'inventifs, bien façonnés et porteurs d'un érotisme mal dissimulé. Ces objets ont du souffle, de la couleur ; les matériaux de choix justifient par leur luxuriance le caractère tarabiscoté des formes. Toute la gamme des moyens propres aux arts dits « mineurs » et qui le sont encore si peu, est mise à profit pour aller plus loin que les modèles du passé, même que le baroque ou le rococo français qui, par souci du bon goût, n'était pas allé au bout de lui-même. Hisser le « mauvais goût » au niveau de l'un des beaux-arts, comme d'autre y hissent le crime, tel est le merveilleux apport des trésors d'art innombrables de cet impossible XIXe siècle. Une inépuisable caverne de trésors à faire rêver et de monstres à faire peur, a conforté l'élite et le bourgeois dans leur superbe avant que leur descendance aille se faire psychanalyser par le bon docteur Freud.

Si, sauf exception, ce temps n'a pas créé une grande architecture, comme il a créé une grande littérature, il a connu au service de l'architecture quelques très grands sculpteurs, de Rude à Carpeaux. C'est sans doute, qu'après tout, l'art de la statuaire peut parfois se concevoir d'abord à l'état de petite statuaire à mettre sur la cheminée avant d'être monumentalisé. Ainsi l'architecte Petitgrand, séduit par un petit bronze de Frémiet, lui en demanda une réplique à l'échelle du Mont-Saint-Michel pour en couronner sa nouvelle flèche.

Candelabre *signé Christophle (1860-1870).*

L'urbanisme parisien

Au-delà de l'architecture le XIXe siècle s'est puissamment exprimé dans l'urbanisme. Il a dépassé l'échelle de l'architecture pour considérer en soi-même une ville, que dis-je : la ville, la grande ville de Paris, comme une œuvre à sa mesure. Il a donc taillé sans vergogne dans la chair du passé de Paris et il a ainsi inventé la Capitale de l'Univers. Certes ce ne fut pas du modelage mais plutôt la taille directe. Beaucoup d'œuvres architecturales anciennes de prix et par conséquent de ce que nous appelons ici des trésors, manquent aujourd'hui à l'appel.

Ce que Napoléon Ier n'eut que le temps de concevoir, son neveu l'accomplit et l'étendit. La IIIe République naissante fit le reste. Bien sûr, cela aurait pu être l'occasion de faire renaître l'architecture en soi. Comme, inversement, l'urbanisme était au XVIIIe siècle né, comme d'un prolongement dans l'espace, des vertus de l'architecture. À partir des exigences du monde moderne et de son imprégnation scientifique les hiérarchies étaient en tout cas renversées. Aussi bien le culte des monuments du XIXe siècle, si fervent qu'il fût, méconnut-il totalement l'héritage de l'urbanisme historique : cet absurde désert ménagé devant Notre-Dame le prouve abondamment. Et l'architecture administrative qui l'encadre à distance n'est pas de nature à prolonger l'émotion qu'inspire la visite de la cathédrale de Paris.

L'opéra

Quelques œuvres pourtant ont mis cet urbanisme, ambitieux comme l'était la société et la nation, au service d'une grande œuvre architecturale qui s'appelle l'Opéra de Paris.

Comparer l'œuvre de Charles Garnier à celle que Viollet-le-Duc avait proposée, montre, non seulement que le premier avait du génie, mais que le jury du concours n'en était pas non plus dépourvu.

L'opéra symbolise, sur tous les plans, le Second Empire triomphant. Quant à sa beauté intrinsèque, elle est due à des paris multiples dont les paradoxes sont finalement maîtrisés et lui permettent de passer à la postérité. Son auteur, pas plus que les artistes de la Renaissance, ne dédaignait les références ;

Copie de « la danse » de Carpeaux. Pour sauver ce groupe célèbre exposé à la pollution de la place de l'Opéra, l'original a dû être mis à l'abri au musée d'Orsay.

ni l'usage de matériaux précieux qu'il partage avec les artisans d'art et qu'il tenait de son admiration de l'Orient.

Le parti noble est le choix délibéré de l'immense galerie de façade, digne, elle-même, de ses modèles classiques les plus avoués. Quant à l'escalier, au foyer, à la salle, à la scène, à l'ensemble de ses volumes qui proclament extérieurement leurs juxtapositions et leurs emboîtements, ils sont emportés par un souffle qui est bien l'image même de la musique lyrique dont désormais, cet ouvrage architectural constitue à la fois, le temple et le palais.

L'Opéra de Paris, dont la première pierre fut posée en 1862, allait être désormais associé de toutes les façons à la vie du Paris du plaisir. Il s'agit de s'amuser et d'en profiter sans retenue car les convulsions qui vont accoucher de la prochaine modernité ne sont pas très éloignées.

Quoi qu'il en soit, grâce à Charles Garnier, l'architecture du XIXe siècle a son trésor sans qu'on ait besoin de le réhabiliter. Cet Opéra a toujours été sous le plein feu des regards admiratifs sauf lorsque son encrassement avait nié un de ses messages fondamentaux : la combinaison des couleurs et des matières donnant de la vie à celle des formes. L'opéra d'avant les nettoyages de Malraux, c'était comme une musique sans timbre ; un comble pour les voix et les orchestrations lyriques. Il ne faut pas non plus que ce monument conçu pour elles, au nom d'une répartition des fonctions, en soit définitivement privé.

Un tournant

Tour Eiffel de nuit avec son nouvel éclairage.

À la fin du siècle, globalement je pense que l'architecture traditionnelle ne se porte plus très bien, au point qu'on apprécie certains monuments qu'à les voir de très loin comme ce sacré Sacré-Cœur. Mais déjà depuis longtemps une révolution est en marche qui va menacer, non sans conflits violents l'imperium de l'académisme et la souveraineté de la pierre.

Les chefs-d'œuvre de Labrouste, inspirés par les programmes culturels des deux grandes bibliothèques de Paris, doivent déjà leur exceptionnelle qualité à un nouvel univers : l'architecture métallique : celle qui va exploser à la tour Eiffel.

À la fin du XIXe siècle et au début du XXe siècle, la modernité ne se résumera pas exclusivement à ce triomphe, d'ailleurs ambigu, de l'industrie. L'architecture « Beaux-Arts » n'a pas dit son dernier mot. Et l'art nouveau est une architecture tout à fait inventive, comme depuis un siècle on n'en avait peut-être pas connu, en tant que mouvement artistique propre. Mais c'est Vienne, Bruxelles avec Horta, Barcelone avec Gaudi qui donnent le ton. Ce n'est pas un mal qu'on ait pu, du moins, classer plus tard Monument Historique quelques belles façades modern'style et quelques entrées du métro parisien.

1889-1989

ARCHITECTURE ET INDUSTRIE

1889-1989
ARCHITECTURE ET INDUSTRIE
LES NOUVEAUX TRÉSORS

Après la Révolution française : la révolution industrielle

La Révolution française fut une coupure sans précédent dans l'histoire du monde occidental depuis l'avènement du christianisme. Par osmose, elle a touché toute la planète. Ses enjeux, comme ses déviations elles-mêmes et ses problèmes, comme l'alternative entre la modernité et la tradition, la recherche humaine de la vérité et la vérité révélée, la liberté individuelle et la solidarité et les contraintes de la communauté, sont aujourd'hui toujours d'actualité.

La tradition avait eu le souci de veiller à la perpétuité de la chose établie comme le trésor suprême. Mais l'histoire occidentale s'était chargée de démentir cette immobilité. L'art occidental n'a jamais cessé de se renouveler, différent chaque jour de ce qu'il était la veille, et, si certains trésors d'art ont été jalousement conservés, d'autres ont été perdus ou galvaudés, et d'autres, sous de nouvelles formes, n'ont cessé eux-mêmes de s'accumuler.

Quel statut la secousse de la Révolution française donne-t-elle à la création et la conservation des trésors d'art ? Elle les institue propriété de la Nation, mais pour bientôt les galvauder. Les Biens Nationaux deviennent ceux des particuliers les moins précautioneux.

C'est alors, cinquante ans plus tard, que le romantisme propose une nouvelle vision des choses à l'égard du patrimoine au moment même où la révolution industrielle surgit, se développe, triomphe et modifie non seulement les statuts mais la substance même de l'industrieuse activité humaine.

C'est d'abord la substance des nouvelles connaissances qui rend possible cette révolution. La Science, désormais, commande. Le pouvoir peut encore affecter de porter certains atours traditionnels, mais la puissance est désormais minière et manufacturière. Le mythe des trésors endormis de la terre, métaux, houille noir et bientôt houille blanche, se réveille en vue de faire leur bonheur. Grâce à leur travail, il prend un nouveau sens. Mais ce renouveau du mythe ne va pas sans nouveaux sacrifices offerts aux dieux nouveaux des mines et des hauts fourneaux.

C'est pourquoi, trésor ou non, les grandes premières artistiques des temps modernes ne sont plus les ouvrages qui intègrent subreptícement le fer dans les anciens modèles ; ce sont celles qui proclament l'exclusitivé de l'usage du fer et la pratique de la mécanique statique et dynamique.

La tour Eiffel

La tour Eiffel, édifiée en 1889, pour l'exposition du centenaire de la Révolution française, précisément en hommage tant à la Démocratie et et à la République qu'à l'industrie et aux capacités du métal, montre bien la confiance en une ère nouvelle. Et cependant, si la tête de la Tour domine désormais Paris au-dessus des nuages et va symboliser, un jour, le nouveau clocher de la communication hertzienne, l'arche qui associe ses pieds et son premier étage reste fidèle à une certaine tradition décorative. Cette arche, en effet, ne concourt pas à la stabilité de l'œuvre obtenue tout autrement par la rigueur du calcul des structures indéformables. Quant au premier étage, il fut entouré d'un décor métallique gothico-mauresque à neuf arcades par côté qui a disparu dans les réparations de 1937, à l'occasion d'une nouvelle Exposition universelle qui substitua le « classique-moderne » palais de Chaillot au ventru Trocadéro.

On peut s'interroger sur cette modernisation qui fut alors opérée sur la Tour et substitua, à sa frisure, des poutrelles d'une grande rigidité qui, à mon avis, cassent le subtil équilibre que le génie de Gustave Eiffel avait réussi à exprimer, de cette fidélité au passé encore vivant, au cœur de ce geste si confiant dans l'avenir et les nouvelles formes industrielles.

Si surprenante qu'elle ait parue à sa naissance et si réprouvée qu'elle fut par certains artistes et gens de lettres, la tour Eiffel est devenue un mythe universel. On ne juge plus un mythe. D'ailleurs, Seurat puis Apollinaire, le « Groupe des Cinq » ne s'étaient pas trompés sur sa destinée, mais c'est Robert Delaunay qui en fit une substance fondamentale de son œuvre originale, capitale dans la première moitié du xxe siècle pictural.

La tour Eiffel est devenue, à travers la gouaille de Maurice Chevalier et l'humour de Jean Eiffel, plus qu'aucun monument historique, l'immobile messagère populaire de Paris. Depuis 1989, le savant éclairage nocturne qui en scrute à la fois la légèreté diaphane et la silhouette, somme toute baroque, a donné une jeunesse nouvelle à cette centenaire. En fait, comme sa fragilité tient à la nature même d'un matériau infiniment plus exposé que la pierre, elle ne cesse d'être l'objet de soins attentifs de la part de la société qui en est propriétaire et qui mesure l'efficacité économique d'un tel placement patrimonial.

Deux regrets persistent : que dans le passé, on ait cru bon d'en faire l'enseigne d'une firme automobile ou qu'il s'agisse, même actuellement, de vanter, par une autre enseigne, sa longévité même, ne nous convainc pas qu'il faille rendre en partie opaque une œuvre qui tient son génie de sa transparence et qu'on en trouble la pureté linéaire.

Par ailleurs, une occasion s'était présentée en 1980, lors de la réfection de la balustrade du premier étage, de revenir, comme l'avait préconisé la Commission Supérieure des Monuments historiques, à la disposition originelle, à l'œuvre d'Eiffel dans son intégrité. La société propriétaire ne s'y est pas résolue. En outre, des travaux internes exigés par la modernisation de ses fonctions de communication hertzienne ont contraint à déposer l'escalier intérieur. Qu'une vente publique ait contribué à faire d'heureux collectioneurs de ses morceaux, ne console pas qu'on ait ainsi, en partie, bradé un peu de ce monument si important historiquement et affectivement. Peut-on figer le patrimoine industriel ?

La question est ainsi posée, non seulement à propos de la tour Eiffel, mais à l'égard de tout ouvrage qui soit le produit de l'industrie ou qui soit un instrument de la production industrielle. Sont-ils par nature, propres à entrer, comme les ouvrages traditionnels de pierre, avec leur unicité spécifique dans le patrimoine ?

Après avoir évalué certaines autres étapes marquantes de la modernité architecturale,

Tour Eiffel aujourd'hui.

Tour Eiffel vue du Trocadéro en 1889 (on aperçoit les constructions de l'exposition universelle).

Bas de la Tour Eiffel en 1889, sous l'arc on voit le palais du Trocadéro, au premier la dentelle mauresque.

La Galerie extérieure du premier étage prise de l'intérieur en 1889.

nous verrons que la question reste posée. S'agissant d'œuvres significatives de l'histoire de l'architecture et de réussites plastiques exceptionnelles, leur patrimonialité ne fait pas de doute. Mais souvent leurs procédés de construction garantissent une longévité moins évidente que celle du passé. Enfin, les ouvrages qui sont eux-mêmes le siège de la production industrielle, à la différence des cathédrales ou des immeubles classiques qui parsèment nos villes, sont conçus pour des fonctions spécifiquement déterminées et il est dans le sens même de l'industrie de les rendre rapidement obsolètes. Ainsi, de l'objet industriel produit en série on conservera aisément quelques exemplaires dans un musée : mais les machines peuvent rarement être conservées *in situ*. Et encore plus difficilement les usines en perpétuelle mutation. Chaque jour la société industrielle dont le mot d'ordre est la modernisation, condamne ce qui n'est plus productif, voire insuffisamment performant, en somme le patrimoine industriel à l'état naissant. Il peut en revanche se muer comme le résultat d'une fouille préhistorique en document exhaustif exemplaire. Plus généralement l'extension de la notion de patrimoine au XXe siècle rend, en architecture, infiniment perplexe. Ni le recul, ni la rareté, ni la possibilité matérielle d'assumer la charge de la conservation systématique de sa typologie ne permettent de concevoir une politique appropriée, alors même que des monuments importants de la création architecturale de ce temps sont journellement menacés.

Il faut donc dresser un inventaire sélectif de ce qui doit continuer à témoigner ou, comme à propos des halles de Reims, saisir chaque circonstance où la menace se présente illégitimement pour inventer toute solution de rechange ménageant la conservation au sein des nouveaux programmes d'affectation.

DES « ARCHITECTURES MODERNES » CONSIDÉRÉES COMME DE NOUVEAUX TRÉSORS

La genèse de l'architecture moderne est bien liée, à l'origine, à l'avènement de l'ère industrielle et notamment à l'usage du fer et du verre puis du béton armé, dans ce que l'on a tendance à appeler désormais la construction. Ce mot répond à l'exigeance de programmes quantitatifs et répétitifs plutôt que monumentaux. Néanmoins subsiste-t-il la volonté de donner, par des moyens nouveaux appropriés aux besoins et aux capacités de ces temps nouveaux, des successeurs aux architectes d'autrefois disparus, et à leurs architectures qui, grâce à leur pérennité spontanée ou voulue, demeurent fastueusement présentes sur le paysage du XXe siècle et se préparent à le rester dans le XXIe ?

Or, ce qui vient à l'esprit, quand on regarde l'immense production du XXe siècle, ce n'est pas tellement la difficulté, en prenant un peu de distance, de distinguer dans sa banalisation ce qui mérite le nom d'architecture et, qu'à la limite, nous pouvons considérer encore (et déjà) comme des trésors d'art. Ce qui frappe c'est la difficulté au meilleur d'être pérennisé, comme le furent et le demeurent Versailles, les cathédrales, voire les dolmens et les menhirs.

L'aventure de l'usage du fer est symptomatique à cet égard mais elle pourrait nous rendre, à ce sujet, raisonnablement optimistes.

La tour Eiffel s'élève comme l'orgueilleuse démonstration des capacités de l'industrie à composer une œuvre d'art, sinon un ouvrage d'art qui surpassant les plus hautes manifestations du génie humain, était l'ornement de l'exposition du centenaire de la Révolution française. D'éphémère, elle est devenue patrimoniale et c'est son centenaire qu'on fête aujourd'hui.

Mais, dès 1880, le même Eiffel avait construit, pour les besoins de la circulation ferroviaire, cette remarquable illustration de l'art des ingénieurs et du programme des travaux publics, qui s'appelle le viaduc de Garabit. Restera-t-il toujours en conformité avec les besoins qui, en matière d'équipement du territoire, ne cessent d'évoluer de plus en plus vite ? Combien de ponts transbordeurs ont disparu depuis le milieu du XXe siècle, comme celui de Marseille qui était entré dans la légende et la poésie du vieux port ? Celui de Rochefort, dont l'usage constituait une entrave à la circulation vacancière de l'ouest de la France, a vu se détourner son flot routier et il a été classé Monument Historique. N'est-il pas pour autant laissé à rouiller lentement et sans susciter de nostalgie ?

Le matériau n'est pas seul en cause, loin de là. Mais le fonctionnalisme de l'architecture porte en lui-même sa caducité, comme l'industrie dont la philosophie même est fondée, non sur la réparation ou le renouvellement à l'identique, mais sur le changement des moyens en perpétuelle augmentation d'efficacité, changement de programmes destinés à servir une société (elle-même tout à fait mouvante), des schémas de concentration démographique permanente et, simultanément, de dissémination momentanée. Après deux mille ans de stabilisation relative des flux migratoires, n'est-on pas revenu à la négation de la sédentarité qui a fondé l'architecture, et au retour d'une nouvelle forme de nomadisme infiniment plus complexe et sûrement moins nuisible à long terme, car moins répétitive, que celle que le monde ancien a connu ?

Le caractère frêle d'une certaine architecture moderne et son médiocre souci d'investir dans le long terme, est en phase avec les mutations d'une société qui se veut guidée par la science, laquelle est par nature prévisionnelle et qui, en fin de compte, peut moins que par le passé prévoir son avenir. C'est bien le dilemme de la prospective qui, plus modestement que la prophétie, se définit comme une science des possibles et des enjeux plutôt que comme une lecture de l'avenir.

Le « beau béton »

L'avènement du béton, matériau lourd, compact et difficile à détruire, aurait pu démentir ces constatations. On pourrait faire éclater, une fois de plus, la contradiction fondamentale entre la volonté architecturale et la passivité de la société qui suit des tendances dont elle n'est pas maître, tandis que ses analystes, les sociologues, et ses délégués ou ses chefs, les politiques, n'ont d'autre ressource que de suivre eux-mêmes, la société.

Ceux qui aiment le « beau béton » et créent avec ce nouveau matériau providentiel, n'ont que la légitimité de construire pour longtemps, sinon quel gâchis ! Il est vrai que les moyens de destruction vont aujourd'hui de pair avec les moyens de construire. Et c'est bien heureux quand on fait le bilan des vingt dernières années de construction ordinaire. Cependant, comme le fer, le béton appartient aujourd'hui lui-même à l'histoire. Mais si cette histoire est marquée par de grands architectes, il reste que le béton n'est pas toujours un matériau qui tient ses promesses d'apparente pérennité.

Sa préhistoire remonte, semble-t-il, à 1852, lorsque Coignet, à Saint-Denis, construit une première maison dans ce matériau. Après Monier (1878), c'est surtout Anatole de Baudot qui en fait un usage décisif à l'église Saint-Jean-l'Évangéliste de Montmartre en 1894. Rappelons que Baudot était dans toutes sortes de fonctions le successeur désigné de Viollet-le-Duc. Le rationalisme que celui-ci avait détecté (avec exagération d'ailleurs) dans l'art gothique, trouvait, grâce au béton, une justification dans le nouvel art de bâtir. Mais pour susciter la révolution moderniste, il fallait qu'elle fût formalisée par les théoriciens, architectes ou non, en prononçant du même coup l'acte de décès de l'académisme. Les historiens italiens Tarufi et Dalco citent volontiers Franz Rosenzweig : *« Le héros tragique*, écrit celui-ci, *n'a qu'un langage qui lui convient parfaitement : le silence. Par le silence le héros brise les liens qui l'attachent à Dieu et au monde. »* On ne peut pas être plus admiratif de Sophocle pour mieux condamner les derniers imitateurs de Racine au silence. On ne peut pas être plus admiratif de l'Acropole, sans condamner sans appel la persistance de l'usage des ordres.

À partir de cette table rase qui renie le vocabulaire traditionnel, il ne s'agit plus d'en inventer un nouveau mais autant de nouveaux que le permettent la capacité du porte-à-faux du béton armé et sa plasticité et la volonté des créateurs à ne devoir plus rien à personne que soi-même.

C.N.I.T. : Démolition partielle en cours de l'aménagement de la « Tête-Défense ».

Pourtant les révolutionnaires ont eux-mêmes besoin de sectes sinon de chapelles ; c'est-à-dire, en fin de compte, d'une part des programmes traditionnels.

De Vienne au Bauhaus*, des États-Unis au Brésil, un tel mouvement subversif et solitaire dans la revendication individuelle passe les frontières d'autant mieux que les traditions locales, nationales, voire la relation avec le site et le génie du lieu, vont grossir les déchets des poubelles de l'histoire.

La volonté de renouvellement mettant en cause jusqu'aux fonctions de l'habitation, des lieux d'activité, des lieux de pouvoir et des moyens de circulation, ne pouvait pas ne pas concerner l'urbanisme. Or, au XIXe siècle, il avait déjà connu sa révolution qu'il croyait triomphante, fut-elle parfois assez « unidimensionnellement » hygiéniste. On pouvait s'attendre à ce que l'urbanisme du XXe siècle offrît à l'architecture contemporaine en rupture avec le passé, mais se voulant en phase avec la société dans ses choix formels, une occasion de s'exprimer avec cohérence jusqu'au niveau de la ville. D'autant que les destructions massives dues aux guerres mondiales ont été des occasions, à la fois maudites et providentielles. Il faut constater que le rendez-vous a été manqué, notamment en France. À une exception près (la reconstruction du Havre par Perret) la pratique a démenti cette espérance. Elle s'est bornée à déstructurer les tissus urbains traditionnels.

À l'échelle des programmes de la construction dont les maîtres d'œuvre ont vécu tant de contraintes, il était peut-être déraisonnable d'attendre davantage.

Ce n'est pas ici le lieu de dégager de la gangue de très nombreuses réussites isolées : la vue se lasse devant le spectacle d'un ensemble chaotique où références théoriques et techniques confondent la réussite et l'échec grâce aux effets pervers de leur proximité et de leur discontinuité. Va-t-on jusqu'à théoriser le « non-enchaînement », l'autonomie des « objets architecturaux » ! Autant se prévaloir de ne plus faire ni de l'architecture, ni de l'urbanisme.

S'agissant alors d'objets, ou bien ils sont démentis par leur gigantisme, ou bien les meilleurs n'ont pas reçu la grâce de constituer à partir d'eux le rayonnement de leur monumentalité. La pêche aux trésors est désormais miraculeuse. Attendons les miracles dans une époque où on n'y croit guère.

L'Arc de la Défense *qui à la vérité constitue une immense composition carrée, mais avec de subtiles modulations architecturales qui recentrent la composition de la " Tête-Défense ".*
(Architectes : Spreckelsen et Andreu.)

Chapelle de Ronchamp.

Perret, du Raincy au Havre

Il y en a eu tout de même. Citons-en deux pour conclure. C'est le cas de l'église du Raincy (1922) d'Auguste Perret qui, après la guerre, a réussi à se surpasser dans le même sens avec la flèche de Saint-Joseph du Havre, flèche perçue par le dedans de l'église, ce qui constitue une façon d'exprimer architecturalement la spiritualité que des architectes gothiques devaient déjà pratiquer, notamment ceux de la cathédrale de Constance. Dès 1922, en tirant le parti le plus rigoureux de son béton, Perret ne laissait pas ignorer qu'il était déjà, avec ses moyens propres, à la recherche de l'équivalent moderne de l'expression gothique. Ainsi ce fut Perret qui donna progressivement en France ses lettres de noblesse au béton.

Sa hardiesse fut à la vérité, progressive. Au début de sa carrière, il peint le béton comme s'il avait honte, puis il évite de peindre ce qui constitue l'ossature de l'architecture ; finalement il en affirme la beauté propre dans le garage de la rue de Ponthieu (1905), jalon essentiel dont le service des Monuments Historiques n'a pu empêcher la démolition face à la spéculation.

Le Raincy: *Église vue de l'extérieur et ses voûtes de béton.*

Le Mont Saint-Michel.

Le Corbusier

Toute la vie, toutes les théories, tous les ouvrages de Le Corbusier, en comparaison, révèlent le souci constant de renouvellement et pour commencer de ses œuvres et de ses théories elles-mêmes. Aussi de ces dernières se dégagent tant d'aphorismes opposés qu'on peut également l'aduler ou le vouer aux gémonies. Mais ce que nul ne peut dénier à ses œuvres, c'est d'être celles d'un grand poète de l'espace.

***Notre-Dame-du-Haut** de Ronchamp.*

***Intérieur** de l'église*

Notre-Dame-du-Haut de Ronchamp

La création de Notre-Dame-du-Haut de Ronchamp édifiée de 1950 à 1955 en est la démonstration éclatante. Séduit par cette idée de faire voguer un petit navire sur les collines de ce paysage de Haute-Saône, Le Corbusier en appelle à toutes les réminiscences de l'architecture y compris celle d'une mosquée de la pentapole* du M'zab au Sud algérien, pour créer le lieu de prière dont la lumière filtrante invite au plus profond recueillement. S'il me fallait citer un de ces moments où deux messages artistiques autonomes créent une intensité religieuse, je choisirais celui où un chœur « a capella » de Dijon vint faire entendre le plain-chant du Moyen Âge à Notre-Dame-du-Haut. Alors oui, si ces instants-là peuvent encore survenir, ils sont les trésors éphémères de la vie qui nous confirment que les trésors d'art qui matérialisent ceux de l'âme, existent encore.

CONCLUSIONS

CONCLUSIONS

LES FRANÇAIS ET LEURS TRÉSORS D'ART

Par sa richesse et sa diversité, la France possède un des patrimoines culturels d'architecture et d'œuvres d'art les plus importants du monde. L'Égypte, la Grèce, l'Italie, l'Espagne, mais aussi l'Inde, le Mexique, d'autres encore partagent cette prééminence. Mais aucun d'eux, sans doute, ne présente à ce point une telle continuité et une telle variété d'expression qui témoigent ainsi d'un constant esprit de renouvellement créateur. Et rares sont aussi les pays dont le patrimoine culturel a été associé si intimement, du moins jusqu'au récent mouvement de très forte urbanisation, à la qualité d'une nature façonnée par le patient labeur des hommes. Il est certes légitime que, dans le cadre des compénétrations des cultures et d'un dialogue des civilisations, d'autres pays que le leur fasse rêver les Français. Mais il serait grave qu'ils traitent ce qu'ils possèdent avec indifférence, et ce qu'ils ont parfois à leur porte avec condescendance. On disait parfois les Français ignorants de la géographie. Les Français d'aujourd'hui ont certes beaucoup appris et, en particulier, par goût de dépaysement. Mais ne restent-ils pas encore parfois étrangers à une part de leur propre pays ? Sont-ils vraiment conscients de ce qui menace leur propre patrimoine, des efforts entrepris pour le préserver et de ce qui reste à faire pour le perpétuer ? Savent-ils que ce patrimoine est innombrable et ne se réduit pas à quelques sites privilégiés que l'excès de fréquentation met parfois en danger ?

Ce sont les « trésors » qui constituent la cause majeur de l'attraction suscitée chez les étrangers par la France. Mais il semble parfois que l'accoutumance à la vision quotidienne de ceux qui jalonnent les rues de nos villes et nos villages contribue à les dérober à nos propres yeux. Pour chacun, ce sont pourtant des sources de jouissance intime et raffinée. Mais on ne doit pas non plus oublier que ces « trésors » sont la matérialisation visible d'une histoire qui est la nôtre, qui est aussi celle de l'Europe en quête d'identité, celle du monde en recherche d'une meilleure compréhension mutuelle.

La part de l'ombre

Or, ces valeurs patrimoniales aujourd'hui disponibles, qui peuvent à la fois faire partager certaines formes du plaisir sensuel de la vie, mais qu'inspire aussi la plus haute spiritualité, ne sont à vrai dire qu'une part heureusement épargnée d'un ensemble encore plus dense dont une autre part fut accidentellement et délibérément détruite. La France a traversé dans le passé non seulement des crises internes violentes, intolérantes, dont beaucoup d'objets précieux comme beaucoup de vies innocentes ont été le bouc émissaire, mais elle n'a pas non plus été épargnée par les guerres auxquelles elle a servi de champ de bataille. Sa position à l'extrême occident de l'Eurasie est sans doute à l'origine de la multiplicité de ses racines ethniques et culturelles et de sa richesse exceptionnelle grâce à des apports qui n'ont cessé de contribuer à inspirer son esprit inventif. Mais cette situation géographique particulière a aussi contribué particulièrement à l'exposer. Et pourtant quand on fait le compte de ce qu'elle a créé, perdu, réinventé ou retrouvé, ce sont encore moins les violences que les indifférences qui s'inscrivent dans la colonne du passif du patrimoine français.

Sur ce plan, les Français, au long de leur histoire, ne sauraient se donner bonne conscience au rabais. Leur patriotisme soucieux de préserver leur liberté et qui fut volontiers sourcilleux n'a pas toujours puisé sa légitimité dans les soins vigilants à porter à ce qui témoigne de leur identité. Or il arrive que des étrangers les sentent parfois assez infatués de leur primauté culturelle, comme si, inconsciemment, ils fondaient ce certain contentement d'eux-mêmes sur la qualité exceptionnelle d'un patrimoine culturel reconnu, Or, trop longtemps, ils ont été réticents à payer le prix de cette gloire.

Le cloître de l'église Sainte-Trophime d'Arles.

Le péril qui suscite l'effort

Ils n'ont réellement compris les sacrifices à consentir que lorsque le danger de le perdre est devenu très pressant. Les destructions concentrées en 1914-1918 dans le nord et l'est de la France, puis en 1939-1945 plus éparpillées mais particulièrement sévères en Normandie, ont suscité d'abord, dans les courtes périodes d'après-guerre, des premiers mouvements de solidarité nationale réelle quant à la réparation du patrimoine endommagé. En dehors de ces périodes où l'effort national a été inspiré par l'évidence de la tragédie, c'est un lent désinvestissement financier qui a affligé notre patrimoine artistique depuis le début du XXe siècle, alors même qu'un louable effort était mené pour protéger par la loi de 1913, contre la destruction ou la défiguration volontaire, un nombre d'ouvrages de plus en plus grand. Ce n'est finalement qu'au cours des années 70 et à la faveur d'une prise de conscience de l'opinion, qu'on a pu commencer à redresser la situation. Cette prise de conscience a coïncidé avec celle des menaces nouvelles qui, sous l'effet de la civilisation industrielle, pèsent sur l'environnement tout entier. C'est seulement en 1978, qu'en francs constants, le Parlement a voté en faveur de plus de 12 000 monuments « classés », 30 000 monuments inscrits sur un « inventaire supplémentaire » et 100 000 objets d'art protégés également comme « monuments historiques », une somme enfin supérieure à celle que l'on consacrait, dès 1908, à 4000 monuments et 20 000 objets. Depuis, la hausse a été presque continue. J'avais été appelé en 1975, dans l'attente de cette hausse progressive, et par conséquent dans une situation particulièrement difficile, à répartir la pénurie en faisant prévaloir les opérations absolument indispensables à la stricte survie des ouvrages. Mais, à la longue, je pouvais craindre que cette attitude nuise au prestige du patrimoine. Par contre, concentrer l'effort national sur une toute petite élite de monuments illustres c'était, à court terme, condamner tous les autres. Nous avions pu calculer alors que, pour assurer la seule conservation des monuments classés qui étaient en péril, il faudrait rapidement **tripler** la mise annuelle. En francs constants, je constate que, quatorze ans plus tard, l'État commence aujourd'hui à approcher ce chiffre.

Nous devons souligner, par ailleurs, que dès les années 50, les collectivités locales avaient pris part à ce redressement. Trop longtemps, elles avaient été assez indifférentes, sauf exception comme les provinces normandes ou alsaciennes ; comme si l'administration, qu'on appelait alors « les Beaux-Arts », avait vocation de les déresponsabiliser financièrement du sort de ce qui leur appartenait. Combien de cheneaux d'églises rurales n'étaient pas seulement débouchés, à chaque printemps, dès lors que l'État ne le faisait pas ! Aujourd'hui, de ce point de vue, on assiste à une certaine synergie entre toutes les parties concernées.

L'ÉTAT, LES EXPERTS ET LE PATRIMOINE

La sauvegarde du patrimoine français est née en France d'une initiative officielle d'un état centralisé. Elle est à mettre au crédit de la Monarchie de Juillet. En 1830, Guizot a créé le premier poste d'Inspecteur Général des Monuments Historiques confié à Vitet, puis à Mérimée qui l'occupa jusqu'en 1860. Les moyens de l'État et les servitudes qu'il a imposées ont concerné alors exclusivement les propriétés publiques. C'est seulement à partir de 1887 que les propriétaires privés ont, à leur tour, été soumis au contrôle des experts et ont pu bénéficier de l'aide de l'État. Longtemps, beaucoup de propriétaires ont été allergiques à cette intervention, surtout ceux dont la fortune permettait de faire face à de telles charges. Avec l'extension du champ du patrimoine protégé, le déclin des grands domaines, le coût des restaurations, ces rapports se sont beaucoup modifiés. Sans entrer dans le détail des rapports juridiques et financiers entre la collectivité publique et les propriétaires, on peut dire qu'ils sont aujourd'hui placés sous le signe d'une coopération fructueuse. Par ailleurs, le mécénat commence à concerner ce type de patrimoine, ainsi que le bénévolat, en faveur du petit patrimoine. Enfin, les associations de défense du patrimoine et de l'environnement jouent un rôle de plus en plus important dans cette concertation et surtout dans la vigilance qu'il convient de manifester de tous côtés.

Car les périls qui concernent la survie du patrimoine demeurent, tout en ayant changé de nature. Nous avons évoqué quelques cas particulièrement manifeste de biens culturels qui ont fait l'objet, depuis 1945, de sauvetages, de restaurations, de mises en valeur exemplaires. J'ai pensé aussi utile d'évoquer les critères de la conservation et leur évolution. Plus est large la coopération de tous les citoyens, plus la responsabilité de la déontologie du patrimoine artistique et architectural français est inévitablement celle de professionnels et d'experts réunis dans un dispositif au centre duquel se situent les services dépendant du ministère de la Culture.

L'évolution de la notion de restauration

Au XIXe siècle, Victor Hugo et Mérimée lui-même avaient exprimé l'idée que parfois les « restaurateurs étaient pires que les démolisseurs ». Cela était avéré jusqu'au jour où l'État réussit à se doter d'experts qualifiés.

C'est ainsi qu'on dut, en 1840, la chute de l'une des tours de la basilique de Saint-Denis, monument de signification historique national s'il en est, à l'incompétence de celui qui venait de la restaurer. Le génie de Viollet-le-Duc, à qui Mérimée a accordé sa confiance mais sur lequel il exerça longtemps une certaine vigilance, a consisté à comprendre la logique constructive des monuments du Moyen Âge. Sans l'apport de sa génération, toute cette part du patrimoine français aurait disparu. Mais cette génération a été prise d'un zèle historiciste excessif. Surtout elle a « reconstitué » des états qui, selon les propres termes de Viollet-le-Duc, n'avaient jamais existé. Aujourd'hui, certains de ces édifices ainsi transfigurés, doivent davantage être considérés comme une contribution de l'architecture du XIXe siècle au patrimoine du Moyen Âge. C'est tout de même une situation exceptionnelle, et l'on peut dire, par exemple, que la première restauration de Viollet-le-Duc, celle de Vézelay, reste exemplaire. De même, ont été positifs des apports du XIXe siècle, comme celui qui a pourvu la cathédrale de Rouen d'une immense flèche de fonte, ou celui qui a donné sa forme pyramidale ultime au Mont-Saint-Michel, grâce à une flèche également sommée par la statue de l'Archange.

Il reste qu'à la fin du XIXe siècle cette déviation, qui tendait à s'écarter de l'authenticité des édifices alors même que la connaisance de ceux-ci progressait, aurait contribué, si elle s'était poursuivie, à dénaturer tout le patrimoine européen. La particularité de celui-ci est, en effet, le métissage de ses styles successifs imprégnant la plupart des édifices. Or, l'unité de style a longtemps prévalu dans les restaurations ; les débaroquisations* de certains édifices se sont encore manifestées jusqu'à la Seconde Guerre mondiale, mais moins qu'en Italie et en Allemagne, qui sont pourtant des pays où l'art baroque a été particulièrement admirable et significatif. Le redressement de cette situation a été progressif, en France comme ailleurs, et il est venu des experts eux-mêmes. Depuis 1964, ils sont censés se référer à une Charte internationale d'un caractère très général et susceptible d'application très nuancée. On l'appelle la **Charte de Venise**. Cette Charte prend essentiellement en compte le souci d'authenticité. Que signifierait, en fait, un patrimoine historique s'il n'avait pour signification de témoigner de l'histoire et des événements qui l'ont marqué ? C'est à ce niveau qu'un malentendu se manifeste parfois à l'égard des apports de notre temps.

Sans entrer trop dans les détails théoriques ou techniques, les réflexions suivantes peuvent constituer un fil conducteur qui est généralement celui qui inspire la grande majorité des professionnels de la conservation et de la restauration. Il ne saurait exister de règle dogmatique pour la restauration. Si tout ne peut être figé, le patrimoine ne saurait, pour autant, être l'enjeu perpétuel d'une mode. La restauration n'est pas une fin en soi, elle est au service de la nature de l'objet à restaurer. Elle doit donc tendre vers de plus en plus de rigueur à l'égard de la nature propre et variée, mais non variable, de l'objet concerné, et non pas vers l'aléatoire. La tare de certaines restaurations du XIXe siècle est justement de l'avoir ignoré ; en attribuant des valeurs de science exacte à un savoir momentané, on a fait des restaurations non scientifiques, mais idéologiques. En affirmant ici que la restauration est moins une science qu'un art, on doit ajouter que ce doit être celui de la fidélité. Quand le traitement du patrimoine nie le mouvement de l'histoire, il nie le monde même de constitution du patrimoine, notamment européen. S'il tolérait des falsifications de son propre passé ou des retranchements à ce passé, il nierait aussi toute possibilité de distinguer ce qui est patrimoine. Si tout est patrimoine, à quoi bon user de ce concept ? Renoncer à conserver le patrimoine des trésors d'art dans leur intangibilité équivaudrait à la longue à rendre illisible l'histoire elle-même.

Mais ce qui met en péril, aujourd'hui, le patrimoine, ce sont surtout les agressions que suscite le monde moderne. Celui-ci s'est donné des moyens nouveaux d'investigation de la connaissance et de la préservation par l'usage de technologie de pointe, mais le monde industriel qui nous environne, les pollutions qu'il engendre, les vibrations qui l'agitent, les suréquipements qui en occupent l'espace terrestre l'exposent à de nouveaux ravages mettant en question chaque jour les éléments constitutifs du patrimoine au fur et à mesure qu'il est mieux connu et plus largement exploré.

L'autre cause générale qui met aujourd'hui en péril le patrimoine des trésors d'art est son succès même, l'excès de fréquentation des plus illustres d'entre eux par rapport aux moyens de protection dont on peut les entourer. Il existe là une contradiction fondamentale dans les termes, qu'il faudra bien surmonter. Dans le monde moderne, la sauvegarde du patrimoine nécessite des moyens qu'on ne peut obtenir sans un large consensus qui implique sa contemplation, en elle-même d'ailleurs légitime dans le cadre de la philosophie des droits de l'homme.

Vue panoramique de ***Strasbourg*** *de la vieille douane.*

TRÉSORS AU PÉRIL DE NOTRE TERRE

Le Mont-Saint-Michel

Dans cette étonnante échancrure du rivage océanique, où les marées sont les plus hautes du monde, une extraordinaire conjugaison de signes sacrés, de recherche de refuge, d'enjeu militaire, de génie constructif jusqu'à la dernière touche, en l'occurrence géniale, d'un XIXe siècle qui le pourvoit d'un sommet pyramidal et d'une flèche, a inventé le Mont-Saint-Michel. C'est le « **trésor des trésors** » comme on parle dans certains temples du Saint-des-Saints. L'occident s'étant mis là, sous un signe* venu du Mont Gargano en Italie sous le signe de l'Archange, il a fallu de la peine et du courage aux pèlerins pendant dix siècles pour qu'ils y accèdent. Le Mont était au péril de la mer. Mais quelle récompense d'abord d'entrevoir la « Merveille » dès la falaise du Cotentin, puis tout au long du passage pédestre à marée basse dans la hantise des sables mouvants, et enfin quand on commençait l'ascension, le long de la ruelle submergée par les autres pèlerins, et les chalands, les hommes purs, peut-être aussi les détrousseurs. Enfin on gagnait une certaine figure de la Jérusalem céleste qui compensait largement la nostalgie de l'Éden, puisque c'est la promesse de la fin des temps.

Les pèlerins du Mont sont chaque année aujourd'hui millions. À la Révolution, il fut sauvé de la destruction par sa puissance architecturale elle-même et le « Mont-libre », puisque ce fut momentanément son nom, est devenu un lieu d'incarcération notamment des héritiers de la

*Vue du haut de **St-Michel** sur les remparts à contre-jour.*

La crypte des « gros piliers ».

***Ouvertures du cloître** dans les murailles.*

Révolution elle-même qui, de Barbès à Blanqui, ne transigeaient pas avec leur idéal. Napoléon III supprima la fonction carcérale du Mont (1863) et la IIIe République le classe monument historique (1874). Les architectes Corroyer, Petitgrand, Gout, Pierre Paquet, Merpe, Froidevaux et aujourd'hui P.-M. Lablande en firent, après les abbés et les gouverneurs du Mont, ce qu'il est devenu, tel qu'en lui-même, depuis qu'il a atteint un état qu'il serait coupable de développer encore, l'éternité ne le change point. Les pyramides d'Égypte expriment par la rigueur, leur plénitude, leur stabilité, leur intangibilité, le sens du temps immobile des esprits qui les ont conçues et, après leur mort terrestre, les ont habitées, les habite sans doute encore. Cette pyramide du Mont-Saint-Michel n'était pas du tout préméditée : sa base est un rempart, sa masse est un village dont les habitants vivent hiver comme été leur vie d'îliens, pêcheurs ou commerçants pour pèlerins. Au sommet le monastère a accueilli, accueille toujours d'autres pêcheurs ou des amateurs de beauté en quête d'état de grâce ; s'il se pouvait toute l'humanité défilerait au Mont pour que sa mémoire en soit marque à jamais.

La sauvegarde du Mont qui fut cependant une forteresse ne va pas de soi comme celle des pyramides, du bord de ce Nil dont les eaux résurgeantes venaient il y a un siècle presque en lécher les bases. L'occident qui a fixé sa transcendance au ciel n'en a prévu qu'une escalade toute spirituelle : en tant qu'échelle pour atteindre ce ciel, le Mont-Saint-Michel est bien plus fragile que les tombes égyptiennes. On ne le préservera pas sans réguler son flux d'adorateurs, mais par ailleurs son isolement qui était un fait aussi naturel que miraculeux, et qui tenait à la régulation propre des phénomènes hydrauliques spontanés, a été troublé il y a un siècle par des dispositions de digues destinées à faciliter l'accès et par des barrages qui en maîtrisant le rôles des eaux des fleuves côtiers de la baie a affaibli la puissance des reflux. Il ne suffit, dès lors, plus de supprimer tous ces artifices si tant est que c'est possible, pour rétablir l'ordre naturel et préserver, voire retrouver, l'idéale image culturelle et cultuelle du Mont-Saint-Michel. La nature est ainsi faite. Dérangée dans ses meilleurs mécanismes elle cède elle-même à ce mauvais exemple des hommes. Il faut, pour que le repentir soit efficace, remettre artificiellement le bon ordre de l'événement naturel. Tel est la philosophie du projet qui doit permettre de rendre et de conserver ensuite toute sa vérité à ce trésor des hommes reconnu le premier de France parmi ceux dont la conservation importe au bien de l'humanité.

TRÉSORS NOMADES ET SÉDENTAIRES

La nécessité de constituer un trésor, c'est-à-dire de vivre dans un lieu ou de se déplacer muni d'un certain nombre d'objets divers et jalousement préservés est inhérente à la qualité d'homme : ce trésor est à l'origine fait d'outils et d'armes élémentaires, d'idoles, mais, dès la préhistoire, de certains « objets de curiosité » prélevés dans l'environnement, rares par ce qu'ils s'en distinguent mais dont on a appris qu'ils étaient inaltérables. Ces objets pour nous simplement « curieux » comme ceux qui constitueront un jour les « cabinets des merveilles » et les « cabinets de curiosité », recelaient sans doute, lorsque les hommes se mirent à penser leur destin, une signification très forte à l'égard de celui-ci. Il est probable que beaucoup eurent un pouvoir magique, qu'ils constituèrent des objets de vénération, des idoles avant même qu'on en fît des images, et leur pouvoir d'intercession, de médiation avec les forces de la nature laisse libre cours, aujourd'hui comme aux premiers jours et surtout aux premières nuits, à notre imagination.

Mais nous avons souligné dès nos premiers propos l'ambiguïté sémantique du mot : un **trésor** est un contenant aussi bien qu'un contenu. Le contenant essentiel des premiers abris sous roche, des premières cavernes, des premières huttes de branches, c'est l'homme lui-même « ce capital le plus précieux » c'est le groupe familiale, la tribu, les premières communautés humaines. Ces abris, qui préservent à la fois les gens et leurs biens rares, sont aussi littéralement des trésors : pour le nomade, sa tente est le coffre de ses richesses, « l'arche » où il préserve et véhicule les signes des dieux, les signes de Dieu parmi lesquelles les Tables de ses lois.

Pour le sédentaire cela deviendra le refuge troglodyte, la maison bâtie en terre, en bois, en pierre, et pour que s'exerce efficacement la solidarité du groupe, le mode de groupement des habitations, ses réserves individuelles ou communes, ses silos.

Maison paysanne en ***Périgord.***

Vue de **Rocamadour.**

Trésors des villes et trésors des champs

Dès que les hommes ont la maîtrise d'exercer des capacités spécialisées, d'échanger des produits sur un marché, dès qu'ils se réunissent nombreux autour d'un haut lieu vénéré, ils créent des villes, c'est-à-dire un ensemble d'établissements collectifs liés à un ensemble d'habitations, au but plus ou moins hiérarchisé. Nous avons dit combien les bâtiments, occupant dans cette hiérarchie une position enviée, constituaient des trésors, en tout cas des trésors d'art privés ou collectifs : les églises et les cathédrales, les châteaux, voire les « ouvrages d'art ».

Mais chaque maison, urbaine ou rurale, est traditionnellement, à elle seule, un trésor. La symbolique de la maison, si bien décrite par Bachelard, ne laisse aucun doute à ce sujet : certaines pièces de la maison sont plus « trésorières » que d'autres, singulièrement la **cave** qui recèle certains produits dans son obscurité et sa sécurité et qui relève, en somme, du schéma initial de trésor, et le **grenier** qui préserve les biens auxquels l'humidité du sol pourrait être pernicieuse. Le grenier, ce n'est d'ailleurs pas que le trésor des grains, des récoltes, c'est le trésor des biens imaginaires, le lieu où dès l'enfance on vient se constituer un trésor de souvenirs et de projets, de simulations et de stimulations mentales.

En France, comme dans la plupart des pays du monde, la maison rurale sur différents types, a présenté pour l'usage familial et animal, comme lieu de travail, et comme centre actif du terroir qui en dépend, des trésors d'ingéniosité et de beauté, simple mais souvent parée, toujours elle-même chargée de symboles et qui, à certains égards, n'a rien à envier à l'architecture noble.

Outre la demeure rurale isolée qui répartit ses fonctions dans plusieurs bâtiments coordonnés, les groupements communautaires, villages ou hameaux, disposés en fonction de besoins permanents, de raisons historiques et du relief du sol, constituent, en eux-mêmes bien souvent, des trésors d'art.

Il en va de même des villes anciennes et encore aujourd'hui de centres ou de quartiers de villes que l'urbanisation récente a englués dans une occupation à la fois anarchique et systématique. Cette situation pose pourtant dans le monde le problème de maîtriser à nouveau la structure des grandes agglomérations, pour qu'elles redeviennent de vraies villes. On a commencé, en 1964, en France, à réhabiliter les ensembles anciens des villes qui se dégradaient

Bordeaux : *Fenêtre et corniche d'une maison 10, rue Guirande : état avant et après restauration.*

sous l'effet, soit de l'abandon, soit de la surcharge de population. On les a appelés les « secteurs sauvegardés ». De Colmar au vieux Strasbourg réhabilités par Bertrand Monnet, de Sarlat le premier en date voulu par Henry de Ségogne qui fut l'inspirateur de cette « loi Malraux », jusqu'a Bordeaux et au quartier du Marais à Paris, une quarantaine de ces « secteurs » sont venus, à l'instar de quelques centaines de villages français protégés par la loi sur les sites, constituer les réussites certaines d'une nouvelle conception de la protection patrimoniale : la protection globale, dite « intégrée ». Celle-ci est venue prendre place au sein de la politique encore plus générale de l'environnement que nous avons été quelques-uns à ébaucher en France à partir de 1965, à travers un groupe de travail de la Délégation à l'Aménagement du Territoire, et qui a

Vue des **maisons anciennes de Chinon** *depuis la colline qui monte au château.*

suscité en 1969 la création d'un ministère spécifique de l'Environnement. Les populations se sont senties alors de plus en plus concernées par les dilemmes posés par la survie et l'aménagement d'établissements humains de qualité et la croissante agression de l'environnement industriel et de la banalisation de la construction. L'équilibre, état à maintenir ou à retrouver dans la nature aménagée par l'homme, inspire désormais ce que l'on a convenu d'appeler l'écologie. Contrairement à l'usage banal du mot, l'écologie n'est pas une identification à la vie naturelle. Son origine étymologique, **haïkos**, veut dire habitat. C'est donc dans le domaine des hommes, la science d'un habitat approprié. Mais dans la nature ces habitats sont précisément toujours structurés dans un équilibre qui est précisément « écologique ».

Strasbourg : *L'Ill, les vieilles maisons et la cathédrale.*

Une rue de **Sarlat.**

La maison Gorsse à **Cordes.**

NOTRE TRÉSOR : LA PLANÈTE

Étant donné les agressions que nous avons décrites dans cet ouvrage et qui menacent tout à la fois les trésors d'art, les établissements humains en général, la santé humaine et la survie d'une nature dont l'homme ne peut se passer sans disparaître, il est un trésor parmi les trésors qui doit faire l'objet de soins vigilants et d'une volonté déterminée de préservation : c'est notre planète, c'est la biosphère, car le temps est déjà arrivé où l'espace sidéral semble prédisposé, après nos eaux souterraines, nos océans, notre atmosphère, à devenir une gigantesque poubelle.

Nous avons tous — presque tous — sans doute, compris que tout cela est solidaire : notre passé et notre avenir qui dépendent de ce que fait à chaque instant chacun de nous dans le moment présent ; tout aussi bien l'infiniment petit et l'infiniment grand malmenés ensemble par la déraison, au nom de la raison et des moyens que son usage a pu enfanter. Les scientifiques qui ont fait à leurs congénères l'immense cadeau de la connaissance progressive de l'univers, et le sage qui n'a jamais cessé de prêcher la mesure et la connaissance et la maîtrise de soi, ont vécu longtemps sur des planètes étrangères. Ils découvrent que c'est la même, la nôtre précisément au sein d'un même espace matériel et spirituel. C'est cela l'enjeu essentiel d'aujourd'hui et de demain : la gestion commune, raisonnable et sensible d'un même trésor. Valéry dit qu'en architecture il n'y a pas de détail. Pas plus de détail, en effet, qu'en histoire, en politique, en écologie : tout est important et déterminant, le petit comme le grand, le lieu d'intense activité, comme l'espace dilué. Les uns vivent des autres, à travers les autres, pour les autres et réciproquement. En cela tout trésor est échangier. Mais la loi de l'échange vrai est l'inverse de celle du pillage. L'homme doit porter la même attention à façonner son jardin qu'un objet d'orfèvre. Dans une des ses pensées intitulées « Diversité », Pascal donne une définition très explicite du trésor qui s'identifie à notre propre établissement humain. Il dit : *« Une ville, une campagne de loin, est une ville et une campagne ; mais à mesure que l'on s'approche, ce sont des maisons, des arbres, des tuiles, des feuilles, des fourmis, des jambes de fourmis, à l'infini. »* Il faut préserver avec soin nos jambes de fourmis, nos fourmis, nos feuilles, créées par Dieu et nos tuiles produites par notre industrie, si nous voulons rester riches de nos ultimes trésors et que la joie y demeure.

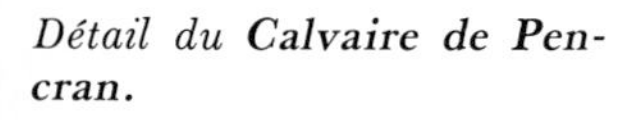
Détail du **Calvaire de Pencran.**

POSTFACE

Après la guerre, le développement de la politique du patrimoine doit beaucoup à l'Inspecteur général Jean Verrier, à un grand commis de l'État, René Perchet, Directeur général de l'Architecture[1] et à un Conseiller d'État hors du commun, Henry de Ségogne, explorateur de l'Everest, Commissaire au Tourisme et qui est à l'origine de la plupart des réformes de ce temps.

La Ve République sépara les services de la Culture, dits à l'époque des Beaux-Arts, pour constituer le ministère des Affaires culturelles, qu'André Malraux dirigea pendant dix ans. Ses successeurs ne bénéficièrent pas d'une telle continuité sauf Jack Lang qui exerce déjà depuis six ans cette charge dont les dénominations successives en changeant souvent, dénotent une certaine instabilité d'approche.

Personnellement, c'est avec Jacques Duhamel, Michel Guy et Jean-Philippe Lecat que j'ai le plus étroitement collaboré en grande communauté de vue. D'autres ont certainement marqué la politique patrimoniale de leur passage dans la mesure où le temps leur en a donné le loisir. Le patrimoine est une affaire de longue main. 1978 a été un moment assez étrange, marqué en même temps par la prise de conscience de la gravité de la situation du désinvestissement patrimonial et le début de la remontée, aujourd'hui encore plus effective avec le vote de la troisième loi-programme décidée par François Léotard et abondée par Jack Lang. 1978 a été aussi le moment où la sauvegarde globale de l'environnement architectural a été séparée du ministère de la Culture au sein duquel s'en était forgée la politique et dans de nombreux domaines avec l'appui de l'Aménagement du Territoire dirigé par Olivier Guichard. C'est à partir de cette structure que, sous forme « décentralisée » se sont énoncées dès 1985, les bases d'une politique générale de l'environnement, qui aboutit à la création du ministère de ce nom, marqué notamment par les passages de Robert Poujade et d'Huguette Bouchardeau.

À partir de 1978, le service des Monuments Historiques, composante essentielle de la direction du Patrimoine, dont le premier titulaire fut l'excellent administrateur Christian Pattyn, a sans doute bénéficié de cette concentration des objectifs. Malraux avait, par ailleurs, voulu donner de l'ampleur à la Caisse Nationale des Monuments Historiques (CNMHS) alimentée par les entrées dans les monuments de l'État qu'elle gère, et qui est associée à toutes les opérations de prestige. La gestion efficace du patrimoine est une condition préalable de sa sauvegarde. P.P. Bady, au « Patrimoine » et Michel Colardelle à la CNMHS (qui gagnerait à porter un nom plus médiatique et je crois qu'on y songe) ont en main bien des destins et leur passé justifie notre confiance.

Il faut savoir que de tels postes sont parmi les plus difficiles à exercer et tout autant d'ailleurs ceux des spécialistes[2]. Je n'imagine pas dans ce domaine, comme c'est excellent dans d'autres, que des responsabilités échoient à des administrateurs étrangers à une substance par nature subtile, façonnée par les élans contradictoires de l'histoire. La déontologie du patrimoine est une éthique et cette éthique s'identifie à l'intelligence de la vie.

Il convient que l'auteur et l'éditeur remercient tous ceux qui ont bien voulu favoriser leur collecte des illustrations de cet ouvrage, en particulier à la Direction du Patrimoine, Mme Françoise Bercé, le Laboratoire de Recherches des Monuments Historiques, comme tous ceux qui ont contribué à la sauvegarde des objets et monuments présentés et dont les archives ont été utilisés : Mmes S. Gaudin, A. Allemand et l'atelier du Regard, Mlles Hervé-Commereuc, Ch. Bouchon. M L'Abbé Py, MM. J. Taralon, F. Enaud, M. Bourbon, Bozolec, G. Duval, Y. Boiret, L. Pressouyre, H. de Commarque, J.-P. Repellin, M. Bruger, la Fondation C.N. Ledoux, ainsi que les Offices de Tourisme, Syndicats d'Initiatives et Musées des villes citées.

D'autres sont nommés dans le corps de l'ouvrage dans la mesure où les objets et monuments que nous avons choisis de décrire doivent beaucoup à leur travail. Mais il faudrait encore en citer d'autres qui leur ont permis de mener à bien ce travail.

L'auteur tient à exprimer toute sa reconnaissance à Michèle Bouquin, concepteur de cet ouvrage dont la collaboration a été si compétente et si précieuse.

1. Parmi ses successeurs sous la Ve République : MM. Querrien, Denieul, Bacquet.
2. N'ont été cités dans cette ouvrage que ceux qui ont dû participer aux restaurations évoquées.

LOCALISATION DES TRÉSORS D'ART CITÉS OU DÉCRITS DANS CET OUVRAGE

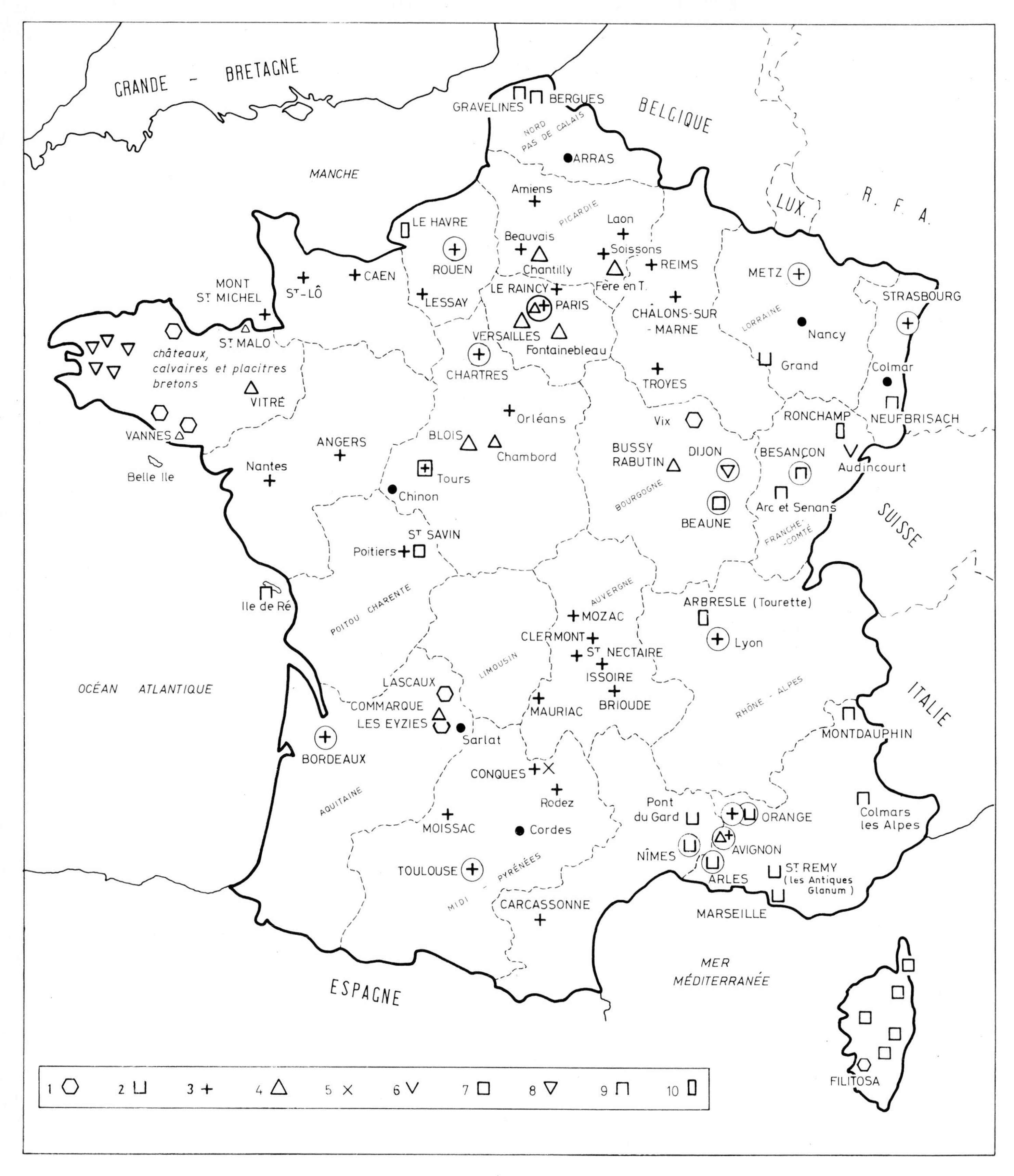

Légende

1 Préhistoire Sites celliques

2. Sites anliques ruine

3. Églises cathédrales

4. Châteaux

5. Trésors d'orfèvrerie

6. Ensemble de vitraux

7. Peintures murales polyptyques

8. Sculptures isolées

9. Architectures militaires classiques

10. XIXe et XXe siècle

GLOSSAIRE

Y figurent tous les mots et expressions suivis dans le texte d'un astérisque : l'index est conforme aux indications du Larousse, du Robert et du Vocabulaire de l'Architecture publié par l'Inventaire général des Monuments et Richesses artistiques de la France.

Abside
(de apsis, voûte). Extrémité arrondie ou polygonale d'un chœur.

Absidiole
Chapelle en forme d'abside ouverte sur le transept, le chœur ou le déambulatoire d'une église.

ADAP
Voir CAP.

Ambrosien
Ce qui concerne saint Ambroise (340-397), archevêque de Milan, l'un des plus illustres pères de l'Église, artisan de la conversion de saint Augustin. Avec ses *Hymnes* il créa la poésie liturgique dite ambrosienne.

Arc diaphragme
Pan de mur aux deux faces dégagées qui est supporté par un arc.

Arcades (grandes)
Arcades élevées entre une nef centrale et un collatéral (ou bas-côté).

Arkose
Pierre de grès feldspatique dû à la cimentation d'une arène granitique.

Baies géminées
Baies groupées deux à deux. Peuvent être également géminées deux colonnes.

Barlotière
Traverse de fer faisant partie du châssis d'un vitrail.

Basilique
Église chrétienne bâtie sur le plan en forme de grande salle allongée des basiliques civiles romaines. Également titre donné à une église privilégiée.

Basse-cour
Cour extérieure d'un château réservée au service.

Bastion
Ouvrage dessinant une saillie polygonale sur une ligne de fortification. Caractérise le système de fortification dit *bastionné* qui succède à l'architecture militaire féodale.

Bauhaus
École d'architecture fondée à Weimar en 1919 par Gropius, fixée de 1925 à 1932 à Dessau, où enseignèrent Klee, Kandinsky, Moholo-Nogy, Breuer, Mies van der Rohe, etc.

Berceau
Voûte engendrée par la simple translation d'un arc., soit plein-cintre, soit brisé.

Blochet
Pièce horizontale faisant partie d'une forme de charpente et qui est le plus souvent saillante et parfois sculptée.

Calcin
Croûte se constituant par l'effet des intempéries à la surface d'une pierre taillée.

Camée
Pierre dure taillée en relief mettant en valeur la polychromie du matériau.

CAP
Cercle des Amis du Patrimoine. Son expression juridique est l'ADAP.

Carré du transept
Espace de croisement entre transept et chœur et nef d'une église basilicale.

Castellologie
Science des châteaux.

Centre I-V
Centre international du Vitrail. Il a été créé à Chartres au grenier de Loëns notamment à l'instigation de François Perrot, Louis Grodecki, P. Firmin-Didot et de la ville.

Champlevé
En émaillerie, disposition d'alvéoles pour inscruster l'émail.

Chtonien
adj. (du gr. *khton*, terre). Désigne les divinités du monde souterrain.

Clocher-porche
Corps de bâtiment comportant un porche surmonté d'un clocher.

Collatéral
Vaisseau latéral d'une église basilicale (ou bas-côté).

Cratère
Vase antique à deux anses, en forme de coupe, dans lequel on mêlait le vin et l'eau.

Croisillon
Chacun des bras du transept d'une église.

Déambulatoire
Prolongement des collatéraux d'une église autour du chœur.

Débaroquisation
Pratique fréquente des restaurateurs du XIXe et du début du XXe siècle ayant consisté à priver des édifices d'origine médiévale d'apports baroques.

Décoffrage
Enlèvement d'un ciment ou d'un béton de son coffrage. L'effet « brut de décoffrage » consiste à garder sur la surface du béton les traces moulées des irrégularités du coffrage de bois.

Demi-berceau
Demi-voûte en berceau fréquente au-dessus des tribunes latérales d'églises romanes.

Diachronique (coupe)
Vision des phénomènes selon leur évolution dans le temps. À l'inverse la coupe « synchronique » fait ressortir leur simultanéité.

Diaphragme
Voir arc-diaphragme.

Doubleau
(ou arc-doubleau). Arc séparant deux fractions d'une voûte en berceau et semblant la consolider.

Écolâtre
Ecclésiastique qui, au Moyen Âge, dirigeait l'école liée à une cathédrale.

Émail
Substance vitreuse dont on recouvre certaines matières pour leur donner de l'éclat.

Évent
En fonderie, conduit ménagé dans les moules pour l'échappement des gaz.

Extrados
Face externe et supérieure d'un arc ou d'une voûte.

Félibre
Mot provençal d'un récit populaire et que Mistral utilisa pour désigner la communauté des poètes de langue d'oc.

Fibule
Agrafe destinée à retenir les extrémités d'un vêtement.

Filigrane
Ouvrage fait de fils d'argent, d'or ou de verre entrelacés et soudés.

Fresco (a)
La peinture murale à la fresque (it. *a fresco*) est délayée à l'eau et passée sur le mortier frais pour s'y incorporer.

Gallia Nostra
Section française de l'Association internationale Europa Nostra.

Ganagobie
Prieuré provençal clunysien près de Lurs-en-Provence dont l'église romane (XIIe s.) restaurée par Jean Sonnier possède un portail remarquable et de belles mosaïques d'inspiration orientale et restaurées elles-mêmes par M. Bassier.

Géminée
(adj.) Voir baie.

Gothique international
L'exposition de 1962 du Conseil de l'Europe à Vienne a consacré l'usage de l'expression pour désigner une rupture autour de 1400 dans la stylistique médiévale tendant vers une certaine homogénéité européenne : affirmation du luxe profane ; en architecture apparition de la galerie ; en peinture, un certain goût des formes courbes et maniérées.

Grisaille
Désigne la peinture vitrifiable servant à modeler et à fixer des traits sur le vitrail qui s'en impreigne grâce à la cuisson. Désigne aussi un vitrail incolore précisément décoré de grisaille. Désigne enfin en général les peintures monochromes grises.

Grodecki (Louis)
Cet historien d'art a renouvelé l'histoire du vitrail et celle de l'architecture du haut Moyen Âge. Il a été le premier président du « Corpus Vitrearum medii aevi », organisme international ayant pour objectif la publication intégrale des vitraux.

ICOMOS
Conseil international des Monuments et des Sites.

Intaille
Pierre fine gravée en creux.

Intrados
Face interne et inférieure d'une voûte ou d'un arc.

Inventaire
L'« Inventaire général des Monuments et Richesses artistiques de la France » est une entreprise exhaustive et de très longue main, créée par André Malraux, qui fut animée par Julien Caïn et André Chastel. Le titre à lui seul suffit à souligner qu'aucune entreprise scientifique de cette ampleur ne saurait exclure le critère qualitatif du champ de la recherche dans ce domaine. La notion de « richesse artistique » rejoint celle de « trésor » dans leur extension sémantique respective.

Linteau
Traverse horizontale établie au-dessus d'une baie et reportant sur ses points d'appui latéraux la charge des parties supérieures. Il est monolithe à la différence de la plate-bande.

Linteau en bâtière
Linteau dont la face supérieure est en double pente (un toit en bâtière présente aussi deux versants) découvrant deux pignons.

Lisse (ou lice)
La nappe des fils de chaîne des métiers à tisser des tapisseries de haute-lisse est verticale. Dans celui de basse-lisse elle est horizontale.

L.R.M.H.
Laboratoire de Recherche sur les Monuments Historiques, du château de Champs-sur-Marne (77). Travaille en liaison avec le C.R.M.H. (Centre de Recherche des Monuments Historiques) du Palais de Chaillot, la Compagnie des Architectes en chef, et de nombreux laboratoires spécialisés comme le C.E.B.T.P.

Magdalénien
Ensemble des faciès culturels de l'apogée de l'ère néolithique supérieure (13000 à 8000 avant notre ère). Nom tiré de l'abri sous roche de la Madeleine à Tursac (Dordogne).

Mandorle
(de l'it. *mandorca, amande*). « Gloire » en forme d'amande dans laquelle apparaît le christ de Majesté au Jugement Dernier.

Mansion
Au Moyen Âge, chaque partie du décor servant à une scène, l'ensemble se prêtant à une vision simultanée.

Martyrium
Mausolée élevé sur la tombe d'un martyr. Est aussi synonyme de « confession » désignant une chapelle contenant la tombe d'un martyr. Certaines églises ont été élevées au-dessus de confessions.

Mont-Gargan
Le Mont-Gargan en Italie où selon la tradition saint Michel était apparu pour la première fois et où on vénérait ses reliques. L'évêque d'Avrange en 708 à la vision que saint Michel lui demande d'élever son sanctuaire sur l'île du mont et d'y transférer les reliques au Mont-Gargan.

Motet
Pièce vocale religieuse, en marge de l'ordinaire de la messe, à une ou plusieurs voix, et que des instruments sont venus éventuellement soutenir.

Narthex
Vestibule d'entrée d'une église au-devant de sa nef.

Palladio
Andrea de Pietro, dit Palladio (1508-1580). Considérable architecte italien ayant donné son nom au « style palladien » (Vicence, Venise, villas palladiennes, etc.).Ce style s'est diffusé plus tard dans toute l'Europe, en particulier en Angleterre.

Patine
Coloration, lustration et quelquefois altération de la pierre et de la surface des métaux, due au temps.

Patrimoine mondial
Il est constitué par l'Unesco de biens culturels et naturels d'une valeur exceptionnelle et placés sous la vigilance de l'humanité.

Pentapole
Désigne ici cinq villes du M'zab (Sud algérien) dont la principale est Ghardaia.

Péristyle
Colonnade disposée autour ou en avant d'un bâtiment.

Phylactère
Banderolle sur laquelle, dans la peinture du Moyen Âge est inscrite la parole d'un personnage.

Piedroit ou pied-droit
Montant latéral portant le couvrement d'une baie.

Pinakès
Les pinakès sont des panneaux peints sur bois pourvus éventuellement de volets, comme les retables du Moyen Âge. C'est en grec le pluriel de *pinax* (planche).

Plan panoplique
Plan d'un ensemble construit de telle sorte qu'on puisse d'un de ses points en embrasser la vue en entier.

Plate-bande
Couvrement distinct du linteau parce qu'elle est appareillée et de l'arc parce qu'elle est rectiligne.

Plomb
Baguette en plomb cernant chaque pièce de verre de vitrail et présentant longitudinalement deux rainures opposées. L'espace compris entre les deux rainures est le *cœur*. Les côtés qui se rabattent sur le verre pour le sertir sont les *ailes*.

Polyptyque
Ensemble de panneaux peints ou sculptés dont les volets peuvent se replier sur la partie centrale.

Porche
Avant-corps bas devant une façade (voir clocher-porche).

Pour la ville
Association de recherche et d'information pour une nouvelle politique urbaine.

Psychomachie
Au Moyen Âge, combat allégorique des Vices et des Vertus.

Quattrocento
(it.) Cette expression désigne le XVe siècle en Italie.

Repons
Chant alterné dans l'office liturgique romain.

Retable
Construction peinte ou sculptée placée à l'arrière de la table d'autel dans une église.

Sauvegarde
Il existe en France de nombreuses associations de sauvegarde du patrimoine et de l'environnement outre celles citées dans lesquelles j'ai un engagement personnel. Citons les VMF (Vieilles Maissons Françaises). Espace pour demain, la LUR (Ligue Urbaine Rurale). Les Maisons Paysannes, La Demeure Historique, la FNASSEM fondée par Henry de Segogne, l'Association nationale pour la protection des villes d'Art et pour l'esthétique de la France, Jeunesse et Patrimoine et les associations de chantiers bénévoles (Remparts, Cotravaux, etc.). Beaucoup d'associations locales dont l'objectif est précis sont aussi très dynamiques.

Tribune
Galerie à l'étage s'ouvrant sur l'intérieur notamment d'une nef d'église.

Trachite
Roche volcanique de feldspath alcalin.

Trompe
Ici, petite voûte construite dans un angle rentrant sous un surplomb, permettant notamment de passer du plan carré de la croisée du transept à ses superstructures octogonales ou circulaires. Dans ce même but, on emploie aussi la technique de la coupole sur *pendentifs*.

Trumeau
Pilier ou pan de mur divisant en deux le portail d'une église.

Tympan
Surface comprise entre un linteau et un arc (ou les remparts d'un fronton). S'y situe une des plus hautes expressions du programme sculpté des programmes des portails des cathédrales et des églises médiévales.

Valois
Branche cadette de la dynastie capétienne régnant de 1328 à 1589. Désigne ici les quatre ducs valois de Bourgogne, les fameux « grands ducs d'Occident » (1364-1477).

Vitraux de Saint-Pierre de Chartres
Ces vitraux sont d'autant plus précieux qu'entre les deux grandes époques du milieu du XIIIe et du milieu du XIVe siècle, les vitraux de l'époque intermédiaire sont peu nombreux.

Voûte
Maçonnerie couvrant un espace et généralement faite de pièces s'appuyant les unes sur les autres. La *voûte d'arête* résulte de la pénétration de deux berceaux se coupant selon des arêtes saillantes. Dans la *voûte d'ogive* ces arêtes sont soulignées et la voûte ainsi confortée par des ogives (du lat. *augere*, soutenir). La *voûte angevine* est une voûte d'arête bombée.

Origine des illustrations

Sauf mention ci-dessous les photographies et documents nous ont été fournis par l'auteur.

Les noms des autres photographes ou organismes sont suivis des numéros de pages où paraissent les illustrations.
A. Allemand, pp. 21, 42, 43, 76, 141, 144-147, 153, 162. Association Patrimoine des Hauts Pays (Grand-Vosges) : 26-30 ; Chantal Bouchon : 43, 44 M. Bouquin : 19, 22-25, 38, 75, 91-94 ; Michel Bourbon : 139, 149-152, 163, 164 ; E. Bourgey : 7 ; P. Buet : 67, 70 ; J. Burger : 80, 86, 87, 88 ; S. de Castro : 52 ; CCDP Chalons-sur-Marne : 158 ; CESCM Poitiers : 143 ; CFEM : 136 ; de Commarque : 105 ; de Commarque-D. Reperant :104 ; C. Courbière : 57 ; CRDP Lille : 130 ; CRMH Rennes : 71 ; Durand : 77, 78 ; G. Duval : 31, 32 ; F. Enaud : 55, 60-62 ; Fondation C-N Ledoux : (G. Pernet) 171, 174 ; Galerie Chevalier 117 ; S. Gaudin : 39, 42, 44, 45, 47-48 ; C. Hervé-Commereuc : 5, 63, 66, 68, 69, 71, 72, 200 ; La Goelette : 95-100, 115, 189, 195 ; L.R.M.H. : 45, 46, 59, 147, 4e de couv. ; S. Maclean : 41, 49, 50, 148, 149, 175, 176, 178 ; D. May : 199 ; Musée du Château de Blois (et X. Anquetin) : 108-110, 112 ; Musée de Saint-Rémi : (J. Driol) 159, 160 Musée de Vix :11, 18 ; M. Paynard 1er de couv : 169-171, 173, 174, 187, 188 ; L. Pressouyre : 156-158 ; Puy d'Images : 73, 79, 80, 81, 82, 85 ; l'Abbé PY (Europart) : 51, 52 ; Renaissance des Cités de France : 198 ; Roger-Viollet : 135, 181, 182 ; J. P. Roumagnac 58 ; Santa-Maria : 71 ; S. I. Arles : 191 ; S. I. Arras : 131-133 ; S. I. Conques (M. Delbos) : 7, 33-36, 4e de couv. ; S. I. Fère en Tardenois (M. Briffoteaux) : 118, 119 ; S. I. Nîmes : 24 ; S. I. Orange : 24 ; S. I. du Raincy : 186 ; S. I. Sarlat : (Guy Rivière) 199 ; G. Taralon : 10, 13-16, 37, 59 ; C. Veyssière-Pomot : 67.

TABLE DES MATIÈRES

Ce livre a été conçu et réalisé par
Les Éditions d'Art et d'Histoire
ARHIS
54, av. d'Iéna, 75116 Paris. tél. 47.20.66.76

Imprimé en Italie par Vallardi Industrie Grafiche, Milan
pour les Éditions de l'Épargne, Paris

Dépôt légal : août 1989
N° d'éditeur 2840
ISBN : 2-85015-233-1